馬韓·百濟土器 研究 成果와 課題

마한연구원 총서 3
마한 · 백제토기 연구 성과와 과제

2017년 3월 28일 초판 1쇄 인쇄
2017년 3월 30일 초판 1쇄 발행

지은이 송공선 · 왕준상 · 김은정 · 남상원 · 조가영 · 이순엽 · 조규희 · 오동선 · 조은하 · 이건용 · 이지은 · 한지선

펴낸이 권혁재

편집 조혜진
인쇄 동양인쇄

펴낸곳 학연문화사
등록 1988년 2월 26일 제2-501호
주소 서울시 금천구 가산동 371-28 우림라이온스밸리 B동 712호
전화 02-2026-0541~4
팩스 02-2026-0547
E-mail hak7891@chol.com

ISBN 978-89-5508-374-3 94910

마한·백제토기 연구 성과와 과제

송공선
왕준상
김은정
남상원
조가영
이순엽
조규희
오동선
조은하
이건용
이지은
한지선

학연문화사

책을 펴내며

마한과 백제는 공간적으로는 모두 경기·충청·전라지역을 기반으로 성장하였지만 시간적으로는 상당한 기간에 걸쳐 선후관계를 가지고 교체되어 나갔습니다. 마한은 서울지역에서 새로 건국되었던 백제에 의해 경기지역에서부터 충청, 전라지역 순으로 서서히 통합되어 나갔던 것입니다.

백제는 온조로 대표되는 고구려계 이주민에 의해 건국되었지만 공간적으로는 마한 지역을 기반으로 성장하였기 때문에 서로 구분되기 어려운 점을 많았습니다. 따라서 양자의 관계는 흔히 죽순과 대나무의 관계로 표현되어 왔는데 다른 한편으로는 동전의 양면처럼 뚜렷이 구분되는 점도 공존합니다.

마한과 백제 사이의 구체적인 관계에 대해서는 단편적이나마 남아있는 문헌자료를 통해 적지 않은 연구가 이루어지고 있는 한편 다양한 고고학 자료를 통해 새로운 사실들이 밝혀져 나가고 있습니다.

다양한 고고학 자료 가운데 가장 많은 양을 차지하고 있는 토기는 여러 연구자들에 의해 그 기원에서부터 편년, 생산과 유통, 용도와 상징 등 많은 연구가 이루어져 왔습니다. 그러나 명칭이나 소속뿐만 아니라 기원, 편년 등 기본적인 사항에 대해서도 적지 않은 견해 차이가 나타나고 있습니다.

마한연구원에서는 이와같은 현실을 감안하여 마한토기나 백제토기에 관심이 많은 연구자들을 중심으로 기존의 연구 성과를 정리하고 향후의 연구 과제를 점검해 보는 시간을 가지게 되었습니다.

2015년과 2016년에 걸쳐 기종별로 기존 연구 성과를 분담하여 정리하는 한편 5차에 걸친 발표와 토론을 통해 연구자간의 견해 차이를 좁혀 나가고자 하였습니다. 특히 주로 기종별로 이루어져 왔던 마한토기와 백제토기의 편년안을 보완하여 통합적인 편년안을 마련해 보고자 하였습니다.

기종별 정리에 있어서는 마한토기와 백제토기를 구분하지 않고 시기별, 지역별 특징을 감안하여 이중구연호, 양이부호, 장란형토기, 유공광구호, 흑색마연토기, 직구단경호, 광구호, 광구장경호, 개배, 고배, 삼족기, 기대, 발형토기, 시루, 조형토기, 연통형토기를 대상으로 하였습니다.

이와같은 토기들은 기종에 따라 출토량, 분포범위, 출토유적의 성격 등에서 차이가 있지만 그동안 공반 관계를 중심으로 기종별, 지역별로 기원과 편년을 중심으로 연구가 이루어져 왔습니다. 마한과 백제 토기를 구분하여 두 세력 사이의 역학관계를 밝히려는 시도도 이루어진 바 있습니다.

이번에 이루어진 공동 연구를 통해서는 마한토기와 백제토기의 통합 편년안을 마련하기는 어려웠지만 여러 기종에서 공통적으로 관찰되는 시, 공간적 변화가 당시 마한과 백제 사이에서 어떠한 정치적, 경제적, 문화적 배경과 관련되어 나타난 것인지를 거시적으로 파악해 볼 필요성을 구체적으로 인식하였다는 점에서 나름대로 성과가 있었다고 자평할 수 있을 것입니다.

이와같은 연구 성과는 전라남도의 지원으로 마한, 백제 토기 연구자간에 폭넓은 비교 연구가 이루어질 수 있었기 때문에 얻을 수 있었습니다. 연구에 동참하여 주신 모든 분들과 연구를 지원하여 주신 이낙연 지사님을 비롯한 전라남도 관계자 여러분께 깊이 감사드립니다.

이 작은 책자가 마한과 백제에 관심을 갖는 모든 분들께 조금이나마 도움이 되시기 바라며 흔쾌히 출판을 맡아주신 학연문화사 권혁재 사장님과 복잡한 내용을 잘 편집하여 주신 권이지 선생님께 감사드립니다.

2017. 3.

마한연구원장 임영진

목　　차

양이부호와 발형토기

송공선 호남문화재연구원

Ⅰ. 머리말

兩耳附壺는 작은 단지에 구멍이 뚫린 작은 손잡이가 대칭으로 부착된 기종으로, 흡사 귀가 달린 모양 같다고 하여 '양이부호'로 불린다. 양이부호는 1990년대에 경기·충청·전라지역의 마한권에서 사용된 토기로 인식되었다. 그리고 형태적·기술적 측면에서 어느 시점에 갑자기 등장한 기종으로서 인식되어지지만, 그 기원에 대해 중국의 영향을 받았을 것으로 보는 견해가 제기되기도 하였다. 양이부호는 다른 마한토기와 함께 백제의 확장에 따른 마한의 영역축소과정을 반영하는 주요 지표기종으로 인지되어고 있다.

鉢은 선사부터 역사시대까지 형태는 조금씩 변화해왔지만, 식생활과 직접적으로 관련있는 유물 중 가장 오랫동안 기본 틀이 유지되어 온 기종이라고 할 수 있다. 따라서 발형토기에 대한 연구는 토기에서 찾아볼 수 있는 태토, 기형, 문양 등의 변화를 통시적으로 파악할 수 있는 좋은 고고학적 자료임에는 틀림없다. 본고에서는 양이부호와 발형토기에 대한 지금까지의 연구성과를 살펴보고, 편년을 중심으로 향후 연구과제에 대해 알아보고자 한다.

Ⅱ. 양이부호

1. 연구성과

1980년대 즈음의 양이부호는 백제토기 중의 하나로 소개되는 수준에서 인식되었는데, 그 중 안승주[1])는 백제토기의 범주에 이부호(양이부호, 삼이부호, 오이부호 등)를 포함하였고, 출토 수량이 가장 많은 양이부호를 분석하였으며, 가장 중요한 기준으로는 이부를 선정하였다. 이부의 분류는 직립구연을 가지면서 구형 평저에 세로의 구멍이 뚫린 우각형, 원통형의 이가 부착된 것, 가로의 구멍이 뚫린 이가 부착된 것으로 구분하였다.

1990년대에 들어 양이부호 자체에 대한 연구가 진행되었다. 김종만[2])이 양이부호를 평저나 원저소호의 동체견부에 대칭으로 이가 부착된 토기로 정의하고, 3세기에 등장하여 5세기에 사용되었다고 파악하였다. 양이부호의 출토범위가 서울·충청·전라지역에 집중되어 있어 중도문화권과 구별되는 송국리문화권과 일치하는 것으로 보았다. 출토범위의 북계는 서울, 남계는 강진, 동계는 천안-청주-소백산맥의 서쪽에 해당하는 것으로 대체로 마한권과 일치된다고 주장하였다. 또한 마한·백제권 출토 양이부호의 이른 형태가 평저인 것에 주목하여 그 기원을 후한대의 중국 강서지방에서 찾고 있다. 즉, 중국 강서지역의 평저양이부호가 낙랑에 도입되고 다시 낙랑에서 한반도 서남부로 전해진 것으로 보았다. 아울러 양이부호의 이른 형태가 충청 서부지역의 서산·서천지방에서 확인

---

1) 安承周, 1979, 「百濟土器의 硏究」, 『百濟硏究』23 ; 安承周, 1984, 「百濟土器의 槪觀」, 『百濟土器圖錄』, 百濟文化開發硏究院, pp.417~418.

2) 金鐘萬, 1999, 「馬韓圈域出土 兩耳附壺 小考」, 『考古學誌』10, p.50.

되기 때문에 낙랑에서의 전래 가능성 또는 중국과의 직접적인 교섭에 의해 도입되었을 가능성도 언급하였다. 백제토기의 범주에서 이해되던 양이부호라는 기종을 분석하여 기원과 분포범위, 그리고 변천양상을 파악하여 마한정치체에서 사용한 기종으로 판단한 김종만의 연구는 이후 양이부호에 대한 이해의 기본틀이 되었다.

김승옥[3)]은 호남지역의 마한주거지에서 출토된 토기를 분석하여 주거지의 편년을 제시하였다. 이 과정에서 이중구연호, 양이부호, 유공광구소호, 거치문호를 마한정치체의 특징적인 기종으로서 영산강유역 뿐만 아니라 섬진강상류와 보성강유역에서 집중적으로 출토되는 것으로 파악하였다. 영산강유역의 양이부호 출토양상을 상류와 하류로 구분하였는데, 상류에서는 이편만이 확인되며 하류에서는 모두 평저의 짧은 경부를 지닌 양이부호만이 출토되는 반면, 섬진강상류와 보성강유역에서는 평저의 양이부호와 함께 원저의 양이부호가 출토되는 것으로 확인하였다. 양이부호는 마한주거지 편년안에서 Ⅱ기(50~200년)와 Ⅲ기(200~350년)를 점유하고 영산강유역과 보성강유역에서 Ⅱ기부터 등장하기 시작하여 Ⅲ기에 주로 확인되는 기종으로 파악하였다.

한옥민[4)]은 전남지방 토광묘의 편년을 위해 출토된 토기를 분석하였다. 양이부호는 토광묘와 옹관묘의 부장토기이며, 이부와 뚜껑을 끈으로 묶어 사용하는 토기로 정의하였다. 저부가 대체로 편평하며 짧은 직립형의 구연을 가진 기형만을 분석대상으로 삼았는데, 이의 부착위치와 구연부의 형태를 시간적 흐름을 반영하는 중요한 속성으로 보고 있다. Ⅰ식은 이가 견부에 부착되며 직립 구연을 가진 것, Ⅱ식은 이가 견부 상위에 부착되며 구연부가 내경하는 것으로 구분하였고

3) 金承玉, 2000, 「호남지역 마한 주거지의 편년」, 『湖南考古學報』11, pp.51~54.
4) 韓玉珉, 2000, 『全南地方 土壙墓 硏究』, 全北大學校 碩士學位論文, p.25.

전자에서 후자로 변화를 상정하였다. 한옥민이 제시한 양이부호 변천도면을 보면, 분석과정에서 직접 언급하지 않았지만 원저에서 평저 양이부호로의 변화양상을 확인할 수 있다. 전남지방 토광묘의 편년을 Ⅰ기(기원전 3세기 말~기원후 2세기 초반), Ⅱ기(2세기~3세기 후반), Ⅲ기(3세기 후반~4세기 후반)로 구분하였고, Ⅱ기에 주로 부장되던 이중구연호를 대신하여 Ⅲ기부터는 양이부호가 부장된다고 보았으며, 이중구연호와 양이부호의 계승관계에 대해 역설하였다.

이영철[5]은 영산강유역의 토기류를 분석하여 분기를 설정하고, 이 지역 정치체의 변화 추이를 파악하는데 양이부호의 변화양상을 구연부와 저부 형태, 이의 부착위치, 기고와 구연부 직경과의 비율 등 활용하였다. 구연의 형태는 내경에서 직립, 이의 부착위치는 중앙부에서 상위부, 구연부 직경은 전체 높이에 비해 큰 것에서 작은 것으로 변화한다고 파악하였다. 특히 양이부호가 기존의 평저에서 원저로 변천한다는 것과는 다른 의견을 제시하였다. 즉, 충청지방에서 출토되는 양이부호의 사례와 같이 평저가 원저에 비해 이른 것에는 동의한다고 하였으나, 전남지방 자료만을 놓고 보면 원저가 평저보다 이르다고 보고 있다. 전남지방 출토 양이부호의 경우 저부는 원저→평저, 구연부는 직립→내경, 이부는 경부 중앙→경부 상단으로 변화한다고 보았다. 이러한 현상은 충청과 전라지방에서 양이부호를 수용하는 배경의 차이로 설명하고, 이중구연호의 대체품으로 양이부호가 제작되었다는 것에 대해 재고할 필요가 있다고 보았다.

윤효남[6]은 전남지방의 분구묘에서 출토된 양이부호를 분석하였다. 함평 순촌 C-1-1호 옹관묘와 화순 용강리 4호 토광묘 출토품을 구연부·동체부의 형태, 이부의 부착상태와 구멍의 투공방향에 따른 변화흐름에 대해 설명하면서 중서

5) 李映澈, 2001,『榮山江流域 甕棺古墳社會의 構造 硏究』, 慶北大學校 碩士學位論文, p.17.
6) 尹孝男, 2003,『全南地方의 3~4세기 墳丘墓에 대한 硏究』, 全北大學校 碩士學位論文, p.24.

부지방의 토광묘 출토품과 형태적으로 유사하다고 파악하였다. 구연부는 외경에서 내만으로, 동체부는 편구형에서 구형, 이의 투공 방향은 가로에서 세로로, 이의 위치는 동최대경에서 동최대경 윗부분으로, 기고는 점차 높아지는 경향을 보인다고 하였다.

이순엽[7]은 전남지방의 매장유구에서 출토된 호류를 분석하면서 양이부호를 분석의 대상으로 삼았다. 저부를 원저, 말각평저, 평저로 구분하고 원저에서 평저로의 변화를 상정하였다. 구연부는 직립에서 내경하는 것으로 보았다. 전남지방의 영암지역에서 주로 사용되었고, 1형식은 토광묘, 2형식은 옹관묘, 3형식은 석실묘에서 주로 쓰인다고 파악하고 있다. 전남지방에서는 화순 용강리 4호 토광묘 출토품을 가장 이른 형식으로 파악하고 있으며, 3세기 중후반으로 편년하고 있다.

임영진[8]은 마한의 범위에 대해 설명하면서 양이부호를 다루었다. 양이부호가 충남 서부지방에서 수용되어 영산강유역과 보성강유역에서 주로 사용되는 범마한권의 대표기종으로 보았다. 마한의 동쪽 경계 문제와 관련해서 강원도 영서지역에서는 양이부호가 확인되지 않는다는 점을 강조하면서 마한의 범위가 남한강을 넘지 않을 것이며, 남한강과 금강을 가르는 한남금북정맥이 동계일 것으로 파악하고 있다.

서현주[9]는 영산강유역 고분 출토 양이부호를 대상으로, 먼저 저부의 형태에 따라 원저와 평저로 구분하고, 이의 부착위치와 투공방향에 따라 이를 옆으로 길게 부착하고 구멍을 종방향으로 뚫은 것과 이를 상하로 길게 부착하고 구멍

---

7) 李順葉, 2003,『全南地方 墳墓 出土 壺의 分類와 編年』, 木浦大學校 碩士學位論文, p.28.
8) 임영진, 2006,「백제 건국 이전 마한사회의 성립과 발전」,『백제의 영역변천』, 주류성, p.52.
9) 徐賢珠, 2006,『榮山江流域 三國時代 土器 研究』, 서울大學校 博士學位論文, pp.45~48.

을 횡방향으로 뚫은 것으로 분류하였다. 김종만의 기존 분류와 같이 저부가 평저에서 원저로 변화하는 것은 동일하게 전개되지만, 이의 투공방향은 종방향으로 뚫은 것이 이른 시기이고, 횡방향으로 뚫은 것이 늦은 시기로 판단하였다. 그 중에서 원저 저부에 횡방향 투공이부를 부착한 양이부호는 가야토기와 연관 있다고 보았다. 금강 하류지역과 마찬가지로 영산강유역 또한 평저가 먼저 출현하고 점차 원저의 양이부호로 변화해 간다고 하였다. 고창 만동유적 출토 흑색마연토기와 가야계 광구소호의 연대로 보아 영산강유역에서의 양이부호 사용은 4세기 전중엽경으로 파악하고 있다.

윤온식[10]은 2~4세기의 영산강유역 무덤 출토 토기자료를 중심으로 영산강유역 토기의 변천과 지역단위에 대해 연구하였다. 소성도와 이부의 투공방향을 기준으로 영산강유역에서 가장 이른시기의 양이부호는 나주 용호, 함평 월야 순촌, 영광 군동 출토품으로 파악하였다. 그리고 영산강유역 출토 양이부호의 초출연대를 3세기 2/4분기로 설정하였다.

황춘임[11]은 김종만의 연구 이후 자료가 축적되었고, 형태적 특징 분석이 미흡했음을 문제 삼았다. 구연 형태는 외반, 직립, 내만의 3개 형식, 평저 양이부호를 6개 형식, 원저 양이부호를 3개 형식으로 구분하였다. 지역별 출토되는 형식을 통해 양이부호의 유입경로에 대해 설명하였다. 또한 일본 구주지방에서 출토되는 양이부호를 마한계 도래인의 근거로 파악하였다. 황춘임 역시 김종만의 연구와 마찬가지로 평저양이부호가 금강유역을 통해 도입되어 한반도 서남부 각지로 파급되는 것으로 보고 있다.

---

10) 尹溫植, 2008,「2~4세기대 영산강유역 토기의 변천과 지역단위」,『湖南考古學報』29, 湖南考古學會, p.69.

11) 黃春任, 2009,『原三國時代 兩耳附壺에 관한 硏究』, 忠南大學校 碩士學位論文.

이진희[12]는 저부 형태를 평저, 원저, 말각평저의 3개 형식, 이부의 투공 형태, 동체 형태에 차이를 두어 9개 형식으로 구분하였다. 평저에서 원저, 말각평저로 변화하며, 이부의 투공방향은 종방향에서 횡방향으로 변화한다고 보았다. 각 형식의 변화를 백제의 영역변천과 결부시켜 설명하고 있다.

박영재[13]은 저부 형태와 구연부 형태, 동체세장도 등을 조합하여 양이부호가 서천·서산지역에서 처음 등장하였다고 판단하였으며 앞선 연구와 같이 3세기 초에 한반도에 등장하여 5세기까지 사용된 기종으로 보고 있다. 양이부호가 낙랑 또는 중국 강서지역에서 기원한 토기로 보는 주장에 대해 검토하였다. 한반도 중부지역에서 확인되는 낙랑관련 유적을 검토하여 양이부호가 낙랑에서 도입되었을 가능성이 희박하다고 보았고, 유사 기종이 중국 강남지역에서 확인됨을 들어 양이부호가 중국에서 한반도로 도입되었다고 파악하였다. 어떠한 계기에 의해 양이부호가 마한권에서 사용되기 시작하며 백제의 영역확장에 따른 마한정치체의 변화를 민감하게 반영하는 기종으로 이해하였다.

2. 연구과제

지금까지의 연구성과를 아래 표처럼 정리해보면 각 연구자마다 차이가 조금씩 있는 것을 확인할 수 있다. 양이부호에서 편년을 가장 잘 반영하는 요소는 저부형태와 '耳'의 투공방향으로서 대부분의 연구자들이 활용하고 있다. 이 중 저부의 형태변화는 전체적으로 평저에서 원저로의 변화를 상정하고 있지만, 한옥민·이영철·이순엽은 원저에서 평저로 변화하는 것으로 보고 있다.

---

12) 이진희, 2010, 『韓國 西南部地域 兩耳附壺 硏究』, 全北大學校 碩士學位論文.
13) 박영재, 2016, 『마한·백제권 양이부호 도입과정』, 전남대학교 석사학위논문.

〈표 1〉 양이부호 연구자별 형식분류와 편년 비교표

구분	구연부	저부	동체부	이부 위치	투공 방향	기고	기원	연대	성격
안승주 (1979, 1984)									백제토기
김종만 (1999)		평저→원저			횡방향 → 종방향		중국 강서지방 (후한)/낙랑	3세기 등장 ~5세기	마한토기
김승옥 (2000)								50~200년 등장 200~350년 성행	
한옥민 (2000, 2001)	직립→내경	(원저→평저) (전남지방)		견부 부착 →견부 상위				3세기후반~4세기 후반 토광묘에 부장되기 시작	
이영철 (2001)	직립→내경 직경 大→小	원저→평저 (전남지방)		동체 중앙 →동체 상단					
윤효남 (2003)	외경→내만		편구형 → 구형	동최대경 →동최대경 상위	횡방향 → 종방향	낮은 것 → 높은 것			
이순엽 (2003)	직립→내경	원저→평저 (전남지방)	편구형 → 역제형	동체 상위 →동체 중상위	변화상 파악 어려움			3세기 중후반 등장 (전남지방, 화순 용강리 4호 토광묘 출토품)	
서현주 (2006)		평저→원저			종방향 → 횡방향			4세기 전중엽경 사용시작 (고창 만동유적)	
윤온식 (2008)		평저→원저			종방향 → 횡방향			3세기 2/4분기 초출 (나주 용호, 함평 월야순촌, 영광 군동)	
황춘임 (2009)		평저→원저					중국	금강유역 도입	
이진희 (2010)		평저→원저, 말각평저	세장화		종방향 → 횡방향			3세기 전후엽 등장 5세기중엽~6세기 전엽 소멸	
박영재 (2016)	직립→내경	평저→원저, 말각평저	세장화		종방향 → 횡방향		중국 강남지역/ 낙랑지역 희박	3세기초 등장 (충남 서천, 서산) 5세기까지 사용	

이 연구자들은 전남지방의 출토품만을 연구대상으로 이루어졌다는 점에서 주목할 필요가 있다. 이러한 양이부호의 저부변화가 다른 지역과 편년에서 어떻게 다르게 나타나며 그 이유가 무엇에서부터 발생하는지 면밀히 검토해야할 점이다. 그리고 투공방향에서 김종만·윤효남은 횡방향에서 종방향으로 변화로 상정하고 있어 다른 연구자와 다른 상대편년을 보여주고 있다. 양이부호의 투공방향은 한반도 서부지역에는 대부분 종방향이 확인되고 있고, 횡방향의 투공은 경상도지역의 가야문화권에서 주로 확인되는 점을 고려할 필요가 있다. 즉, 문화교류로 유입된 토기에 대해 재지계 양이부호와 같은 그룹으로 형식분류와 편년을 할 경우 오류가 발생할 수 있는 가능성이 있을 것으로 보인다.

Ⅱ. 발형토기

1. 연구 성과

지금까지 이루어진 발형토기에 대한 연구성과는 크게 세가지 형태로 연구되어져 왔다. 첫째, 지역단위의 발형토기 자체 대한 형식분류를 통한 연구는 본래 1989년 金載元 박사의 八旬 기념논집에 소개될 예정이었던 故김원룡연구로부터 시작되었다. 김원룡은 심발형토기가 기원후 4세기에 남한 전역에 同質土器로서 널리 퍼진 토기형식 중 하나로서 반드시 적갈색 또는 흑갈색연질이고, 저부에 위가 약간 부른 동부, 가볍게 외반하는 구연, 타날 또는 압날된 승석문이나 격자문이 특징으로 보았다. 심발형토기는 적갈색연질토기로서 무문토기 이래의 조리구로서 그 문화적 성격 또는 상징성이 문화전통으로 5세기대까지 지속되었던 일종의 의기적 존재로서 그 중요성을 피력하였다. 심발형토기의 기형은 송국리 54-5호주거지의 홍도와 같이 전형적인 송국리형에서 발형으로 변화한 것에서 시작한 것으로 파악하였고, 그 계보는 송국리→미발견송국리권유적→신창리, 늑도→군곡리 순으로 보았다. 이후 승문 또는 격자문이 타날된 적갈색연질의 심발형토기는 춘천 중도에서 처음 출현한 것으로 이는 명도전과 함께 압록강을 넘어온 중국유문회도의 확산으로 보았고, 이러한 격자문과 승석문이 타날되고 정형화된 심발형토기는 문화적 접촉에 의해 전역으로 확산된 것으로 이해하였다. 한편, 4세기까지 남한 전역에 유행한 적갈색연질의 타날문심발형토기는 5세기로 들어가면서 소멸되거나 부장품으로 사용이 중지된 것으로 파악되지만, 그 배경은 추정되지 않았다.[14)]

박순발은 한강유역 및 중서부지방의 원삼국시대 및 한성기 백제고분군에서 출토된 경질무문심발과 타날문심발형토기를 분석대상으로 변천과정으로 6단계로 구분하였다[15)]. 기종과 기형은 무문→격자문→승문+선→승문으로 변화하고, 승문의 출현시기 및 격자문의 소멸시기가 한강유역-중서부 북부지역-중서부 남부지역-호남지역 순으로 지역적인 차이를 보여준다고 판단하였다. 이러한 각 지역별 토기의 변화양상에 있어서 승문의 시기적 확산양상이 백제의 영역확대 과정과 일치하는 것으로 보았다. 김진홍은 한성기 서울·경기도 지방의 심발형토기를 대상으로 시간성을 반영하는 구연 및 저부형태, 문양, 제작기법, 태토 및 소성 등의 제속성과 각 유적의 방사성탄소연대를 참고하여 심발형토기의 변화 흐름을 살펴보았다[16)]. 송공선은 호남지역 발형토기를 대상으로 '심발' '천발' '대발'로 명명되는 세부기종의 변천과정을 3단계로 구분하여 변천양상을 파악하였다. 이 중 심발이 가장 연속적인 변화상이 나타나는 것으로 확인되었는데, 경질무문토기에서 발형토기의 기형

14) 김원룡, 2000, 「심발형토기에 대하여」, 『고고학지』11.

15) 박순발, 2001, 「심발형토기고」, 『호서고고학보』4, 호서고고학회.

16) 김진홍, 2008, 「한성백제 후기 토기연구-경기지역 출토 심발형토기와 장란형토기를 중심으로」, 수원대학교 사학과 석사학위논문.

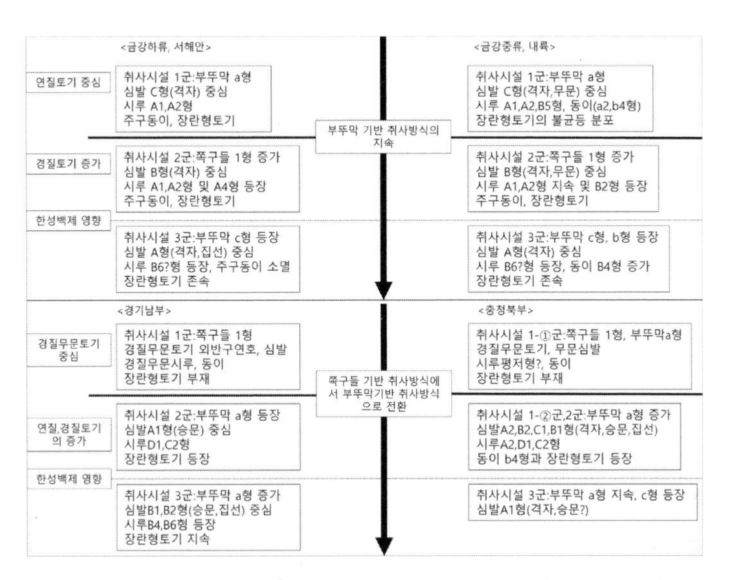

〈그림 1〉 지역별 취사방식 관련 물질문화의 변천 모식(김용갑 2013)

이 이어지고, 타날이 이루어지면서 기벽의 두께가 얇아지는 것으로 확인되었다. 변천과정은 호남지역 마한과 백제의 관계 속에서 이루어진 백제영역확대과정과 관련성이 있는 것으로 파악하였다[17]. 김용갑은 원삼국~한성백제기에 확인된 취사시설과 심발형토기의 분석을 통해 지역별 취사방식의 차이와 편년체계의 문제점을 다루었다[18]. 그는 연질타날 취사용기는 낙랑계 제도기술의 영향을 받아 경기지역을 중심으로 발생하고, 재래계 자비용기인 경질무문 대발을 대체한다고 인식하였다. 그리고 경질무문-연질-경질토기라는 토기질의 변천과정의 틀에서 경질무문토기가 확인되지 않은 유적들은 상대적으로 늦은 시기로 비정되는 경향이 있는 연유로 차령이남 지역 중 서해안지역에서는 초기철기시대 이후 약 300년 동안 고고학

17) 송공선, 2008, 「삼국시대 호남지역 발형토기 고찰」, 전남대학교 석사학위논문.
18) 김용갑, 2013, 『원삼국시대 취사시설과 심발형토기의 지역성』, 경희대학교 석사학위논문.

문화단계의 공백기가 생기게 되고, 낙랑토기가 부재하는 지역에서 격자문계 취사용기의 등장과정의 설명이 어려워진다 보고 있다. 따라서 기존 연구에 이용된 경질무문, 연질/경질토기의 비율변화와 편년적 원칙은 지역적으로 한정되어야 하고, 물질문화의 변천과정은 시간의 흐름에 따른 기술적발전과 외부의 선진지역에 영향을 받기도 하지만, 취사방식이라는 특정 생활패턴이 새로운 물질문화의 등장에도 밀접한 관련이 있는 것으로 보았다. 土田純子는 마한·백제지역의 취사용기인 심발형토기, 장란형토기, 시루를 대상으로 한성, 중서부·북부·중부·남부의 지역별 변천양상을 파악하였다. 이 중에서 심발형토기는 타날문의 차이와 기형의 관계는 백제의 영역확대과정에 따라 격자문계가 승문계화되며, 승문계 취사용기의 출현은 교통상의 요충지나 중요거점 등 입지와 관련이 있는 것으로 판단하였다[19].

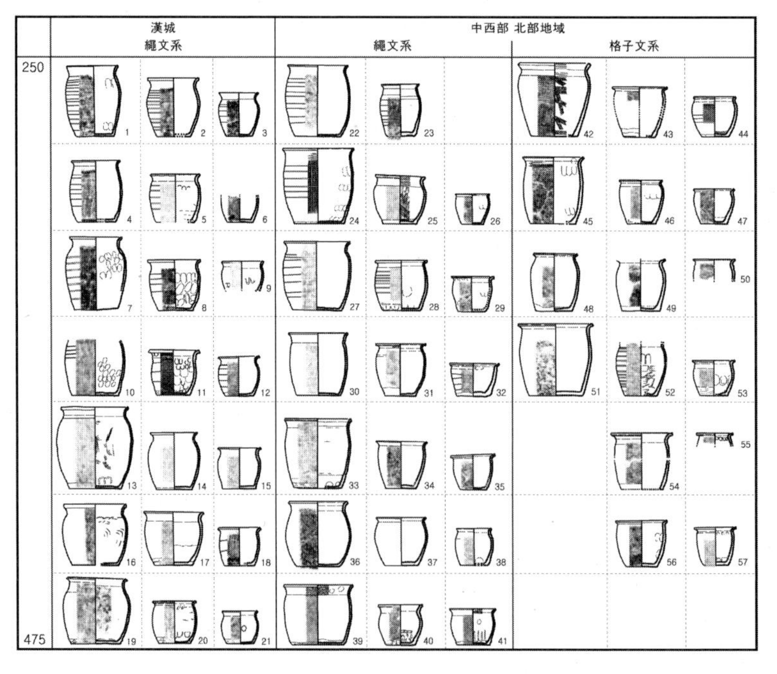

〈그림 2〉 한성 · 중서부 · 북부지역 출토 심발형토기의 변천(土田純子 2013)

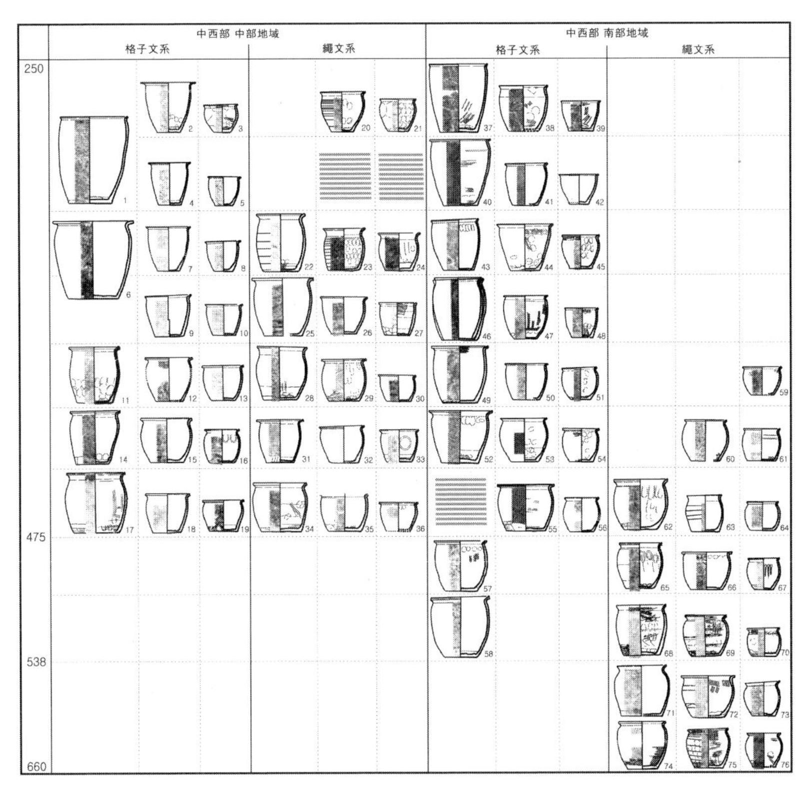

〈그림 3〉 중서부 중부지역 · 남부지역 출토 심발형토기의 변천(土田純子 2013)

곽명숙은 전남지역 삼국시대 주거지 출토 타날문 심발형토기를 대상으로 토기의 시·공간적 변화와 각 단계별 편년설정과 변화상을 분석하였는데, 크게 5개 형식, 5개 군집, 4분기로 분류하였다[20].

---

19) 土田純子, 2013,「마한·백제지역 출토 취사용기 변천고」,『백제연구』58, 충남대학교백제연구소.

20) 곽명숙, 2014,「전남지역 주거지 출토 심발형토기 연구」,『호남고고학보』47, 호남고고학회.

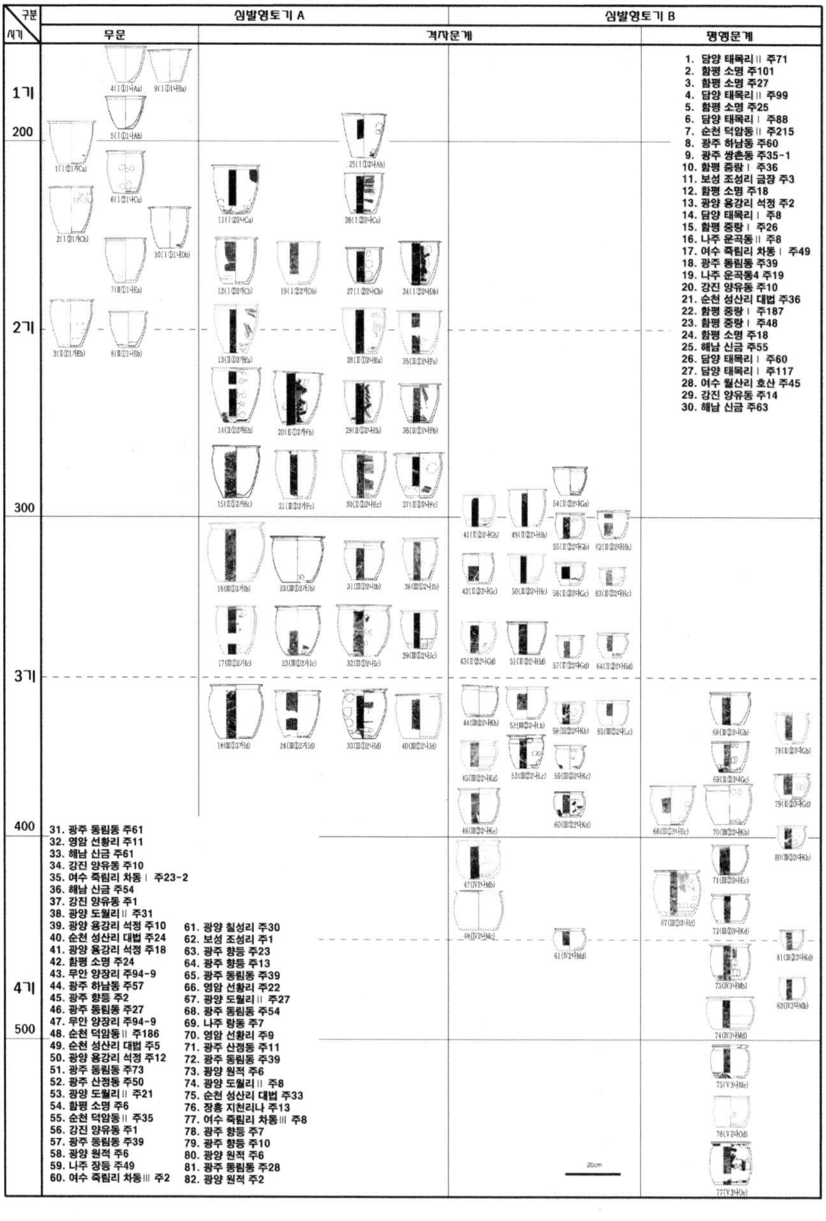

구분 / 시기	심발형토기 A		심발형토기 B	
	무문	격자문계		평행문계

1기
200
2기
300
3기
400
4기
500

1. 담양 태목리 II 주71
2. 함평 소명 주101
3. 함평 소명 주27
4. 담양 태목리 II 주99
5. 함평 소명 주25
6. 담양 태목리 I 주88
7. 순천 덕암동 II 주215
8. 광주 하남동 주60
9. 광주 쌍촌동 주35-1
10. 함평 중랑 I 주36
11. 보성 조성리 금장 주3
12. 함평 소명 주18
13. 광양 용강리 석정 주2
14. 담양 태목리 I 주8
15. 함평 중랑 I 주26
16. 나주 운곡동 II 주8
17. 여수 죽림리 차동 I 주49
18. 광주 동림동 주39
19. 나주 운곡동4 주19
20. 강진 양유동 주10
21. 순천 성산리 대법 주36
22. 함평 중랑 I 주187
23. 함평 중랑 I 주48
24. 함평 소명 주18
25. 해남 신금 주55
26. 담양 태목리 I 주60
27. 담양 태목리 I 주117
28. 여수 월산리 호산 주45
29. 강진 양유동 주14
30. 해남 신금 주63
31. 광주 동림동 주61
32. 영암 선황리 주11
33. 해남 신금 주61
34. 강진 양유동 주10
35. 여수 죽림리 차동 I 주23-2
36. 해남 신금 주54
37. 강진 양유동 주1
38. 광양 도월리 II 주31
39. 광양 용강리 석정 주10
40. 순천 성산리 대법 주24
41. 광양 용강리 석정 주18
42. 함평 소명 주24
43. 무안 양장리 주94-9
44. 광주 하남동 주57
45. 광주 향등 주2
46. 광주 동림동 주27
47. 무안 양장리 주94-9
48. 순천 덕암동 II 주186
49. 순천 성산리 대법 주5
50. 광양 용강리 석정 주12
51. 광주 동림동 주73
52. 광주 산정동 주50
53. 광양 도월리 II 주21
54. 함평 소명 주6
55. 순천 덕암동 II 주35
56. 강진 양유동 주1
57. 광주 동림동 주39
58. 광양 원적 주6
59. 나주 장등 주49
60. 여수 죽림리 차동 III 주2
61. 광양 칠성리 주30
62. 보성 조성리 주1
63. 광주 향등 주23
64. 광주 향등 주13
65. 광주 동림동 주39
66. 영암 선황리 주22
67. 광양 도월리 II 주27
68. 광주 동림동 주54
69. 나주 랑동 주7
70. 영암 선황리 주9
71. 광주 산정동 주11
72. 광주 동림동 주39
73. 광양 원적 주6
74. 광양 도월리 II 주8
75. 순천 성산리 대법 주33
76. 장흥 지천리나 주13
77. 여수 죽림리 차동 III 주8
78. 광주 향등 주7
79. 광주 향등 주10
80. 광양 원적 주6
81. 광주 동림동 주28
82. 광양 원적 주2

20cm

〈그림 4〉 전남지역 심발형토기 편년(축적부동, 곽명숙 2014)

둘째, 취사용기로서 분석을 통한 발형토기 연구이다. 정수옥은 심발형토기는 노지와 부뚜막에서 모두 사용되었는데, 조리할 음식물의 차이 혹은 조리방법의 차이로 인해 소형의 노지에서 조리하는 방식을 지속했던 것으로 추정하였다. 그리고 토기 내면의 사용흔적 분석결과 그을음이나 탄착흔이 여러 겹으로 남아 있어 수회에 걸쳐 사용되었고, 고형의 음식물을 오랜 시간 가열하는 삶기나 끓이는 방식으로 '미음'과 같은 상태나 걸쭉한 죽의 상태로 음식물을 조리하였던 것으로 판단하였다[21]. 허진아는 취사용기인 발형토기, 장란형토기, 시루의 시공간적 변화양상을 크게 3단계로 구분하였다. Ⅰ단계는 호남 서부평야지역과 동부산간지역에서 3~4세기로 편년되는 개별 취사용기가 확인되고, 시루+장란형토기의 결합식 취사용기 전용화는 대규모 취락이 서부평야지역에 형성되면서 확인되는 것으로 추정하였다. Ⅱ단계는 4세기 전엽~5세기 전엽으로 편년되고, 시루+장란형토기 세트뿐만 아니라 시루+발형토기의 세트도 추정할 수 있는 것으로 보며 특유의 지역색을 보이는데, 4세기 후엽부터 영산강하류지역을 중심으로 대형화된 고분과 연관될 것으로 추정하고 있다. Ⅲ단계는 5세기 전엽을 상한으로 하여 점차 백제문화가 유입되고, 심발의 출토비율 감소는 완과 같이 발형토기류를 대체하는 기종이 보편화되었기 때문으로 추정하고 있다[22].

셋째, 전반적인 토기 및 유구의 흐름 속에서 발형토기 편년과 시기별 전개양상 분석을 통한 발형토기 연구이다. 최성락은 타날문 심발형토기는 원삼국시대 경질무문토기 심발의 후신으로 주로 취사용기로 사용된 가장 긴 시간 폭과 다양성을 가진 토기이고, 시기적으로 원삼국시대 Ⅱ기인 1세기 후엽~2세기 중엽

21) 정수옥, 2008, 「심방형토기의 조리흔 분석-풍납토성 출토품을 중심으로-」, 『취사의 고고학』, 서경문화사.

22) 허진아, 2008, 「호남지역 3~5세기 취사용기의 시공간적 변천양상」, 『취사의 고고학』, 서경문화사.

에 등장하는 것으로 보고 있다[23]. 성정용은 경질무문토기 심발을 포함한 심발형토기의 기고비의 개체빈도를 근거로 4개 형식을 설정한 후 다시 무문·타날문 등 표면처리 방식과의 상관관계를 검토하여 경질무문 심발형토기→격자문타날 심발형토기→평행선문타날 심발형토기 순으로 변천한다고 파악하였다[24]. 김성남은 심발형토기를 세장도와 비만도 기준을 따라 3가지 형태로 분류한 뒤 다른 공반기종의 기형변화와 결부하여 호형→깊은 형→얕은 형으로 변천경향을 파악하였고, 이를 각 고분군 및 그 유구의 순서배열의 위한 기준으로 삼았다[25]. 김승옥은 마한주거지의 분포와 공간적 배치 및 전개과정 연구를 위해 경질무문토기→연질토기→경질토기의 상대편년을 근간으로 하여 주거지내 출토유물의 각 기종별 상대편년을 실시하였다. 그 결과 발형토기는 무문의 심발형토기에서 타날된 심발형토기로 변하고, 높이에 비해 폭이 넓어지고 동체부는 곡선을 띠며 구연의 형태는 호형토기의 구순처리와 비슷한 처리기법이 등장하는 것으로 파악하였다[26]. 이영철은 3~6세기 고대사회의 실체를 옹관고분 세력으로 규정하고 시간성을 반영하는 12개 기종을 형식분류하여 4분기로 설정하였다. 이 중 심발형토기는 2개 형식으로 구분되며, 출현시기를 3세기 중엽으로 추정하였다[27]. 김종만은

---

23) 최성락, 1993, 『한국 원삼국문화 연구』, 학연문화사.

24) 성정용, 1998, 「금강유역 4~5세기 분묘 및 토기의 양상과 변천」, 『백제연구』28, 충남대학교백제연구소 ; 성정용, 2000, 「중서부 마한지역의 백제 영역화 과정 연구」, 서울대학교 석사학위논문.

25) 김성남, 2000, 『중부지방 3~4세기 고분군 연구』, 서울대학교 석사학위논문.

26) 김승옥, 2000, 「호남지역 마한 주거지의 편년」, 『호남고고학보』11, 호남고고학회 ; 김승옥, 2004, 「전북지역 1~7세기 취락의 분포와 성격」, 『한국상고사학보』44, 한국상고사학회 ; 김승옥, 2007, 「금강유역 원삼국~삼국시대 취락의 전개과정 연구」, 『한국고고학보』65, 한국고고학회.

27) 이영철, 2001, 「영산강유역 옹관고분사회의 구조 연구」, 경북대학교 석사학위논문 ; 이영철, 2005, 「영산강유역의 원삼국시대 토기상」, 『원삼국시대 문화의 지역성과 변동』, 제29

백제 사비시기에 들어서면서 심발형토기는 거의 소멸되어진다고 보았다. 일부 확인되는 것을 살펴보았을 때, 금강유역 심발형토기의 전체적인 형태가 광견형을 이루고, 승석문이 타날된다. 그리고 영산강유역은 구경이 몸통보다 넓어지고 바닥이 불규칙해지며, 금강유역과 달리 몸통과 저부 사이에 깍기조정이 이루어지는 제작기법의 차이를 나타낸다고 파악하였다[28]. 정일은 전남지방의 3~5세기에 해당하는 사주식 주거지에 대한 전반적인 연구과정의 한 부분으로 발형토기에 대한 검토를 실시하였다. 유물에 대한 속성은 구연구의 형태, 구연부와 저부의 직경비율, 동체부 최대경의 위치, 소성도를 분석하여 크게 3가지 형식으로 분류하였다. 그 결과 발형토기는 경질무문토기의 후신으로 연질화가 이루어지고, 동체부의 최대경이 상위에서 중위로의 변화가 이루어진다는 전개양상을 파악하였다[29]. 박미라는 전남 동부지역 주거지의 변천양상을 파악하기 위한 검토 자료로서 심발형토기를 활용하였다. 검토자료 중 심발형토기의 기종과 기형상의 연속적인 변화파악에 필요한 경질무문심발도 포함하였다. 형식분류는 구연부와 구순의 형태와 구경과 저경의 비율, 동최대경의 위치를 검토하여 4개의 형태로 분류하였다. 분석결과 심발형토기는 경질무문토기에서 경질찰문토기 그리고 타날문토기로 발달하고, 제작기법이 단순한 것에서 장식적인 요소가 추가되는 것으로 변화하는 것으로 파악하였다. 또한 동최대경은 상부에서 중부로 내려오고, 구연과 저부의 비율이 큰 것에서 비슷해지는 것으로 파악하였다.[30]

회 한국고고학 전국대회 발표요지, 한국고고학회.

28) 김종만, 2004, 『사비시대 백제토기 연구』, 서경문화사.

29) 정일, 2005, 『전남지방 3-5세기 사주식주거지 연구』, 경북대학교 석사학위논문.

30) 박미라, 2008, 「전남 동부지역 1~5세기 주거지의 변천양상」, 『호남고고학보』30, 호남고고학회.

2. 연구과제

발형토기는 경질무문토기의 후신으로서 가장 긴 시간 폭과 다양성을 가지며, 시루 및 장란형토기와 같은 취사용기로 사용되어 온 것으로 인식되고 있다. 그리고 발형토기의 변천과정은 경질무문 발형토기 → 타날문 발형토기(3세기 초) → 작은 세장도와 구연강조의 발형토기(3세기 말~4세기 초) → 소형화된 장식구연 발형토기(4세기 후반~5세기 초)로 크게 4단계의 변천과정을 대부분의 연구에서 파악되고 있다. 또한 대부분 발형토기의 변천과정은 백제의 영역확대과정을 보여주는 자료로서 활용되고 있으며, 최근에는 취사용기의 하나로서 발형토기의 기능에 중점을 두는 연구가 이루어지고 있지만, 각 단계별 변천과정에 대한 세밀한 분석내용이 미진한 상태이다. 무엇보다 발형토기에 대한 연구과제 중 서울·경기도·충청도의 한성백제시기와 충청도를 비롯한 호남지역 5세기 이전 시기의 편년 차이를 좁히는 것이 과제라고 할 수 있다.

발형토기의 편년 차이는 2010년대 이후 발형토기의 변천과정을 하나의 '발형토기'라는 명칭 아래서 바라보는 시각에서 이루어지는 편년방식에 따라 발형토기의 기원부터 변천과정을 한반도내에서 단선적인 방향으로 설정하는데 문제가 있다는 지적이 제기되고 있다. 또한 매장유구와 생활유구의 출토맥락 차이의 이원화를 통한 발형토기 분류를 하여 편년설정의 오염요소를 최소하는 방법을 통한 연구가 필요하고, 한반도 내에서 발형토기 변천의 지역성을 어느 정도 감안할 필요가 있을 것으로 보인다. 특히, 발형토기 변천의 지역성을 백제 한성시기를 중심으로 한반도 중서부지역을 연구한 박순발·土田純子와 송공선·곽명숙의 발형토기 편년표를 살펴보면 5세기 이전의 발형토기의 형태가 매우 상이함을 알 수 있다. 중서부지역의 백제 한성시기의 발형토기는 동체가 볼록하고 전체적으로 통형에 가까운 반면, 호남지역은 역제형을 띠며 백제의 영역확장과 문화영향에 따라 5세기 이후 통형에 가까운 발형토기가 확인되는데, 이는 경상도지역 또한 비슷한 상황이다.

발형토기의 편년의 차이를 좁히는 방법 중 일차적으로 검토해야할 점은 가장 이른 시기의 발형토기의 형태적 특성이 크게 다르게 확인되는 점을 주지해야 할 것으로 보인다. 지금까지 출토된 한반도내 발형토기 양상을 살펴보면 충청도지역에서 원통형과 역제형의 발형토기가 동일시기에 모두 확인되고 있어 이에 대한 세밀한 편년연구가 하나의 해결방법이 될 것으로 보인다.

Ⅳ. 맺음말

지금까지 이루어진 양이부호의 연구결과를 살펴보면, 구연부·저부·동체부·이부부착위치 등을 통해 양이부호의 변화양상을 파악하려는 시도가 이루어졌다. 하지만 지역적으로 각 속성의 다양한 변화양상이 뚜렷하게 정립된 것은 아니며 대략적인 변화흐름만이 인정되고 있는 것으로 보인다. 또한 형식분류와 편년의 대상을 선정할 때, 타지역에서 유입된 자료에 대한 면밀한 검토가 필요할 것으로 보이며, 지역별 제작·유통망을 아우르는 접근이 필요할 것으로 생각한다.

발형토기는 토기 중 가장 많은 양이 출토되는 고고학적 자료인만큼 토기의 보편적인 변화상을 반영하는 자료임과 동시에 변화의 특별한 시기성과 그 배경을 파악하기에는 발형토기 자체만으로는 많은 어려움이 있다는 점은 여전히 지적되어지고 있는 부분이다. 이러한 어려움을 극복하기 위해서는 기존 연구사

정리를 토대로 발형토기와 상관관계가 있을 것으로 판단되는 부뚜막, 공반유물, 토기제작기법 등을 서로 비교검토하여 앞으로 발형토기 기원, 소멸, 그리고 용도의 변천배경 등 많은 과제를 해결해나가야 할 것이다.

이중구연호

왕준상 영해문화유산연구원

이중구연호는 일찍이 서울 가락동 2호분[1]에서 출토되어 백제토기로 파악되었으나[2], 한반도 서남부지역 특히, 영산강유역과 전북 서남부지역인 호남지역에서 주로 성행하고 있어 마한토기로 파악된다[3]. 이중구연호는 3~4세기대 마한토기를 대표하는 기종으로, 6세기까지 출토되고 있다.

이중구연호에 대한 연구는 용어, 출현시기, 변화과정 등 다양한 관점에서 연구가 진행되었다.

Ⅰ. 용어

이중구연호는 외반하는 구연 위에 다시 구연을 올려놓거나, 구연에 돌대를

---

1) 尹世英, 1971,「可樂洞 百濟古墳 第一號・第二號墳 發掘調查略告」,『考古學』3, 韓國考古學會.

2) 안승주, 1985,「土器」,『韓國史論』15, 國史編纂委員會 ; 咸舜燮, 1998,「錦江流域의 馬韓에서 百濟로의 轉換」,『3~5세기 금강유역의 고고학』제22회 한국고고학전국대회 발표요지, 韓國考古學會.

3) 金鍾萬, 1999,「馬韓圈域出土 兩耳附壺 小考」,『考古學誌』第10輯, 韓國考古美術研究所 ; 서현주, 2001,「二重口緣土器 小考」,『百濟研究』第33輯, 忠南大學校 百濟研究所.

돌려 만든 것[4]으로 頸部突帶附加壺[5], 복합구연식[6], 帶頸壺[7], 뚜껑받이그릇[8], 이중구연호[9] 등으로 불리고 있다.

경부돌대부가호, 대경호, 복합구연식은 형태에 비중을 둔 용어, 뚜껑받이그릇은 턱의 기능만을 부가시킨 용어라 생각된다. 또한 이중구연호는 신석기시대 말기에서 청동기시대의 이중구연토기와 혼동되나, 이중구연토기는 구연에 점토 띠를 덧대어 만든 점(겹아가리토기), 대부분 발형토기라는 점에서 차이를 보이고 있다. 이와 같이 이중구연호의 이중구연은 이전 시기의 토기와 혼동의 여지가 있으며, 형태와 기능을 잘 표현해 주지 못하고 있다.

Ⅱ. 출현배경 및 시기

이중구연호의 출현배경에 대하여는 후한 말기 요령반도와 낙랑지역 절두호의

4) 안승주, 1985,「土器」,『韓國史論』15, 國史編纂委員會 ; 成洛俊, 1988,「榮山江流域 甕棺古墳 出土土器에 대한 一考察」,『全南文化財』創刊號, 全羅南道.

5) 成正鏞, 1998,「錦江流域 4~5世紀 墳墓 및 土器의 樣相과 變遷」,『百濟硏究』28, 忠南大學校 百濟硏究所.

6) 金成南, 2000,『中部地方 3~4世紀 古墳群 一硏究』, 서울大學校 文學碩士學位論文.

7) 박순발, 2001,「帶頸壺一考」,『湖南考古學報』13, 湖南考古學會.

8) 이기길·김선주·최미노, 2003.『영광 마전·군동·원당·수동유적』, 조선대학교박물관·한국도로공사.

9) 서현주, 2006,『榮山江流域 古墳 土器 硏究』, 학연문화사 ; 왕준상, 2007,『한국 서남부지역 이중구연호 연구』, 조선대학교 석사학위논문 ; 왕준상, 2010,「한국 서남부지역 이중구연호의 변천과 성격」,『백제문화』42, 공주대학교 백제문화연구소 ; 윤온식, 2008,「2~4세기대 영산강유역 토기의 변천과 지역단위」,『湖南考古學報』29, 湖南考古學會 ; 박형열, 2013,「호남 서남부지역 고분 출토 이중구연호의 형식과 지역성」,『湖南考古學報』44, 湖南考古學會.

영향으로 발생하였다는 견해[10]를 바탕으로 서현주는 평양 석암리 99호분 평저호 등의 낙랑토기에서 더 직접적으로 영향을 받았을 가능성이 있다고 판단하였다[11]. 최근 임영진은 중국 산동지역 岳石文化와 요하유역 高台山文化의 호에서 이중구연호와 같이 뚜껑과 외반구연 끝부분에 점토띠를 덧붙여 올린 성형 방식 등이 상통하고 있어 영향을 받았을 가능성을 제기하였다. 그러나 용산문화기와 하가점하층문화에 해당하는 시기로 시간적인 차이가 크다는 문제를 안고 있다[12].

이중구연호는 주로 한반도 서남부지역에서 확인되고 있다. 초출은 서울, 경기도 지역인 한강유역[13]이나, 호남지역으로 보고 있다[14]. 특히 호남지역 중에서도 영산강 서북부지역인 함평, 영광, 고창을 초출으로 보고 있다[15].

이중구연호의 출현시기는 경질무문토기와 타날문토기가 공존한다는 점에서 2세기 후반경으로 보는 견해[16], 2세기 후반경 출현 가능성도 있으나 공반유물

---

10) 박순발, 2001,「帶頸壺一考」,『湖南考古學報』13, 湖南考古學會.

11) 성정용, 2000,『中西部 馬韓地域의 百濟領域化過程 硏究』, 서울大學校 博士學位論文 ; 서현주, 2006,『榮山江流域 古墳 土器 硏究』, 학연문화사.

12) 임영진, 2016,「마한토기의 동북아시아적 의미」,『동북아시아에서 본 마한토기』, 마한연구원.

13) 박순발, 2001,「帶頸壺一考」,『湖南考古學報』13, 湖南考古學會.

14) 서현주, 2001,「二重口緣土器 小考」,『百濟硏究』33, 忠南大學校 百濟硏究所 ; 서현주, 2006,『榮山江流域 古墳 土器 硏究』, 학연문화사.

15) 이영철, 2001,『榮山江流域 甕棺古墳社會의 構造 硏究』, 慶北大學校 文學碩士學位論文 ; 왕준상, 2007,『한국 서남부지역 이중구연호 연구』, 조선 석사학위논문 ; 왕준상, 2010,「한국 서남부지역 이중구연호의 변천과 성격」,『백제문화』42, 공주대학교 백제문화연구소 ; 윤온식, 2008,「2~4세기대 영산강유역 토기의 변천과 지역단위」,『湖南考古學報』29, 湖南考古學會 ; 박형열, 2013,「호남 서남부지역 고분 출토 이중구연호의 형식과 지역성」,『湖南考古學報』44, 湖南考古學會.

16) 이영철, 2005,「영산강유역의 원삼국시대 토기상」,『원삼국시대 문화의 지역성과 변동』, 제29회 한국고고학 전국대회 발표요지, 한국고고학회 ; 윤온식, 2008,「2~4세기대 영산강유역 토기의 변천과 지역단위」,『湖南考古學報』29, 湖南考古學會.

등으로 보아 3세기 전반으로 보는 견해[17], 후한만기에 해당하는 요령반도와 낙랑지역의 절두호를 주목하여 요령 동부지방과 교섭하는 과정에서 받아들였을 가능성을 제기하면서 3세기 전반경으로 보는 견해[18], 평저 이중구연호가 많이 분포하는 호남지역을 초출지역으로 보고 늦어도 3세기 중엽경에는 출현한 것으로 보기도 한다[19].

Ⅲ. 교류

이중구연호가 후한만기에 해당하는 요령반도와 낙랑지역의 절두호를 주목하여 요령 동부지방과 교섭하는 과정에서 받아들여 출현되었다[20]는 의견이 있으나 이는 더 논의가 필요하다. 이중구연호는 일본 구주지역 4세기대에 해당하는 福岡県 西新町유적 취락에서 출토된 자료가 대표적이다. 西新町유적에서 출토된 이중구연호는 평저를 갖는 이중구연호로 호남 서해안지역과 관련된 것으로 추정하고 있다[21]. 이는 이 지역과 간헐적이지만 이주를 포함한 교류가 이루어

17) 왕준상, 2007, 『한국 서남부지역 이중구연호 연구』, 조선대학교 석사학위논문 ; 왕준상, 2010, 「한국 서남부지역 이중구연호의 변천과 성격」, 『백제문화』42, 공주대학교 백제문화연구소 ; 박형열, 2013, 「호남 서남부지역 고분 출토 이중구연호의 형식과 지역성」, 『湖南考古學報』44, 湖南考古學會.

18) 박순발, 2001, 「帶頸壺一考」, 『湖南考古學報』13, 湖南考古學會.

19) 서현주, 2001, 「二重口緣土器 小考」, 『百濟硏究』33, 忠南大學校 百濟硏究所 ; 서현주, 2006, 『榮山江流域 古墳 土器 硏究』, 학연문화사.

20) 박순발, 2001, 「帶頸壺一考」, 『湖南考古學報』13, 湖南考古學會.

21) 서현주, 2004, 「4~6세기 백제지역과 일본열도의 관계」, 『호서고고학』11, 호서고고학회 ; 서현주, 2015, 「고대 일본 출토 전남지역 관련 토기 연구」, 『고대전남지역 토기제작기술

졌음을 알려주고 있다[22]. 그리고 3세기 중엽 이전까지 일본은 마한에 해당하는 서남부지역보다 변한, 가야에 해당하는 낙동강유역과 활발히 교류함으로써 이중구연호가 일본으로 전해질 기회가 거의 없다고 보고 있다[23].

Ⅳ. 변화과정

한옥민[24]은 토광묘에 대한 형식을 분류하면서 이중구연호에 대해 언급하였는데, 이중구연호의 시간적 변화가 전(턱)의 역할과 관련될 것으로 보고 구연부가 밖으로 외경하면서 평저인 것(Ⅰ형식)에서 구연부가 직립하면서 원저인 것(Ⅱ형식)으로 변화한다고 보았다. 이는 토광묘단계 Ⅱ기로 2세기~3세기 후반에 나타나며, Ⅰ형식의 경우 상한연대가 2세기대로 올라갈 가능성을 언급하였다.

서현주[25]는 이중구연토기를 기종과 저부형태, 동체형태, 문양, 돌기 등으로 구분하여 호A-1, 호A-2, 호A-3, 호A-4, 호B-1, 호B-2, 호B-3, 옹A, 옹B 9가지의 형식으로 분류하였다. 그리고 구연부의 접합시키는 방법 등으로 a-1식, a-2식, b식, c식, d식으로 구분하였다. 하지만 구연부의 형태를 형식분류에 포함하지

의 일본 파급연구』, (사)왕인박사현창협회.

22) 吉井秀夫, 2003,「토기자료를 통해서 본 3~5세기 백제와 왜의 교섭관계」,『한성기 백제의 물류시스템과 대외교섭』, 한신대학교 학술원 제1회 국제학술대회 ; 서현주, 2004,「4~6세기 백제지역과 일본열도의 관계」,『호서고고학』11, 호서고고학회.

23) 林永珍, 2006,「墳周土器를 통해 본 5-6世紀 韓日關係一面」,『고문화』67, 한국대학박물관협회.

24) 한옥민, 2000,『전남지방 토광묘 연구』, 전북대학교 문학석사학위논문 ; 한옥민, 2001,「전남지방 토광묘 성격에 대한 고찰」,『湖南考古學報』13, 湖南考古學會.

25) 서현주, 2001,「二重口緣土器 小考」,『百濟硏究』33, 忠南大學校 百濟硏究所.

않은채, 형식안에서 변화양상을 서술하였다. 이후 이중구연호를 평저호(a, b), 원저호, 난형호, 장란형토기, 소옹 등으로 재정리하였다[26].

이중구연호는 다양한 성격의 분묘와 생활유적에서 출토되는데 주로 외반구연평저호가 분포하는 지역을 중심으로 토광묘계의 무덤과 주거지들에 집중되는 경향을 보이고 있고, 외반구연토기에 이중구연이라는 요소가 채용되면서 만들어지게 된 것으로 파악하고 평저의 이중구연호가 먼저 나타나고 단경편구형의 원저호나 장란형토기, 소옹 등 여러 기종에 그 요소가 채용된 것으로 보인다. 평저의 이중구연호가 많이 분포하고 있는 호남지역을 초출지역으로 보고 있으며, 3~4세기대에 집중되므로 출현시기를 3세기 중엽경으로 추정하고 있다.

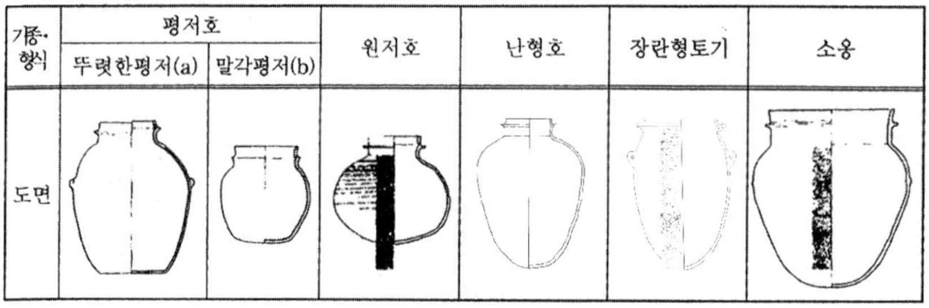

기종·형식	평저호		원저호	난형호	장란형토기	소옹
	뚜렷한평저(a)	말각평저(b)				
도면						

〈그림 1〉 서현주의 형식분류

이영철[27]은 구연부, 동체부, 저부의 속성을 기준으로 하여 3형식으로 구분하였다. 수평으로 외반된 단경호의 구연부에 둥그런 띠를 얹어 마감하고 구연부 끝이 외경하며 동체부 상단 어깨에 돌기가 부착되고 평저인 것(Ⅰ형식)에서 수평으로 외반된 단경호의 구연부에 둥그런 띠를 얹어 마감하고 구연부 끝이 외경하거

26) 서현주, 2006,『榮山江流域 古墳 土器 硏究』, 학연문화사.
27) 이영철, 2001,『榮山江流域 甕棺古墳社會의 構造 硏究』, 慶北大學校 文學碩士學位論文.

나 직립 또는 내만하고 동체부 상단 어깨에 돌기가 부착되거나 부착되지 않으며 말각평저나 원저인 것(Ⅱ형식)으로 변화하고 다시 수평으로 외반된 단경호의 구연부에 둥그런 띠를 얹어 마감하고 구연부 끝이 직립 또는 내만하며 동체부 상단 어깨에 돌기가 부착되지 않고 원저인 것(Ⅲ형식)으로 변화한다고 보았다.

Ⅰ형식은 옹관고분사회가 성립되기 이전 단계의 표지적인 부장유물로 보았으며, 영광, 고창, 함평 지역을 중심으로 출토되는 양상을 보이고 있고, Ⅱ형식은 매우 다양한 속성 변화가 일어나며 생활유적에서 용량이 큰 장동화 형태가 나타난다. 또한 옹관고분 부장 예가 높아지며, 외면에는 타날문양이 등장하고 소성도는 점차 경질화되고 있으며 분포범위는 Ⅰ형식보다 확산되는 양상을 보인다. Ⅲ형식은 저부가 원저화되어 몸체가 구형 내지는 편구형에 가까워지고 기면에 타날문이 거의 예외 없이 확인되며 소성도는 경질화되는 현상을 보인다.

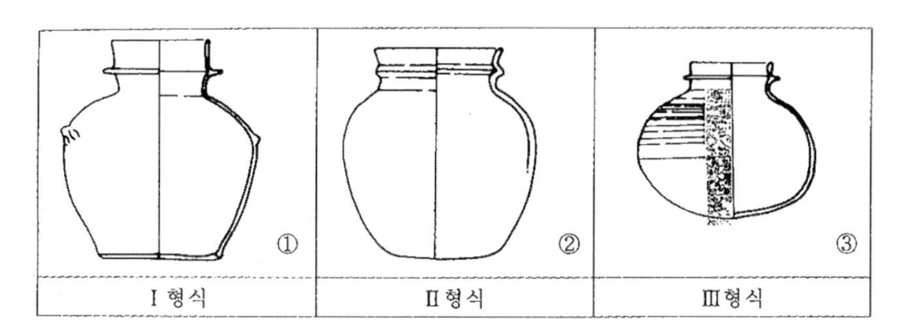

〈그림 2〉 이영철의 형식분류

윤효남[28]은 호남지역 분구묘에 대한 연구를 진행하면서 이중구연호에 대해 언급하였는데, 호남지역 분구묘 Ⅰ기에 구연부가 외경 또는 직립하고 저부는 평저에서 원저로 변화하며 연질소성이 많고 평저에만 유두형돌기가 부착된다

28) 윤효남, 2003,『전남지방 3~4세기 분구묘에 대한 연구』, 전북대학교 석사학위논문.

고 하였다. 그리고 Ⅱ기에는 저부는 원저로 정착하는 것이 확인되고 경질계로 소성된 비율이 높아진다고 보았다.

왕준상[29]은 이중구연호를 저부 형태로 평저(Ⅰ)와 원저(Ⅱ)로, 동체부의 형태를 A(편구형), B(구형), C(난형), D(장난형)으로 분류하였다. 그리고 이 두 속성을 조합하여 ⅠA, ⅠB, ⅠC, ⅡA, ⅡB, ⅡC, ⅡD의 7개 형식으로 분류하였다. 7개의 형식은 출토유구 및 공반유물 편년을 바탕으로 시간을 설정하였으며 형식별 변화의 방향을 제시하였다. 그리고 구연부의 형태는 구연을 결합시키는 방법으로 a, b, c로 구분하였으며, 이후 a-1, a-2, b, c로 재정리하였다[30]. 다만 구연은 형식분류에는 포함되지 않았고, 구연의 변화모습은 a1형이 먼저 나타나고 이후 a2형과 b형이 시기적으로 큰 차이 없이 나타난다고 보았다. 이중구연호는 ⅠA→ⅠB·ⅡA→ⅠC·ⅡB·ⅡC→ⅡD형식으로 시기별 변화상을 보여주고 있다.

이중구연호는 3세기 전반 영산강 서북부지역에 초출하여 3세기 중반 이후 중서부 이남 전 지역에서 이중구연호가 출토되고, 4세기 중반을 지나면서 그 수가 현저히 줄어들지만 6세기대까지 이중구연호가 출토되고 있다. 또한 3세기 중반 이후 지역적 색채를 보여주고 있다.

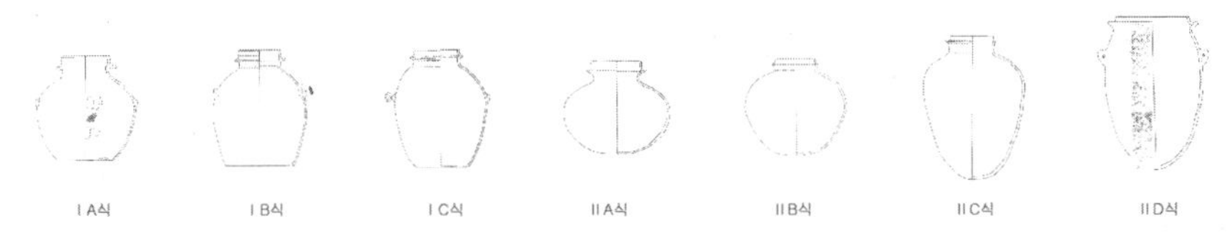

〈그림 3〉 왕준상의 형식분류

29) 왕준상, 2007, 『한국 서남부지역 이중구연호 연구』, 조선대학교 석사학위논문.
30) 왕준상, 2010, 「한국 서남부지역 이중구연호의 변천과 성격」, 『백제문화』42, 공주대학교 백제문화연구소.

윤온식[31)]은 2~4세기 영산강유역 토기의 변천과정을 다루면서 이중구연호를 언급하였는데 단경호의 구연부에다 다시 구연부 하나를 덧댄 것으로 단경호의 형식변화와 유사하다고 보았다. 그리고 영산강 유역과 전남 서북지역 토기의 양식이 다르다고 보고 두지역권을 설정하였고, 이중구연호를 Aa, Ab, Ac, Ba, Bb, C, Da, Db, Dc 유형으로 나누었다. 출현 시기는 2C 후~4C경으로 추정하였다. 또한 이중구연호의 경우 전남 서북지역에 집중되고 영산강유역에서는 다소 확인되지 않는 점을 지적하여 전남 서북지역과 영산강유역이 다른 토기문화를 가졌을 가능성을 제시하였다.

박형열[32)]은 호남 서남부지역 고분 출토 이중구연호를 통해 형식과 지역성을 살펴보았다. 이중구연호의 시간적 변화를 보여주는 속성을 구경부, 견부돌기, 동체부, 저부로 보았다. 구경부는 경부가 직립에서 외반, 외경으로 변화할 때 구연은 직립에서 내경, 외반, 외경하며 돌대는 수평적인 것에서 끝단이 위로 올라가는 형태로, 견부돌기는 돌기가 있는 것에서 없는 것으로, 동체부는 단면 육각형에서 역제형, 타원형, 원형으로, 저부는 평저에서 말각평저, 원저의 형태로 변화다고 보았다. 이를 바탕으로 각 속성의 결합을 통하여 40개의 속성조합을 설정하고, 속성조합의 상관관계를 통하여 이중구연호의 변화를 15단계로 나누었다. 그리고 제작기법의 변화와 속성의 발생과 소멸을 기준으로 변화의 획기를 6기로 나누었다.

---

31) 윤온식, 2008, 「2~4세기대 영산강유역 토기의 변천과 지역단위」, 『湖南考古學報』29, 湖南考古學會.

32) 박형열, 2013, 「호남 서남부지역 고분 출토 이중구연호의 형식과 지역성」, 『湖南考古學報』44, 湖南考古學會.

〈표 1〉 연구자별 속성변화 양상

연구자	속성	변화양상
한옥민(2000)	구연부형태	외반(외경)→직립
	저부형태	평저→원저
	소성상태	연질계→경질계
서현주(2001)	저부형태	평저→원저→첨저
	동체형태	편구형→구형→이형(원저의 경우 단경호와 같음)
	동체타날 문양	무문→전체문양+횡침선, 동체하부 문양
	돌기 귀 유무	무→유·무→무→양이
	구연부	a식(둥글게 외반시킨 하구연 위에 상구연을 그대로 올려붙이는 것으로 내부에 별다른 정면을 하지 않아 홈이 분명하게 남아 있는 것, 외반시킨 하구연 안쪽에 그대로 올려 붙이는 것(a-1식), 턱 가장자리부터 올려붙이는 것(a-2식)) / b식(내부의 홈부분을 간단하게 문질러 정면한 것이지만 홈의 형태가 어느 정도 남아 있는 것) / c식(홈을 메꾸어 내부를 정리한 것) / d식(직립구연의 외면에 돌대를 붙여 턱을 형성한 것)
이영철(2001)	구연부	수평외반단경호의 구연부 위에 띠를 얹은 것(A)→직립하는 구연부 바깥 중앙에 띠를 얹은 것(B)
	동체부	상단 어깨에 돌기 유(B1)→상단 어깨에 돌기 무(B2)
	저부	평저(C1)→말각평저(C2)→원저(C3)
윤효남(2003)	저부	평저→원저
	유두형돌기	유→무
	타날	무→유
윤온식(2008)	소성도	연질→경질
	동체부	삼각형→역삼각형→구형→방형
왕준상(2010)	저부	평저(Ⅰ)→원저(Ⅱ)
	동체	편구형(A)→구형(B)→난형(C)→장란형(D)
	구연부	a(외반된 하구연 안쪽에 상구연 붙이는 방법으로 접합흔적 남아있는 것(a1), 홈을 메꾸어 정면한 것(a2)) / b(직립된 구연의 바깥에 돌대를 붙여 뚜껑받이 턱을 만든 것) / c(구연 중앙을 눌러서 뚜껑받이 형식을 갖춘 것)
박형열(2013)	구경부	동체 견부 직립하도록 테(경부)를 붙이고 구 위에 테(구연)를 직립하게 붙였다. 그리고 테와 테 사이에 띠를 돌려 붙인 것(Ⅰ형)→회전판을 이용하여 경부를 수직으로 직립하게 만들고 경부 끝단을 직각으로 외경하여 뚜껑받이 턱을 만들었다. 그리고 경부와 직립되도록 구연을 붙였다. 구연과 경부 사이의 내면을 메웠다(Ⅱ형)→회전판을 이용하여 경부를 완만하게 외반시키고 경부의 끝단을 수평하게 하여 뚜껑받이 턱을 만들었다. 그리고 구연을 뚜껑받이턱 안쪽으로 내경하게 붙였다(Ⅲ형)→회전판을 이용하여 경부를 외반시키고 경부의 끝단을 수평하게 하여 뚜껑받이 턱을 만들었다. 그리고 구연을 붙였다. 구연은 내경하다가 수직방향으로 직립한다(Ⅳ형)→경부를 외경하게 만들고 구연을 외반하여 붙였다(Ⅴ형)→경부를 짧게 외경하게 만들고 구연을 붙였다(Ⅵ형)
	견부돌기	장방형(A형)→타원형(B형)→원형(C형)→없음(D형)
	동체부	1형(육각형)→2형(팔각형)→3형(3-1형 역제형, 3-2형 제형)→4형(4-1형 편구형, 4-2형 역삼각형)→5형(5-1형 원형, 5-2형 역이등변삼각형)
	저부	평저(a형)→들린평저(b형)→말각평저(c형)→원저(d형)

<표 2> 연구자별 편년안

연구자	형식	시기					
		2C 후	3C 전	3C 후	4C 전	4C 후	5C 전
이영철 (2001)	I						
	II						
	III						
서현주 (2006)	평저호 a형						
	평저호 b형						
	원저호						
	난형호						
	장란형토기						
	소옹						
윤온식 (2008)	Aa						
	Ab						
	Ac						
	Ba						
	Bb						
	C						
	Da						
	Db						
	Dc						
왕준상 (2010)	I A						
	I B						
	I C						
	II A						
	II B						
	II C						
	II D						
박형열 (2013)	1기						
	2기						
	3기						
	4기						
	5기						
	6기						

V. 연구과제

지금까지 이중구연호에 대한 연구는 용어, 출현시기, 교류, 변화과정 등 다양한 관점에서 진행되었다. 특히 형식분류를 통한 편년 연구가 중심을 이루고 있다.

용어, 출현시기, 초출지역 등은 약간의 이견이 있으나 대체적으로 이중구연호, 3세기 전반, 호남지역 특히 고창, 함평, 영광이 초출지역이라는 대는 대부분의 의견이 일치하는 것으로 보인다.

이중구연호의 기원에 대해서는 후한 말기 요령반도와 낙랑지역 절두호의 영향이라는 의견이 있었으나 이보다는 시간적인 차이는 크지만 이중구연호 형식 및 속성이 상통하는 것으로 보이는 중국 산동지역의 岳石文化와 요하유역 高台

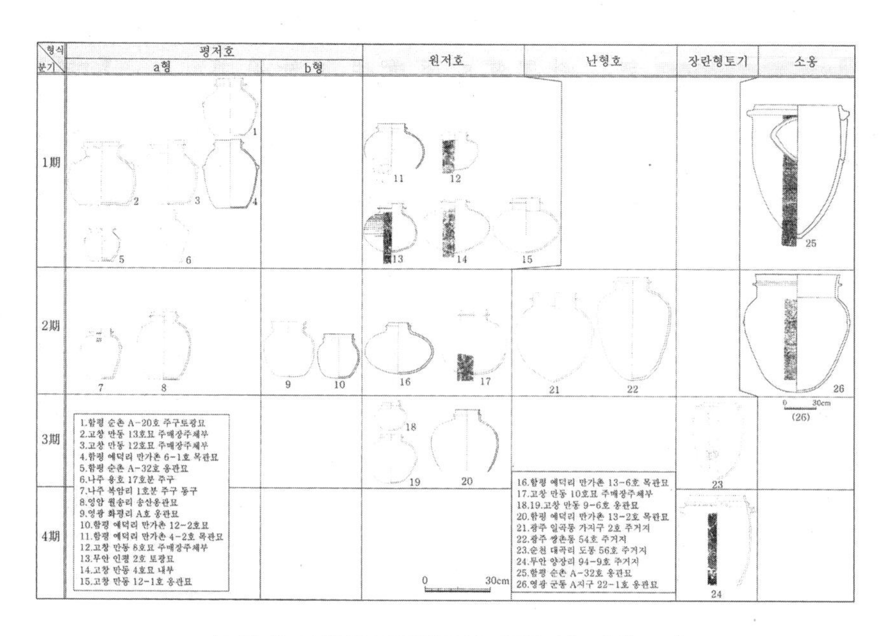

〈그림 4〉 서현주의 영산강유역 이중구연호 편년(2013)

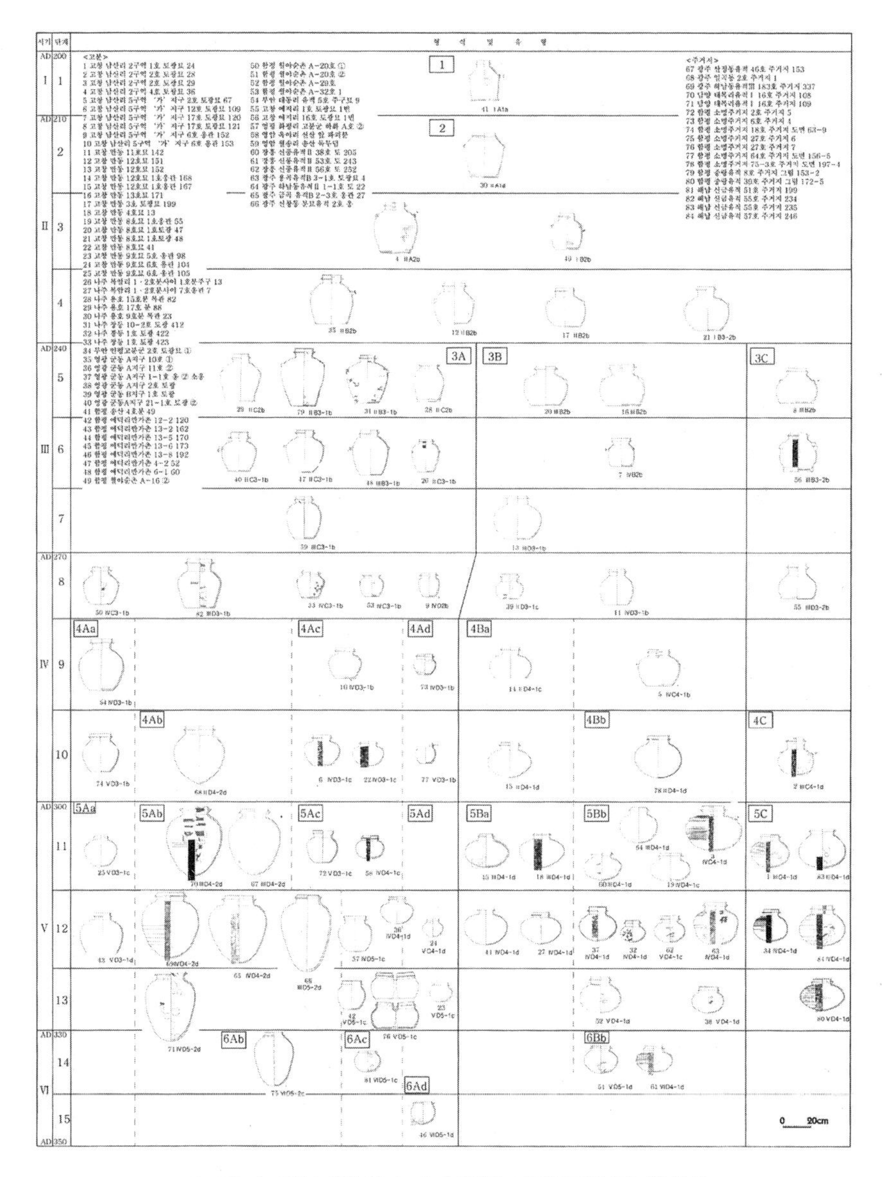

〈그림 5〉 박형열의 호남 서남부지역 이중구연호 편년(2013)

山文化의 호가 더 유력하다고 생각된다.

이중구연호의 형식분류를 통한 편년연구는 변화상과 지역성을 확인하는데 중요한 역할을 하였다. 기존의 편년 연구는 이중구연호가 집중적으로 출토된 호남지역을 중심으로 이루어졌다. 그러나 최근들어 출토량이 적었던 경기, 충청지역에서도 이중구연호의 출토량이 늘어나고 있으며, 충청지역에서는 형식분류 속성에서 제외했던 대각이 달린 이중구연호가 출토되고 있어 형식의 속성이 추가되는 양상이다.

이와 같이 이중구연호의 출토량의 증가와 속성의 추가는 기존연구의 변화를 초래한다. 따라서 이중구연호의 형식분류에 의한 편년연구 또한 기존속성에 새로운 속성이 추가되어야 한다고 생각된다. 또한 기존 연구에서는 중요시되지 않았던 문양과 용량 등을 추가적으로 고려한다면 이중구연호의 편년연구와 기능 연구에 도움이 되지 않을까 판단된다. 또한 다른 기종과 교차 편년이 이루어진다면 마한·백제토기의 편년연구에 도움이 될 것으로 생각된다.

장란형토기와 시루

김은정 전북대학교박물관

Ⅰ. 머리말

馬韓은 한국 고고학에 있어서 선사시대와 역사시대를 연결하는 고리부분에 해당 하지만 그 모습이 뚜렷하지 않아 百濟와의 관계 속에서 여러 학설이 제기되기도 하고, 역사 기록과 일치하지 않아 그 실체와 정체성이 제대로 논의되지 못하고 있다. 즉, 마한이라고 하면 백제가 연상될 정도로 백제와 마한은 서로 밀접한 관계에 놓여있는데 그러한 이유로 마한은 그 자체로 인식되기보다는 백제 국가의 성장과 관련하여 공존했다가 소멸되어버린 역사속의 실체정도로 거론되고 있다.

사실 마한이라는 명칭의 의미가 구체적으로 무엇을 가리키는지에 대해서도 학계의 의견이 분분하며, 마한 소국들의 위치는 물론 사회 구조와 성격 등 마한 사회의 정확한 면모를 파악하기도 쉽지 않다. 마한이라는 이름은 문헌사료에 등장하는 역사적 실체이나 그 자료의 해상도를 높일만한 문헌사료나 고고학적 자료 또한 명료하지 않아 한동안 이러한 상태는 지속되어 왔다.

이러한 어려움에도 불구하고 최근 마한이라는 주제로 여러 차례의 학회가 열리는 등 마한 사회에 접근하고자 많은 관심을 기울이고 있다. 이러한 노력과 관심은 마한에 대한 이해뿐만 아니라 백제의 발전 과정을 이해하는데

도 진일보하는 결과를 가져왔다고 본다. 하지만 앞서 기술했듯 마한이라는 실체에 더 가까이 다가가기 위해서는 다양한 측면에서의 연구가 지속적으로 필요하다.

마한을 연구함에 있어 부족한 문헌자료를 보완하기 위해서는 고고학 자료에 대한 분석이 필수불가결하다. 마한과 관련된 고고학 자료에는 초기철기~삼국시대에 걸쳐 주거, 패총, 고분 등의 유구와 청동기, 철기, 토기 등 많은 유물이 알려져 있다. 이 자료들 중에서 어떠한 유구와 유물들이 마한과 직접 관련되는지 살펴보는 것, 그리고 이러한 고고학 자료를 통해 마한의 성장과정을 살펴보는 문제는 매우 중요한 과제일 것이다.

필자는 이 글에서 호남 서부지역 마한 주거지에서 출토된 장란형토기와 시루를 기반으로 연구사 검토와 자료 분석을 통해 마한에 대한 이해도를 높이고자 한다. 장란형토기와 시루는 마한 사회의 식생활 문화를 보여주는 단적 증거이며, 그 문화를 복원하는데 가장 중요한 자료일 것이기 때문이다.

Ⅱ. 연구현황

1. 장란형토기

장란형토기는 둥근 저부와 원통모양의 긴 동체, 외반된 구연을 특징으로 하고 있어 卵形土器, 卵形甕, 長胴甕, 軟質甕, 甕形土器, 砲彈形土器 등으로 불려져 왔다. 심발과 함께 대표적 취사기로 사용되어 왔기 때문에 대부분 주거지에서 출토되지만, 일부는 옹관으로 사용되기도 하고 貢獻토기로 사용되어 분구의 주구에서 발견되기도 한다.

장란형토기는 낙랑 화분형토기의 영향으로 경질무문토기의 취사기능을 계승하면서 3세기 전반경에 등장한 것으로 이해되고 있으며[1], 사비기에 소멸[2]하는 기종으로 파악하고 있다. 이는 고구려의 영향을 받아 제작된 철부가 장란형토기를 대체[3]했을 것으로 보고 있기 때문이다.

이제까지 장란형토기의 연구는 소지역별로 검토[4]가 이루어져 왔을 뿐 종합적 정리가 이루어지지는 못한 상태이고, 토기 및 유구를 연구하는 흐름 속에서 부분적으로 다루어져 왔다[5]. 한편 마한지역 장란형토기의 형성과정에 대한 김장석의 연구[6]는 기존 견해를 탄소연대 자료를 통해 재검토한 후, 문제점을 지적하고 그 대안을 제시하고자 했다. 김장석은 장란형토기가 출토된 유구 중 이른 시기의 탄소연대는 모두 남부지역에 집중하며, 한강유역과 중부지역의 장란형토기는 상대적으로 늦은 시점부터 등장하는 것을 통해 기존 가설에 문제가 있음을 지적하였다. 그리고 장란형토기의 형성과정이 낙랑의 화분형토기보다

---

1) 박순발, 2004, 「백제토기 형성기에 보이는 낙랑토기의 영향-심발형토기 및 장란형토기의 형성과정을 중심으로」, 『百濟硏究』40, 忠南大學校 百濟硏究所.

2) 土田純子, 2013, 「馬韓·百濟地域 出土 炊事容器 變遷考」, 『百濟硏究』58, 忠南大學校百濟硏究所.

3) 鄭鍾兌, 2006, 「百濟 炊事用器의 類型과 展開樣相」, 충남대학교 석사학위논문.

4) 김진홍, 2008, 「한성백제 후기 토기 연구 : 경기지역 출토 심발형토기와 장란형토기를중심으로」, 수원대학교 석사학위논문 ; 전형민, 2003, 「湖南地域 長卵形土器의 變遷背景」, 全南大學校 碩士學位論文 ; 정종태, 2003, 「호서지역 장란형토기의 변천양상」, 『湖西考古學』9, 湖西考古學會 ; 土田純子, 2013, 「馬韓·百濟地域 出土 炊事容器 變遷考」, 『百濟硏究』58, 忠南大學校百濟硏究所.

5) 林永珍, 1996, 「百濟初期 漢城時代 土器硏究」, 『湖南考古學報』4, 湖南考古學會 ; 박순발, 1996, 「백제의 국가형성과 백제토기」, 『제2회 백제사 성립을 위한 학술세미나 발표요지』, 忠南大學校 百濟硏究所 ; 金承玉, 2000, 「호남지역 마한 주거지의 편년」, 『湖南考古學報』11, 湖南考古學會.

6) 김장석, 2012, 「남한지역 장란형토기의 등장과 확산」, 『고고학』11-3, 중부고고학회.

는 요동반도로부터 영향을 받았을 가능성을 제시하였다.

한편, 이러한 연구 경향 속에서 장란형토기에 남겨진 사용흔 관찰과 실험고고학적 접근을 중심으로 진행된 연구들이 2000년대 중반 이후 지속되는 양상이다. 예컨대 2006년에 풍납토성 취사용토기 연구라는 주제의 연구 성과가 발표되었는데, 여기서는 장란형토기와 심발의 사용흔 분석을 통해 취사방식의 복원을 시도하였다. 그 결과 풍납토성의 장란형토기는 액체 상태의 음식물을 끓이거나 고형의 음식물을 데치는데 사용된 것으로 보았으며, 주로 부뚜막에 고정시켜 사용하거나 시루를 걸어 사용하는 방식을 취했을 것으로 추정하였다. 또 그을음이나 탄착흔을 통해 조리에 이용된 장란형토기가 수회에 걸쳐 사용되었음을 확인하기도 했다[7]. 2008년에는 장란형토기의 사용흔 분석을 통한 지역성을 살핀 연구가 발표된다. 이 연구에서는 서울 경기권과 호서호남권을 중심으로 장란형토기를 관찰하였으며, 그 결과 지역에 따른 장란형토기의 형태와 사용흔 면에서 차이를 발견한다[8]. 이후 장란형토기의 사용흔 관찰을 통해 백제의 취사시설과 취사방법을 검토하기도 하고[9], 전주 동산동유적에서 출토된 장란형토기를 관찰하여 취사형태를 살폈다[10]. 이러한 연구 성과를 통해 서울·경기권에서는 솥을 하나만 거는 전통을 확인 한 반면, 동산동유적을 포함한 호남호서지역에서는 장란형토기를 두 개씩 거는 전통이 있었음을 확

7) 정수옥, 2006,「風納土城 炊事用土器 硏究」, 고려대학교 석사학위논문 ; 정수옥, 2007,「풍납토성 취사용기의 조리흔과 사용방법」,『湖西考古學』17, 湖西考古學會.

8) 한지선, 2008,「장란형토기의 사용흔 분석을 통한 지역성 검토」,『炊事의 考古學』, 서경문화사.

9) 한지선, 2009,「백제의 취사시설과 취사방법-한성기를 중심으로」,『百濟學報』2, 百濟學會.

10) 한지선, 2015.「원삼국시대 전주 동산동유적의 취사형태 검토」,『湖南文化財硏究』19, 湖南文化財硏究院.

인하였다.

그리고 장란형토기의 사용흔 등 본격적으로 토기에 남겨진 흔적을 좀 더 적극적으로 살피기 위해 식문화탐구회에서는 실제 고고자료와 유사한 토기를 제작하고 취사시설을 만든 후 음식을 조리하여, 그 남은 흔적을 고고자료와 비교하는 연구를 진행해 왔다.[11]

현재까지 이루어진 장란형토기의 연구는 소지역별로 검토가 이루어져 왔고, 단독 기종으로 연구되었다기보다 몇몇 기종이 함께 연구된 경우가 많음을 살펴볼 수 있다. 이 외에도 지면을 통해 언급하지는 못하였지만 마한·백제를 연구하는 다양한 주제 속에서 장란형토기가 부분적으로 다루어지는 양상이다. 따라서 장란형토기 자체에 대한 원자료의 면밀한 재검토를 통해 그 변화상을 파악하고, 심발 등 함께 사용되었을 취사기, 부뚜막 구조 등과도 연동시킨 연구가 필요하다고 본다.

〈표 1〉 장란형토기의 연구현황

연구자	연구 내용
전형민 (2003)	·호남지역 주거 출토 장란형토기의 속성검토 통해 8가지의 형식 설정 ·형태와 세부속성에서 지역적, 시기적 차 확인
박순발 (2004)	·장란형토기를 경질무문 외반구연옹의 후행기종으로 격자문 장란형토기에서 승문 장란형토기로 변화하는 것으로 파악 ·장란형토기의 출현은 심발형토기와 함께 3세기 전반경으로 비정
정종태 (2006)	·중서부지역 출토 장란형토기 분석, 전개양상 검토 ·동체부 타날문양의 시공간적 차 확인 ·사비기 이후 고구려 철부 영향으로 소멸

11) 식문화탐구회, 2006,「취사형태의 고고학적 연구」,『제30회 한국고고학전국대회 발표자료집』, 韓國考古學會 ; 식문화탐구회, 2008,「부뚜막취사의 실험고고학적 검토」,『제32회 한국고고학전국대회 발표자료집』, 韓國考古學會.

김진홍 (2008)	·한성백제 초기 장란형토기는 경질무문토기와 유사 ·시간 경과에 따라 경부 길어지고 동체 세장해짐
김장석 (2012)	·장란형토기 형성과정에 낙랑 화분형토기보다는 요동반도의 연식부로부터 영향
土田純子 (2013)	·마한, 백제지역 출토 취사용기 변천 양상 검토과정에서 발형토기와 함께 분석 ·동체부 최대경 위치가 상위에서 중위로 이동 ·저부는 첨저에서 원저로, 기고는 높은 것으로 낮은 것으로 변화

2. 시루

시루는 저부에 뚫린 구멍으로 올라오는 증기를 이용하여 조리하는 취사용기이다. 우리나라에서는 청동기시대 후기 이후 시루가 사용되었던 것으로 추정되며[12] 원삼국시대에 본격적으로 사용되었다. 시루 연구는 2000년대 이후 활발하게 진행되었으며 분석 시기와 대상 지역이 광범위한 것에서부터 소지역권의 연구, 백제토기 및 취락 연구에 포함하여 함께 살핀 연구[13] 등 다양하게 진행되었다.

시루 자체를 살핀 연구를 중심으로 살펴보면, 최초의 연구는 이해련[14]의 논

12) 吳厚培, 2002,「우리나라 시루의 考古學的 硏究」, 檀國大學校 碩士學位論文.

13) 金健洙, 1997,「住居址出土 土器의 기능에 관한 試論 -호남지방의 주거지를 중심으로」, 『湖南考古學報』5, 湖南考古學會 ; 신종국, 2002,『百濟土器의 形成과 變遷過程에 대한 硏究-漢城期 百濟 住居遺蹟 出土 土器를 中心으로』, 성균관대학교 석사학위논문 ; 宋滿榮, 2003,「中部地方 原三國 文化의 展開過程과 韓濊 政治體의 動向」,『강좌한국고대사』10, 駕洛國史蹟開發硏究院 ; 박순발, 2004,「한국 호남지역 원삼국시대 편년에 대하여」,『밖에서 본 호남고고학의 성과와 쟁점』, 湖南考古學會 ; 申年植, 2006,「3~5세기 호서지방 주거지 연구」,『中央考古硏究』2, 中央文化財硏究院.

14) 이해련, 1993,「영남지역의 시루에 대하여-三國時代를 중심으로-」,『博物館硏究論集』2, 釜山直轄市立博物館.

문에서 출발하였다고 볼 수 있다. 이 연구는 방법론적 한계가 일부 보이지만, 당시 주목받지 못했던 시루를 전면에 내세워 형태변화 및 편년, 속성별 특징에 대한 정리·검토를 시도하였다는 점에서 학사적 의의가 있다.

2000년대에 들어와서 시루에 대한 연구는 폭발적으로 이루어진다. 2000년에는 기존 연구와 달리 3세기 한강이남지역의 주거지와 패총의 대표적 취사용기인 연질옹(장란형토기)과 시루분석을 통해 삼한의 위치와 지역상, 시대적 분포 특성을 검토한 연구가 발표되었고[15], 2002년에는 시루의 기원, 형식분류와 시기별 변천과정, 사용방법 등 종합적이고, 통시적인 연구[16]가 발표되었다. 2003년에는 민속자료 검토를 통해 시루로 조리할 수 있는 음식물(떡)에 관해 검토함으로써 실용기로서 시루가 갖는 특성을 살펴본 연구[17]와 한반도 중부이남지방 시루의 성립과 전개에 대한 연구[18]가 있다. 2005년도에는 정태은[19]에 의해 삼국시대 고구려와 백제에서 시루 이용이 갖는 의미를 검토한 연구가 발표되었으며, 2006년에는 한국 서남부지역 출토 시루의 형식을 기능 중심으로 분류하고 시루 형식변천과 배경을 통해 당시의 문화양상을 해석하고 소지역 단위의 시루 형식변화가 갖는 의미를 파악한 연구[20]가 발표된다.

이후 2000년대 후반대에는 삼국시대의 취사형태를 복원하기 위한 연구로 시

15) 洪潽植, 2000,「연질옹과 시루에 의한 지역권 설정-3세기대 한강 이남지역을 대상으로-」, 『韓國 古代史와 考古學』, 鶴山 金廷鶴博士 頌壽紀念論叢, 學研文化社.
16) 吳厚培, 2002,「우리나라 시루의 考古學的 硏究」, 檀國大學校 碩士學位論文.
17) 장상교, 2003,「시루의 형태와 이용양상」,『생활문물연구』9, 국립민속박물관.
18) 박경신, 2003,「한반도 중부이남지방 토기 시루의 성립과 전개」, 숭실대학교 석사학위논문.
19) 鄭太垠, 2005,「三國時代의 시루利用에 관한 試論-漢江流域 高句麗·百濟 住居址를 中心으로-」, 成均館大學校 碩師學位論文.
20) 許眞雅, 2006,「韓國 西南部地域 시루의 變遷」, 全南大學校 碩士學位論文.

루와 장란형토기를 이용한 취사실험이 이루어졌다[21]. 삼국시대에 시루를 이용한 일상적인 취사가 가능하였는지를 밝히기 위한 목적으로 부뚜막, 시루, 장란형토기를 지역적 특징에 따라 제작하여 직접 밥짓기를 하였다. 이를 통해 학술위주의 연구에서 벗어나 새로운 시각으로 고대의 식생활을 복원한 점은 상당히 고무적인 일이라고할 수 있다. 최근에는 중서부지역 원삼국~한성기 백제 시루의 계보 및 시·공간적 특징을 살핀 연구[22]와 일본의 초현기 시루의 기원을 논하기 위한 기초 연구로서 한반도의 삼국시대 시루의 지역성을 검토한 연구[23]가 발표되었다.

〈표 2〉 시루의 연구현황

연구자	연구 내용
이혜련 (1993)	·영남지역 시루의 형태변화와 편년, 기원문제 검토 ·기원 : 무문토기의 영향, 원저라는 영남지역 토기기본 형식의 영향 받음
김건수 (1997)	·편년에 집중된 기존의 연구성과에서 벗어나 시루를 포함한 주거지의 노지에서 출토된 취사도구에 대한 기능적 측면을 검토
홍보식 (2000)	·3세기 한강이남지역 연질옹과 시루분석 ·권역별 양상 통해 삼한 구분 근거로 판단
오후배 (2002)	·시루의 기원, 형식분류와 시기별 변천, 사용방법 등 종합적이고 통시적인 연구 ·한반도 내 시루의 등장부터 보편화 단계까지 통시적으로 연구

21) 오승환 외, 2009,「삼국시대의 취사형태 복원을 위한 기초연구-시루와 장란형토기를 이용한 취사실험-」,『야외고고학』6, 한국문화재조사연구기관협회.

22) 나선민, 2016,「中西部地域 原三國-漢城期 百濟 시루(甑) 硏究」, 忠南大學校 大學院 碩士學位論文.

23) 寺井誠, 2016,「日本列島における 出現期の甑の故地に関する 基礎的研究」,『平成 25~27年度(獨) 日本學術振興會科學研究費補助金 基盤研究(C) 研究成果報告書』, 大阪歷史博物館.

장상교 (2003)	·민속자료 검토를 통해 시루로 조리할 수 있는 음식물(떡)에 관해 검토 ·실용기로서 시루가 갖는 특성 살핌
박경신 (2003)	·한반도 중부이남지방 시루의 성립과 전개에 대한 연구 ·중부지역 시루의 기원과 전파에 대해 새로운 견해 제시
정태은 (2005)	·고구려와 백제 시루의 의미 검토 ·삼국시대 시루가 일상생활의 조리용기보다는 특수용기로 파악
허진아 (2006)	·한반도 서남부지역은 시루의 시공간적 변화 기준으로 6단계 과정을 거쳐 변천 ·소지역 단위의 세부적인 편년안과 문화양상을 검토했다는 점에서 의의
오승환 외 (2009)	·삼국시대 취사형태 복원하기위해 시루와 장란형토기를 이용한 취사실험 진행 ·새로운 시각으로 고대의 식생활을 복원한 점은 상당히 고무적인 일
김지연 (2010)	·고대의 식생활, 취사와 관련한 조리 도구의 변천 양상 검토
김대원 (2013)	·서울, 경기지역 백제 시루와 호남지역 마한 시루에 대한 특성 파악 ·호서 지역 출토 시루 형식분류하여 4가지 속성으로 구분, 6단계의 분기설정
土田純子 (2013)	·저부형태가 원저에서 평저로 변화, 증기공 형태 규칙배치에서 원공중심·다각형 배치로, 파수는 봉형-우각형-대상으로의 변화 상정
나선민 (2016)	·시루의 속성 재정리, 지역적·시기적 차이 검토 ·계보 및 등장배경 연구

시루에 관한 이러한 연구성과에도 불구하고 여전히 해결해야할 과제가 산적한 실정이다. 예를 들어 시루의 기원 문제는 재검토가 필요하고 취사와 관련된 유물, 부뚜막시설 등과 연동된 종합적 검토가 필요하다. 특히 시루의 기능 규명을 위한 실험고고학적 접근을 지속적으로 이어나가야할 것이다.

Ⅲ. 형식 분류 및 변천

1. 장란형토기

1) 형식 분류 및 분석

장란형토기는 둥글거나 뾰족한 바닥에서 서서히 벌어져 올라와 외반구연을 형성하는 토기이다. 심발과 마찬가지로 주거·분묘 유적 등에서 다양하게 출토되고 있고, 심발과 세트관계를 이루며 주거 내 화덕시설과 그 주변에서 주로 확인된다. 장란형토기 중 전체 기형이 모두 파악되어 분석이 가능한 것은 총 360여 점에 이르며[24], 구연과 저부의 형태, 기고, 문양 등의 속성을 통해 형식 분류가 가능하다.

구연의 형태는 경부의 형성 여부, 구연단의 처리기법에 따라 크게 세 가지 형식으로 나누어 볼 수 있다(그림 1). ⅰ식은 구연이 동체에서 바로 꺾여 단순 외반하며 단부가 둥글거나 또는 편평하게 마무리된 것, ⅱ식은 경부가 형성되고 구연단부는 둥근 것, 편편한 것으로 세분할 수 있다. ⅲ식은 경부가 ⅱ식에서 보다 더욱 발달하며, 구연단부는 장식성이 증가하고 경부가 길어지는 것에 해당한다.

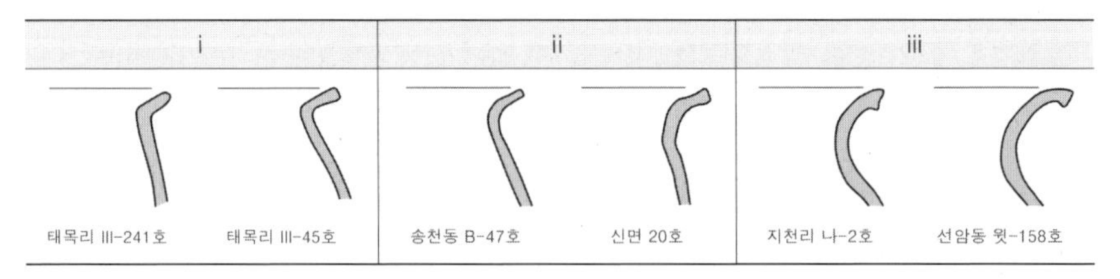

〈그림 1〉 장란형토기의 구연부 속성

24) 전체 기형 확인이 가능한 장란형토기는 출토량에 비해 적은 편이다. 필자는 장란형토기 분석 시에 전체 기형의 2/3 이상이 남아 있어서 도상복원 된 것을 대상으로 하였다. 구연 또는 동체, 저부 일부만 남아 있는 것은 분석에서 반드시 필요한 경우에만 포함하였다.

저부의 형태에 따라서는 평저형(ㄱ형)과 원저형(ㄴ형)으로 대별되며[25], 평저형은 원저형에 비해 극소수이다. 평저형은 기고가 33㎝ 내외에 집중되나 원저형은 37㎝ 내외에 집중되며 40㎝ 이상 되는 것도 상당수이다. 구경 역시 원저형이 평저형보다 더 넓은 것을 살펴 볼 수 있다(그림 2).

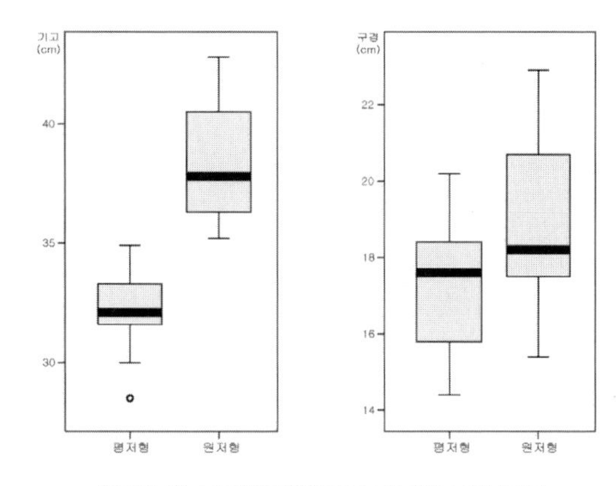

〈그림 2〉 바닥형태에 따른 기고와 구경 분포

동체의 형태는 세장도[26]를 통해 살펴볼 수 있으며, 저부 평저형(ㄱ)을 제외하고 세장도 분석이 가능한 것은 222점에 해당한다. 세장도는 전체적인 형태가 낮고 통통한 것(A)과 길고 세장한 형태(B)로 나뉘지며, A형은 a·b 그룹으로 세분된다(그림 3·4). Aa형은 부안 백산성 주거지 등 경질무문토기와 함께 발견되고 있어 원삼국시대 이른 단계에 출토되는 것으로 판단되며, Ab형은 전주 장동, 담양 성산리, 광주 향등 유적 등 백제토기와 함께 공반되는 것으로 보아 원삼국시대 늦은 단계에 해당되는 것으로 보인다. 따라서 A형은 기고가 낮고 동체가 통통한 형태이지만 시기를 달리하여 사용되었음을 추정할 수 있다. B형은 마한지

25) 경질무문토기와 타날문토기 가운데에는 기종이나 형태가 단절되지 않고 지속되는 토기와 동일 기능을 하면서 새롭게 변화되는 토기가 있는데, 그 중 하나가 장란형토기이다. 앞서 장란형토기는 기능상 취사기로 분류한 바 있는데, 장란형토기 이전에는 경질무문 장동옹이 이와 동일 기능을 했을 것으로 파악하고 있다. 따라서 필자는 호남 서부지역 마한 주거지에서 출토된 경질무문 장동옹을 장란형토기와 함께 검토한다.

26) 장란형토기의 기고에 대한 구경의 비율은 토기 전체의 細長度 반영하는 것으로, 器高/口徑의 값으로 하였다. 세장도가 감소한다는 것은 세장한 느낌보다는 옆으로 넓어지는 느낌을 준다.

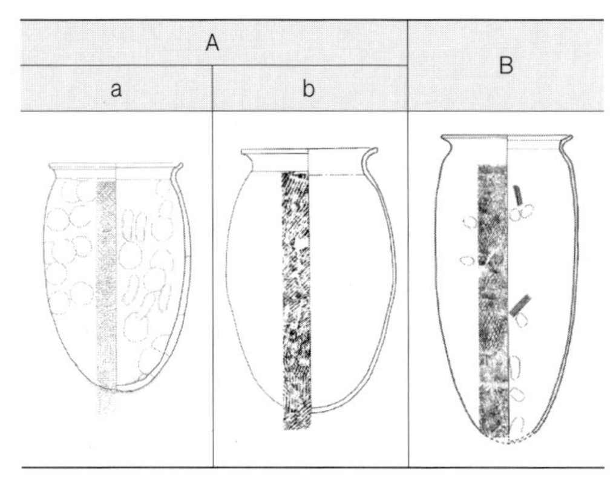

〈그림 3〉 장란형토기의 동체부 형태

역에서 출토되는 대부분의 장란형토기에 해당된다.

장란형토기는 앞서 살핀 구연, 저부, 동체의 형태를 통해(표 3) 크게 가~다의 3개 그룹으로 구분 가능하다. 각 그룹의 장란형토기는 기고와 구경, 구연의 형태, 세장도 등에서 차이를 보이는데, 기고는 가그룹에서 나그룹으로 갈수록 점차 높아지다가 다그룹에서 다시 낮아진다. 구경은 가그룹이 가장 짧으나 나그룹과 큰 차이를 보이지 않으며, 다그룹은 가~나그룹보다 훨씬 넓어지는 양상이다(그림 5).

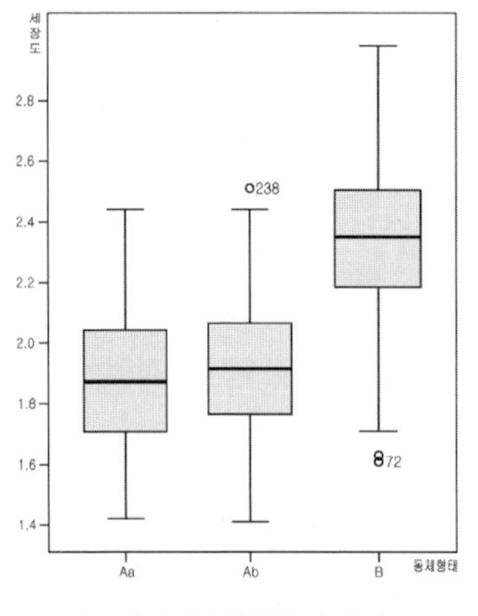

〈그림 4〉 동체 형식별 세장도

〈표 3〉 장란형토기 형식분류

속성 / 그룹	구연부	저부	동체부
가	i	ㄱ	Aa
나	ii	ㄴ	B
다	iii	ㄴ	Ab

문양은 무문(Ⅰ), 격자문계(Ⅱ), 집선문계(Ⅲ), 승문(Ⅳ), 기타(Ⅴ)로 나누어진다. 격자문계(Ⅱ)는 장란형토기 외면 전체에서 격자문이 확인되는 것, 격자문을 타날한 후 경부에 거치문을 돌린 것, 격자문이 토기의 절반가량에서 확인되고 나머지 부분에서는 확인되는 않는 것으로 구분된다. 집선문계(Ⅲ)는 집선이 장

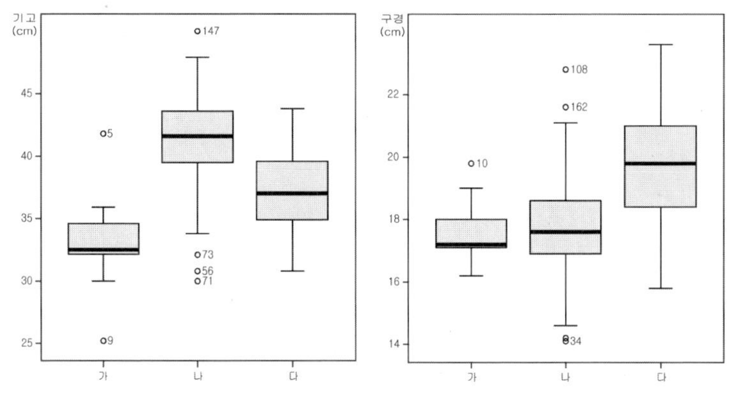

〈그림 5〉 장란형토기 원저형의 기고와 구경 분포

란형토기 전면에서 확인되는 것과 집선 위에 여러 조의 횡선을 돌린 것으로 나누어 볼 수 있다. 기타 문양으로는 조족문이 소수 관찰된다(그림 6). 앞서 분류한 가~다그룹의 장란형토기 문양을 살펴보면 표 4와 같다. 가그룹에서는 무문과 격자문계가 비슷한 비율로 관찰되며, 나그룹에서는 무문의 수는 현저히 감소하는 반면 격자문계는 기하급수적 증가양상을 보인다. 이와 함께 집선문계와 조족문 등 새로운 문양대가 발견된다. 다그룹도 마찬가지로 격자문계가 높은 비율을 보이지만 집선문계, 승문, 조족문 등도 더욱 증가하는 양상이다. 즉 장란형토기 문양은 격자문이 전시기에 걸쳐 사용되지만 이후 새로운 문양이 등장하면서 함께 사용되고 있음을 살필 수 있다.

〈표 4〉 장란형토기의 문양 분석

문양 그룹	무문(Ⅰ)	격자문계(Ⅱ)	집선문계(Ⅲ)	승문(Ⅳ)	기타(Ⅴ)	계
가	5 (45.5%)	6 (54.5)				11
나	21 (11.2)	164 (87.7)	1 (0.5)		1 (0.5)	187
다		50 (82.0)	9 (14.8)	1 (1.6)	1 (1.6)	61

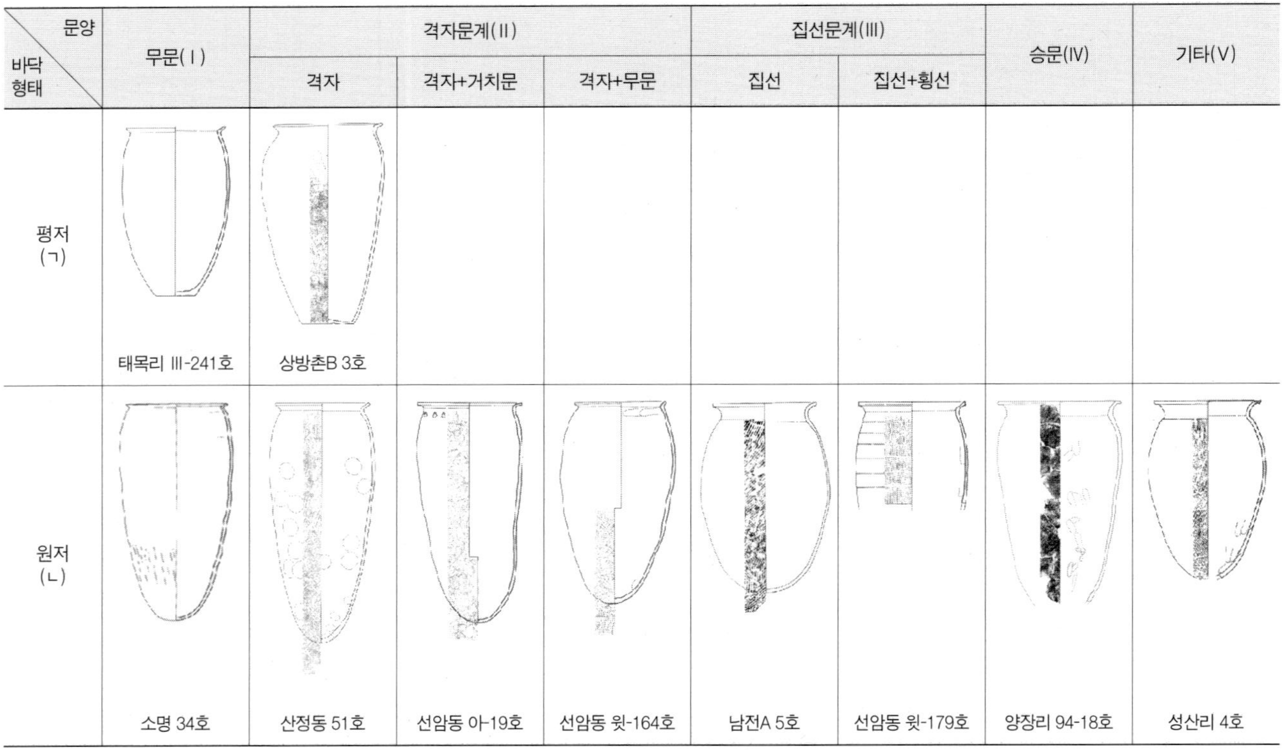

문양 / 바닥형태	무문(Ⅰ)	격자문계(Ⅱ)			집선문계(Ⅲ)		승문(Ⅳ)	기타(Ⅴ)
		격자	격자+거치문	격자+무문	집선	집선+횡선		
평저(ㄱ)	태목리 Ⅲ-241호	상방촌B 3호						
원저(ㄴ)	소명 34호	산정동 51호	선암동 아-19호	선암동 윗-164호	남전A 5호	선암동 윗-179호	양장리 94-18호	성산리 4호

〈그림 6〉 장란형토기의 문양 분류

2) 형식 변천 및 편년

장란형토기는 구연, 동체(세장도), 저부의 형태, 문양을 통해 Ⅰ~Ⅲ기의 분기 설정이 가능하다(표 5, 그림 7).

Ⅰ기에는 다양한 높이의 장란형토기에 격자문이 타날된다. 구연은 동체에서 바로 꺾여 단순외반하며 단부가 둥근 ⅰ형으로 제작되며, 동체는 기고가 낮고 통통한 형태인 Aa형과 세장한 B형, 저부는 평저형(ㄱ)과 원저형(ㄴ)이 모두 발견된다. 시기는 유구와 절대연대치가 부족한 실정이어서 향후 자료와 연구의 보완이 필요하지만 현재로선 Ⅰ기의 연대를 2세기 중반(?)부터 3세기 중반까지로 설정하고자 한다.

〈표 5〉 장란형토기의 속성 변천

분기 \ 속성		문양	기형	기타
Ⅰ		격자문계 등장, 무문 有	구연 ⅰ형, 동체 Aa·B형 저부 ㄱ·ㄴ형	경질무문 장동옹 공존
Ⅱ		격자문계 급증, 무문	구연 ⅰ·ⅱ형, 저부 ㄴ형 동체 Aa형 감소 B형 급증	
Ⅲ	a	격자문계 지속, 무문 집선문계 등장	구연 ⅱ·ⅲ형, 저부 ㄴ형 동체 B형 지속, Ab형 등장	
	b	격자문계 감소, 집선문계 증가 승문계 등장, 무문	구연 ⅱ·ⅲ형(장식성 심화) 저부 ㄴ형 동체 Ab 증가, B형 지속	

Ⅱ기의 장란형토기는 격자타날문계 일색이며, 구연·동체·저부의 형태가 Ⅰ기에서 지속되는 것이 있는가 하면 일부 속성은 등장·소멸한다. 즉, 구연은 단부가 편평한 것과 얕은 홈이 돌아가는 등의 새로운 형식이 제작·사용되지만, 저부는 평저형(ㄴ)이 사라지고 원저형(ㄴ)만이 제작된다. 동체는 Aa형이 감소하지만 세장한 B형은 급증한다. 이와 함께 장란형토기의 크기가 전반적으로 커지는 양상이어서 기고가 높아지고 구경도 더 넓어지는 형태로 변화한다. 이는 타날

을 통해 기벽 두께가 얇아지고 동체와 저부가 부풀려지는 등 용량의 증가를 의미하는 것으로 추정된다. 지역 및 제작자에 따라 정도의 차이는 있겠지만 기고와 구경 등이 호남 서부지역에서 거의 비슷한 모습으로 나타나고, 전체기형도 최대경이 동체 상위부에 위치한다. 최대경이 동체 상위부에 위치하여 전체적으로 역제형의 모습을 띠는 것은 점토부뚜막에 세워 사용하기 용이한 방향, 즉 기능적 측면의 극대화를 이루기 위한 형태로 기형이 정착한 것으로 보인다. Ⅱ기의 연대는 3세기 후반~4세기 중반으로 상정할 수 있다.

Ⅲ기는 구연과 동체, 문양 등 전반적인 부분에서 변화가 간취되며, 다시 Ⅲa기와 Ⅲb기로 세분할 수 있다.

Ⅲa기는 구연부에 장식성이 부가되고 경부가 형성된 형태의 ⅲ형 구연이 ⅱ형 구연과 함께 발견되며, 세장해진 동체(B)가 계속해서 만들어지지만 새롭게 Ab형의 동체가 등장한다. 그리고 이들 장란형토기에는 격자문 이외에 집선문계의 문양과 조족문 등 기타 문양이 베풀어진다. 함평만권과 영산강 중하류권, 영산강 극락강권에서는 격자문계와 함께 무문의 장란형토기가 계속된다. 연대는 4세기 후반~5세기 초반으로 편년된다.

Ⅲb기는 집선문, 승문, 조족문 등 다양하게 문양이 시문되는 시기이다. 또한 이전 시기까지는 구연부가 동체에서 짧게 외반하는 형태가 대부분이었으나 경부를 형성한 후 외반하는 형태가 다수를 차지한다. 구연은 비율이 다소 길어지며, 구연 단부에 홈이 돌아가는 등의 장식적 요소가 부가되는 양상이 심화된다. 구경은 이전 시기보다 월등히 넓어지나 기고는 낮아져 이전의 세장한 장란형토기와 비교된다. 동최대경은 상위부에 위치하는 경우도 있지만 다수가 중위부에 위치하는 형태로 기형변화 한다. 연대는 5세기 중반~6세기 초반으로 편년된다.

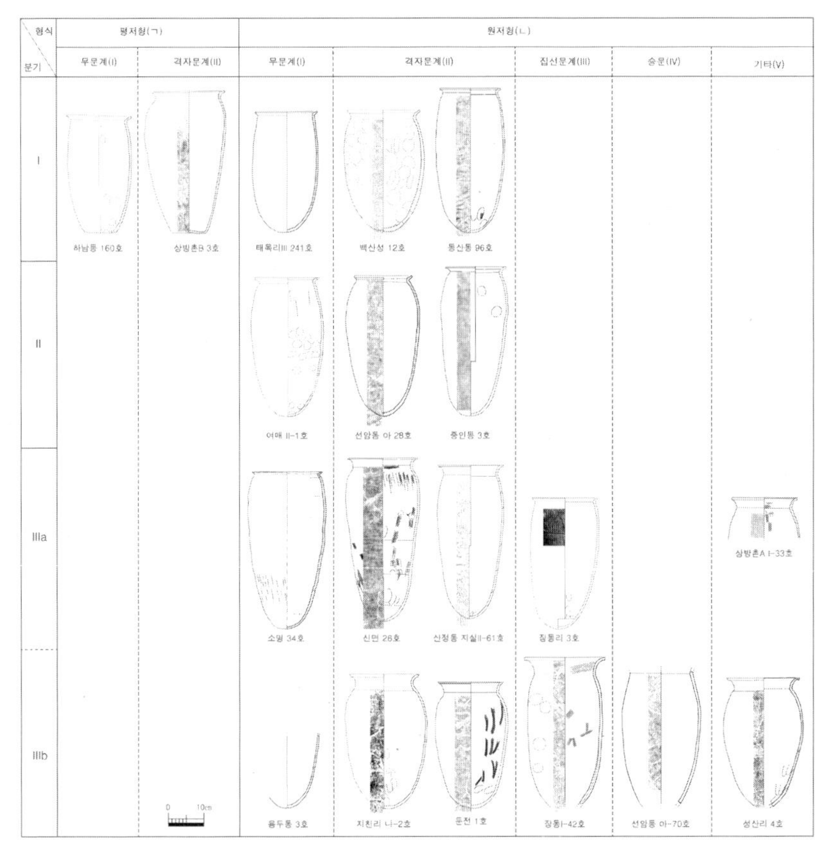

〈그림 7〉 호남 서부지역 장란형토기의 변천

2. 시루

1) 형식 분류 및 분석

시루는 700여 점이 출토되었으며, 전체기형을 파악할 수 있는 것은 200여점에 해당한다. 다른 취사기와 마찬가지로 적갈색계·황갈색계의 산화소성된 연질이 다수를 점하며, 환원소성된 것들도 상당수이다.

시루는 전체 기형, 기고, 구경과 저경, 증기공의 크기 및 배치, 문양, 파수 등을 통해 형식 분류가 가능하다(그림 8).

		증기공 불규칙 배치(가)	증기공 규칙 배치(나)			
직립구연(A)	말각평저(a)	태목리 IV-110호				
직립구연(A)	평저(b) 동체호형(i)	중랑 52호	선암동 윗-127호	사덕 15호		
직립구연(A)	평저(b) 동체사선형(ii)	신금 60호	삼지천 1호	소명 27호	상운리 다-11호	중인동 하봉 1호
외반구연(B)				취동리 3호	태목리 I-36호	

〈그림 8〉 시루의 분류

먼저 전체 기형을 살펴보면, 저부·동체부·구연부에 따라 구별가능한데, 구연부는 크게 직립구연(A)과 외반구연(B)으로 나누어진다. 호남서부지역에서 시루의 구연은 동체에서 직립하는 형태가 대부분을 차지하나(N=192, 98.5%) 소수 외반하는 것(N=3, 1.5%)들이 관찰된다. 동체부는 저부에서 서서히 벌어져 올라와 파수가 부착된 부위를 기점으로 직립하거나(동체 호형, ⅰ) 계속해서 같은 각도로 벌어져 올라가 구연을 형성하는 것(동체 사선형, ⅱ)으로 구분해 볼 수 있다. 이는 미세한 차이로 여겨지나 구경과 저경의 차를 비교해 보았을 때 확연히 드러난다(그림 9). 즉, 동체 호형은 구경/저경의 비가 1.5인 것에 비해 동체 사선형은 1.82로 동체 사선형이 호형보다 구경과 저경의 차가 크다. 저부는 바닥판과 동체판의 접합부위가 각을 이루지 않고 부드러운 곡면을 이루는 형태(말각평저, a)와 둔각을 이루는 것(평저, b)으로 나눠볼 수 있다.[27]

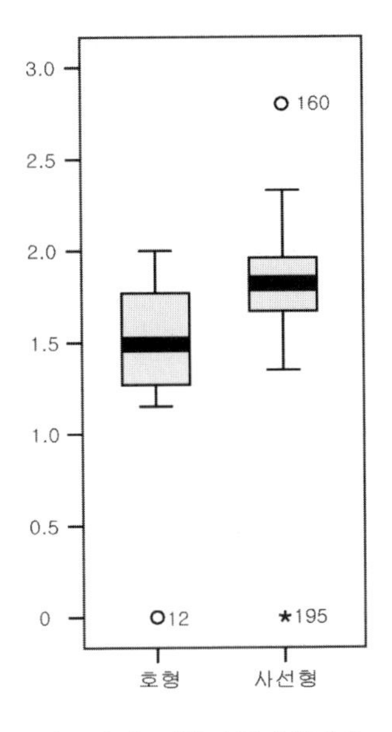

〈그림 9〉 시루의 동체 형태에 따른 구경/저경 비

27) 호남지역에서 이른 시기로 편년되는 시루는 기원전 1세기경의 광주 신창동유적 출토품이 있다. 신창동유적의 시루는 이른바 구연부 단면이 삼각형인 점토대토기이다. 이 글에서는 연구시기를 기원후로 한정하였기 때문에 분석에서는 제외하였다.

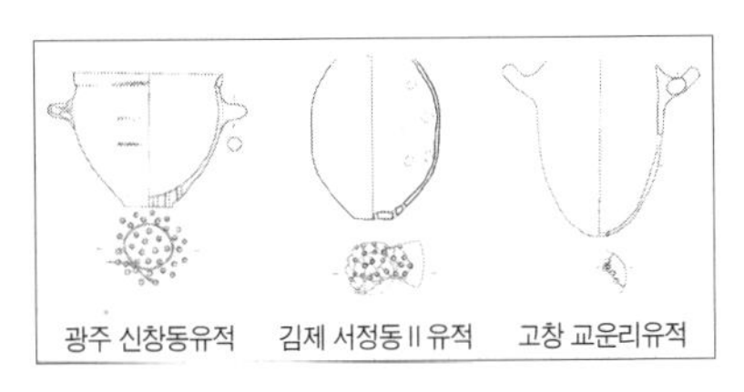

다음으로 高敞 校雲里 遺蹟(호남문화재연구원 2002)에서는 경질무문토기가 출토된 타원형의 수혈 1기가 조사되었다. 출토유물 가운데 시루는 바닥이 원저인 것과 말각평저인 것이 확인되었는데, 특히 원저 시루는 주거지 출토품에서 살펴볼 수 없었던 형태이다. 다만 초기철기시대로 편년되는 金堤 西亭洞 II遺蹟(전라문화유산연구원 2014)에서 출토된

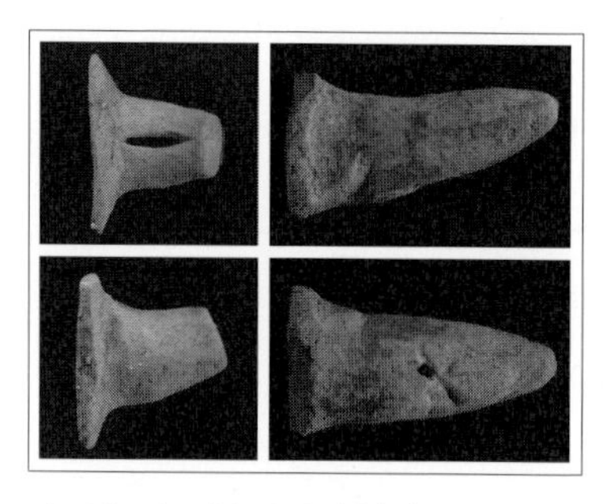
〈그림 10〉 파수의 반달홈(좌) · 지주흔(우)

시루의 파수는 봉형·우각형·절두형으로 구분된다. 봉형은 다소 이른 시기에 해당하는 시루에서 주로 확인되며, 우각형과 절두형은 이후 주류를 점하는 형태이다.[28] 후자의 파수에서는 상면에 반달홈이 관찰되기도 하고, 파수 하단 끝부분에 직경 0.3~0.4㎝ 가량의 지주흔이 남아있는 것이 있다. 특히 파수 상면의 반달홈은 모든 파수에 남아 있는 것은 아니며 늦은 단계로 파악되는 것에서 주로 확인되고 있어, 시간성을 다소 반영하는 요소로 판단된다.[29] 즉, 파수는 시루의 기벽보다 훨씬 두꺼워서 몸체보다도 건조시간이 더 소요되었을 것으로 추측되는데, 이를 보완하기 위한 하나의 방법으로 파수 중앙에 깊은 홈을 내 건조시간의 차를 줄여보고자 했던 것으로 보인다. 또한 파수 하단부 지주흔은 시루를 건조 하는 과정에서 파수의 무게를 견디지 못하고 쳐지거나 기형이 변화되는 것을 막기 위해 갈대 등의 초본류 등을 이용하여 지주대를 받친 흔적으로 파악된다(그림 10). 따라서 파수의 반달홈과 지주흔은 기술적 측면에서의 진일보라 할 수 있다.

증기공은 구멍의 크기와 배치 형태에 따라 불규칙 배치(가형)와 규칙 배치

시루와 전체 형태가 비슷하며, 이와 연속선상에서 볼 때 교운리 출토 시루는 초기철기시대 이후에 해당하나 너무 늦지 않은 기원후 1~2세기경의 유물로 추정된다. 교운리유적에서 출토된 시루 역시 주거지 출토품이 아니어서 분석대상에서는 제외하였지만, 필자가 이들 출토품을 지면을 통해 언급하는 이유는 직전 시기와 원삼국 이른 시기 존재했을 시루의 형태를 파악하고 연속선상에서 시루의 형태 변화를 이해하고자 함이다.

28) 土田純子, 2014,『百濟土器 東아시아 交叉編年 硏究』, 서경문화사.

29) 土田純子, 2014,『百濟土器 東아시아 交叉編年 硏究』, 서경문화사.

(나형)로 구분가능하다(그림 11). 가형은 직경 0.7~0.9㎝ 내외 중심으로 소형 원공이 불규칙적 배치를 이루는 것과 직경 1.2~1.5㎝ 내외 중심의 중소형 원공이 불규칙적으로 배치되는 것으로 나누어진다(그림 11 右上). 불규칙적으로 배치되는 가형 시루는 매우 작은 원공에서부터 크기가 큰 원공이 모두 투공된다.

나형은 나A와 나B로 대별되고 다시 나A형은 크고 작은 원공(직경 2.0~2.6㎝ 내외 집중됨)이 중앙의 원공 하나를 중심으로 주변에 일정한 수의 원공 1조 또는 2조가 배치되는 형태이다. 이에 따라 나A형은 다시 a·b·c형으로 세분된다. 나Aa형은 불규칙 배치되는 중소형의 원공 크기와 별반 다르지 않지만 일정한 규칙성을 가지고 분포한다는 점에서 차이가 있다. 담양 삼지천유적 1호 주거지 출토 시루의 경우 증기공은 모두 비슷한 크기의 원공이 배치되고 있으며, 바닥 중앙에 원공 하나를 중심으로 7개의 원공이 돌아가고 다시 그 외곽으로 12개의 원공이 돌아가는 것을 살펴볼 수 있다. 이러한 배치를 보이는 형태는 많지 않지만 중소형 원공이 불규칙 배치되는 것과 비교해 볼 수 있다. 두 가지의 배치 형태가 시기차를 크게 보이는 것은 아니나 증기공 배열에 있어 규칙 배열[30]이라는 사고의 전환이 이루어졌음을 짐작해 볼 수 있다.

30) 나Ac형은 원공의 크기가 달라 그림 11(右下)분석에서 제외하였고, 나B형 역시 외곽에 돌려지는 증기공의 형태가 달라 함께 분석하지 못하였다.

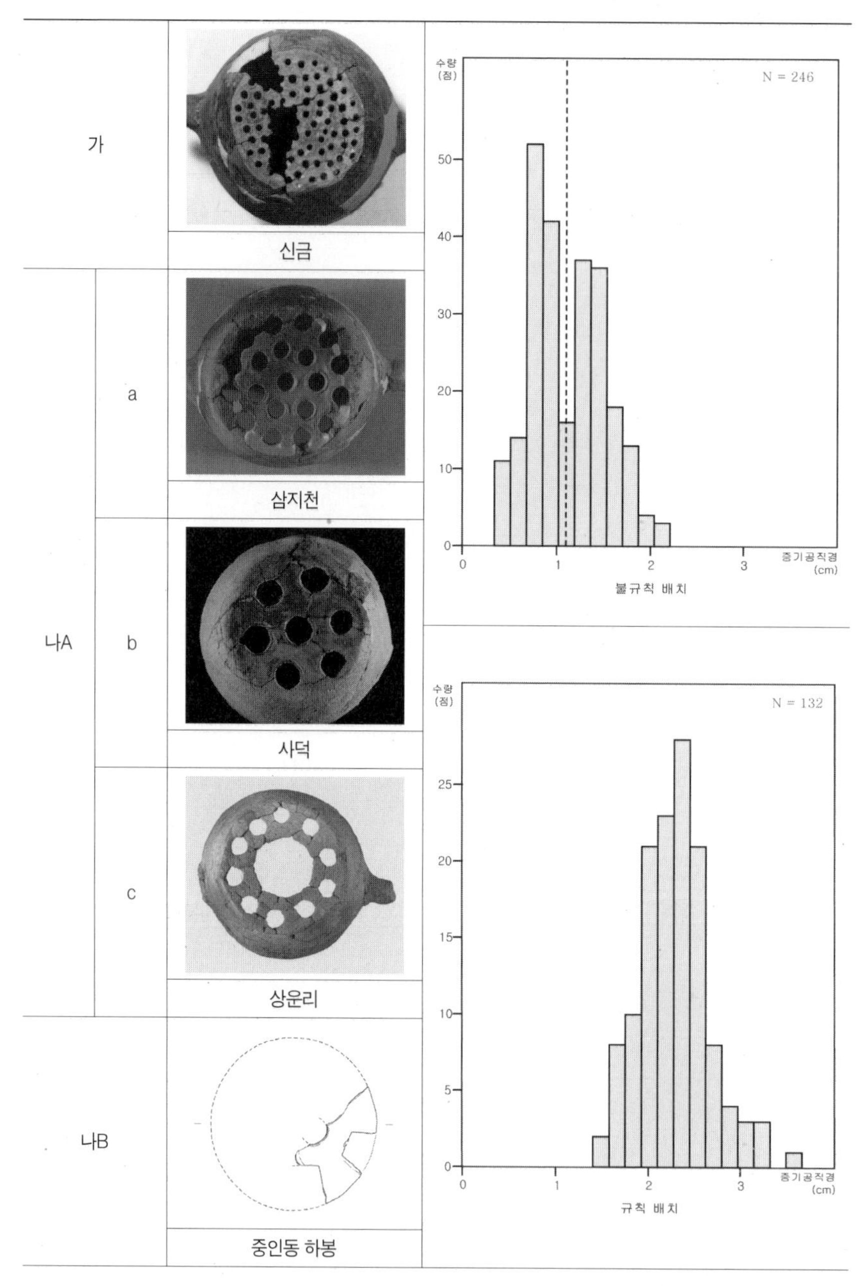

〈그림 11〉 증기공 배치 양상

나Ab형은 앞서 살펴본 증기공과는 확인한 차이를 보인다. 원공의 수는 줄어든 반면 직경은 두 배 이상으로 커지고 이후 중소형 원공이 불규칙적으로 배치되는 시루와 함께 주류를 형성한다. 이들 원공의 배치는 대게 1(중앙)+5(외곽)(N=6, 7.1%), 1+6(N=48, 56.5%), 1+7(N=23, 27.1%), 1+8((N=8, 9.4%)로 결합되나 1+6의 조합이 가장 많은 수를 차지하고 그 다음으로 1+7이 다수 관찰된다.

나Ac형은 나Ab형과 마찬가지이나 중앙 원공 직경이 2~3배가량 커지며, 이를 중심으로 1조의 원공이 돌아간다. 완주 상운리유적이나 광주 동림동유적, 담양 태목리유적, 고창 석교리유적, 정읍 오정Ⅱ유적 주거지 등에서 출토되었는데, 이들 주거지는 발굴보고서에 의하면 5세기 전반 이후로 편년된다. 따라서 나Ac형 시루는 호남 서부지역에서 다른 형태의 시루보다는 다소 늦은 시기에 등장하는 것으로 판단된다.

나B형은 나A형처럼 증기공의 배치가 규칙적이지만 중앙의 원공을 제외하고 외곽으로 돌려지는 증기공이 원형이 아니라 다각형으로 투공된다. 또한 나B형이 다른 시루와 다른 점 중에 하나는 저경이 훨씬 넓다는 것이다.

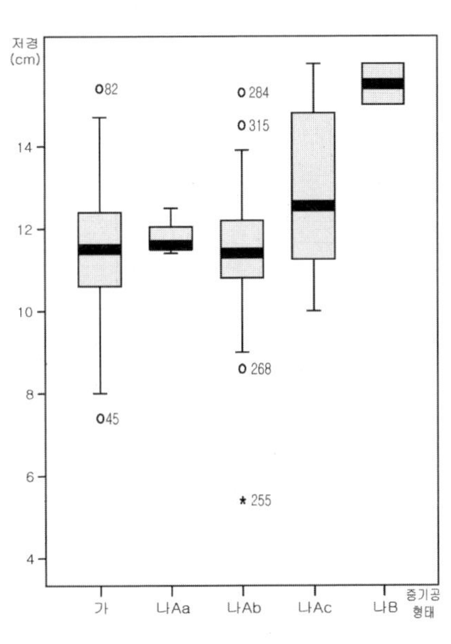

〈그림 12〉 증기공 형태에 따른 저경의 변화

이는 그림 12를 통해서 확인 가능한데 증기공의 형태에 따라 저경이 달라지는 것을 알 수 있다. 가형·나Aa형·나Ab형은 저경이 11.5㎝ 내외로 거의 비슷하지만 나Ac형은 이보다 더 넓은 12.5㎝ 내외에 분포한다. 바닥이 넓어져 중앙의 원공을 나Ab형보다 크게 투공할 수 있었던 것으로 보인다. 나B형은 저경이 15.5㎝ 내외로 앞선 증기공의 형태들보다 월등히 넓어진 것을 알 수 있다. 이러한 변화, 즉 저경의 넓어짐은 시간성을 반영하며 나Ac형과 나B형은 호남의 서부지역에서 가장 늦게 등장하는 형태로 알려져 있다[31]. 이러한 변화의 동인으로는 바닥의 증기공을 효과적으로 막을 수 있는 방법의 발전[32], 시루솥의 구경 변화 등 다양한 측면에서 접근가능하다.

다음으로 시루의 문양은 무문(75.4%, N=273) 격자문(18.5%, N=67), 집선문(5.2%, N=19), 승문(0.6%, N=2), 조족문(0.3%, N=1)이 여타 다른 취사기에서 살펴 볼 수 있는 것처럼 비슷하게 관찰된다. 하지만 심발이나 장란형토기에서는 격자문 등 유문이 다수를 점하였다면 시루는 무문이 75.4%를 차지하고 있어 무문양 일색이라 해도 과언이 아니다. 문양은 격자문이 가장 많이 관찰되고 다음으로 집선문, 승문, 조족문 순으로 확인되고 있다(그림 13).

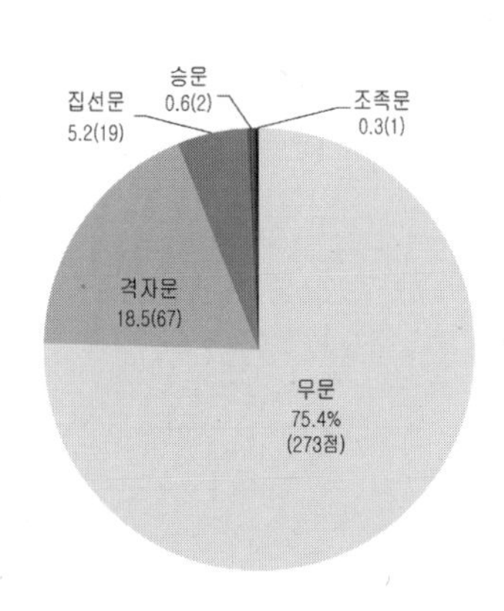

〈그림 13〉 시루의 문양

31) 허진아, 2007, 「湖南地域 시루의 型式分類와 變遷」, 『韓國上古史學報』58, 韓國上古史學會.

32) 시루는 뜨거운 김이 올라오도록 하기 위해 뚫어 놓은 여러 개의 구멍을 시루밑으로 막아야만 사용이 가능하다. 그래야만 곡물 등이 구멍을 통해 새는 것을 막을 수 있기 때문이다. 현대에는 한지나 천을 이용해 시루밑을 막지만 고대사회에서는 짚이나 넝쿨 등 섬유질이 많고 질긴 재료를 이용하여 제작하였을 것이다. 하지만 시루를 사용하던 직후부터 시루밑을 제작했다기 보다는 나뭇잎 등을 깔아서 이를 대체했을 가능성이 높다. 시루의 증기공이 작은 것만을 통해서도 이를 추측해 볼 수 있다. 하지만 증기공이 커지는 시점에는 이의 통제가 좀 더 원활하게 이루어졌던 것으로 보인다. 따라서 필자가 분류한 증기공 나Ab형, 나Ac형, 나B형이 사용되던 시기에는 적어도 시루밑이 다양하게 제작되어 사용되었으리라 본다.

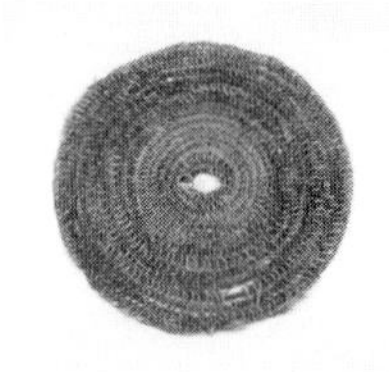
시루밑(e뮤지엄)

2) 형식 변천 및 편년

시루는 구연·동체·저부·증기공·파수·문양 등의 속성에 따라 Ⅰ~Ⅲ기의 분기 설정을 할 수 있다(표 28, 그림 63).

Ⅰ기는 바닥이 말각(a)을 이루는 것과 평저(b)인 것이 공존하는데, 그 바닥면에는 더운 열기가 겨우 통과될 정도로 직경이 작은 증기공이 매우 불규칙하게 분포(가)한다. 동체부는 바닥에서 동체로 각을 이루지 않고 부드러운 곡선을 그리며 파수가 부착된 부분까지 이어지고, 그 윗부분은 거의 직립하며 올라가는 형태로 마치 오크통의 옆면처럼 부드러운 선을 그리는 호형(ⅰ)이 많다. 구연부는 동체 중위부에서 거의 직립하며(A) 단부는 깎아낸 듯 편평하게 마무리하는데, 이 시기에 형성된 구연부는 마한 전 시기동안 주류를 이루며 큰 기형변화 없이 이어간다. 파수는 손누름 자국이 여러 군데 남아 있는(수날법에 의한 제작) 뭉툭한 봉형태가 주로 부착되어 있으나 다소 날렵해진 형태의 우각형이나 절두형도 있다. 문양은 관찰되지 않는다. 연대는 2세기 중반(?)부터 3세기 중반에 해당한다.

〈표 6〉 시루의 변천 양상

분기＼속성		문양	기형	기타
Ⅰ		무문	바 닥 : 말각(a)·평저(b) 증기공 : 소형, 불규칙(가) 동체부 : 호형(i)·사선형(ii) 구연부 : 직립구연(A) 파 수 : 봉형 >우각형·절두형, 수날법	경질무문토기 전통 공존
Ⅱ		무문	시루 정형화 바 닥 : 평저(b) 증기공 : 중소형, 불규칙(가)·규칙(나Aa·나Ab) 동체부 : 호형(i)·사선형(ii, 급증) 파 수 : 봉형< 우각형·절두형	
Ⅲ	a	격자문	증기공 : 중소형·대형 불규칙(가)·규칙(나Aa·나Ab(급증))	
	b	격자문 집선문 승 문 조족문	시루의 다양성 증가 바 닥 : 직경 넓어짐 증기공 : 나Aa·나Ab·나Ac(중형+대형)·나B(다각형) 동체부 : 용량 증가 구연부 : 외반구연(B) 제작 파 수 : 반달홈	

Ⅱ기에는 평저(b) 시루가 정형화된다. 동체 형태는 호형(ⅰ)보다는 사선형(ⅱ)이 많으며, 동체의 전체 형태가 날렵해지는데, 이는 시루솥인 장란형토기와의 결합측면에서 볼 때, 동체하단부가 날씬한 것이 시루를 사용하기에 더 편리했던 것은 아닌가 한다. 증기공은 상당수에서 불규칙적(가)으로 다수를 바닥면에 투공하지만 원공의 직경이 이전보다는 커지는 양상이다. 또한 중형 크기의 원공을 규칙적으로 배열한 형태(나Aa·나Ab)의 시루가 등장한다. 이는 음식을 찌는 기술과 관련지어 생각해 볼 수 있을 것이다. 즉 증기공을 크게 뚫음으로써 찌는 기능을 극대화함과 동시에 증기공으로 식료가 빠져나가는 것을 통제할 수 있었음을 시사한다. 이것은 단순히 증기공의 직경이 커진 것만을 의미하기보다는 좀 더 효율적으로 시루를 이용하고 있음 보여주는 단적인 증거라할 수 있다. 파수는 봉형보다는 잘 다듬어진 우각형 또는 절두형을 부착한다. 시기는 3세기 후반~4세기 중반으로 편년된다.

Ⅲ기는 a와 b로 세분된다. Ⅲa기는 증기공 나Ab형이 급증하며, 이전형식의 시루는 외면에서 문양의 관찰이 어려웠던 반면 이 시기에서는 격자타날문이 시문됨을 확인할 수 있다. Ⅲa기의 연대는 4세기 후반~5세기 초반으로 상정할 수 있다.

Ⅲb기에서는 시루의 다양성이 발견된다. 즉, 구연·동체·바닥·증기공 등 여러 측면에서의 변화가 나타나고 지역적 특성도 더욱 두드러진다할 수 있다. 구연부는 이전 형식이 모두 직립구연(A) 일색이었다면 Ⅲb기에는 외반구연(B)이 등장한다. 외반구연 시루는 만경강 북부지역에 주로 집중되고 있어 금강유역과의 관련성을 짐작해 볼 수 있다[33]. 동체부는 동체 하단부가 날렵한 사선형(ⅱ)이 주류를 이루다가 Ⅲb기에는 이외에도 호형(ⅰ)동체가 다시 등장하는데, Ⅰ형식과는 차이가 있다. Ⅰ형식의 호형동체는 경질무문 시루의 연속선상에 있었

33) 金大元, 2013,「湖西地域의 3~7世紀 시루 硏究」, 韓南大學校 大學院 碩士學位論文.

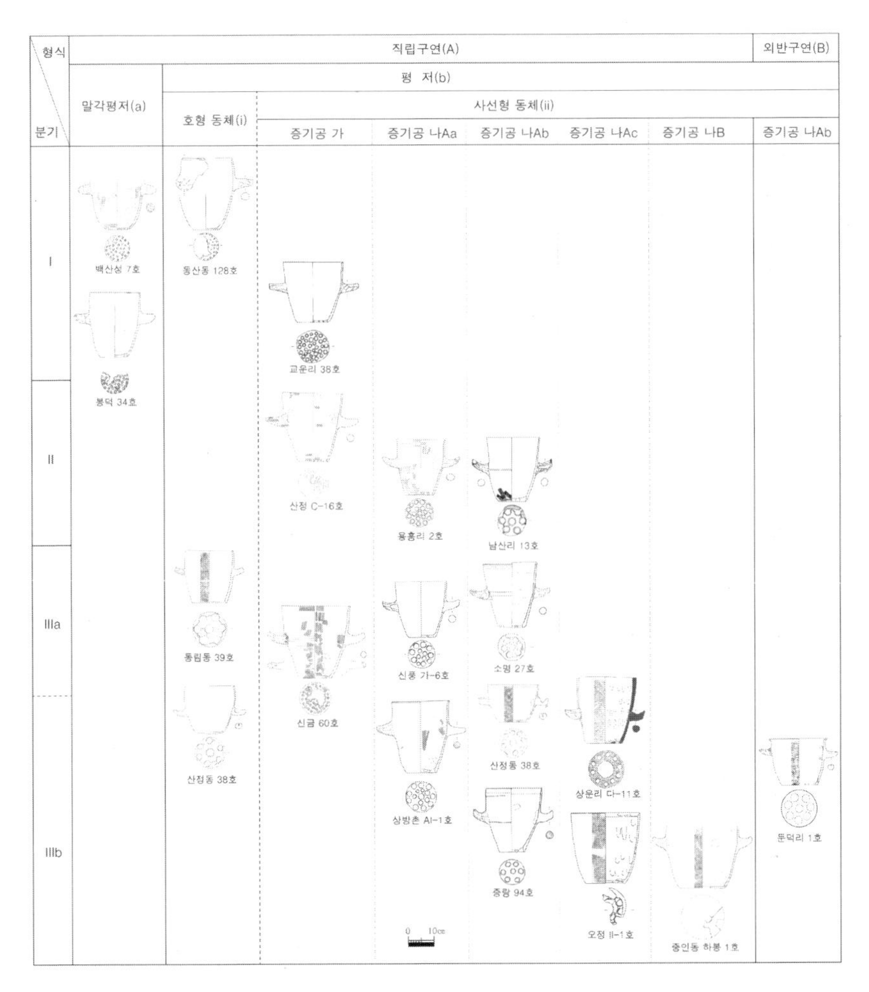

〈그림 14〉 시루의 변천

다고 한다면 Ⅲb형식의 호형동체 시루는 용량 자체가 더 커지는 양상인데, 이는 시루솥의 변화와 맞물려 있으며 백제지역 시루의 영향으로 추정된다[34]. 즉

---

34) 土田純子, 2014, 『百濟土器 東아시아 交叉編年 硏究』, 서경문화사.

장란형토기와 맞물리는 부분이 넓어짐으로 더 큰 시루를 걸 수 있게 됐고 그로 인해 시루의 동체 폭 또한 넓어진 것이다. 증기공은 모든 원공이 동일한 직경을 보이는 것이 아니라 바닥 중앙의 원공은 주변의 원공보다 두 배 이상으로 넓어지기도 하고, 중인동 하봉유적 출토품처럼 증기공의 형태가 더 이상 원공이 아닌 다른 형태로 투공되기도 한다. 문양은 격자문이외에도 집선문을 비롯하여 승문, 조족문 등이 타날 된다. 연대는 5세기 중반~6세기 초반으로 편년된다.

Ⅳ. 맺음말

이 글에서는 호남 서부지역 주거지 출토 장란형토기와 시루의 연구 현황, 형식분류 및 변천양상을 살펴보았다. 이 두 기종은 일상용기라는 특성상 변화상이 크지 않아 분석하는데 어려움이 컸다.

하지만 호남 서부지역 마한의 일상용기인 장란형토기와 시루의 변화 과정을 검토함으로써 마한의 일상용기에 한걸음 내디뎠다 할 수 있으며, 이와 같은 작업을 지속함으로써 그 실체에 더욱 다가갈 수 있으리라 본다.

이번 연구를 통해 필자의 짧은 식견으로나마 토기를 분석하고 향후 연구의 방향도 설정할 수 있었다. 짧은 시간이었지만 뒤를 돌아보니 여전히 풀어야할 과제가 많다. 하지만 이와 같은 연구 연구가 늘어날 때 향후 좋은 결과가 도출되리라 믿어 의심치 않는다.

백제 흑색마연토기
- 直口廣肩壺를 중심으로 -

남상원 국립문화재연구소

Ⅰ. 머리말

흑색마연기술은 백제 토기를 대표하는 기술 유형으로 그간의 출토 양상과 희소성으로 볼 때 고가치품으로 인식되어 왔다. 흑색마연토기는 다양한 기종으로 제작되었지만 그 개체수가 소량이고 시간적으로는 백제 한성기에, 공간적으로는 소비 중심지로 볼 수 있는 한성지역과 경기남부 일부 지역에 집중되어 있다. 토기가 편년에 유용한 자료로 활용되기 위해서는 한정된 공간 안에 형식학적 변이를 토대로 시간 축을 설정할 수 있어야 한다. 그러나 여기에는 의미성을 부여할만큼 충분한 양의 자료가 전제되어야 할 것이다. 그런 면에서 일반 토기에 비해 개체수가 현저히 적은 흑색마연토기는 편년 설정에 한계가 있다.

백제 흑색마연토기는 경기남부의 일부지역(화성, 용인 등)에서 중앙 양식의 토기와 형태적으로나 기술적으로나 유사한 양상을 보인다. 출토 기종도 고배, 대합, 합, 뚜껑 등으로 다른 지역들처럼 호류에 국한되지 않고 여러 기종으로 출토되었다.

하지만 이들이 중앙 양식과 다른 차이점은 시문된 문양이나 세부적인 형태 등에서 일부 차이점을 보이기 때문에 중앙 토기와는 제작지가 다르다는 것을 알 수 있다.

반면 그 외 지방의 토기들은 중앙 흑색마연토기와 동일한 기술로 제작된 토기의 경우 대부분 직구광견호로 한정되어 나타나는 양상이다. 그렇다면 백제 영역 중 중앙과 지방을 아울러 시간차를 갖고 출토되는 직구광견호가 흑색마연토기의 편년을 설정하는데 활용될 수 있을 것으로 보인다. 물론 이마저도 수적인 한계로 안정적인 편년안을 마련하기에 부족하겠지만 현재로서는 이를 충족할 만한 대안이 없으므로 소량이나마 여러 지역에서 출토되는 직구광견호를 활용하여 출토 유구의 공반유물을 살펴 편년을 검토하는 것이 필요하다.

이러한 점을 보완하기 위해서는 동일 기종의 형식학적 편년을 따르거나 대상토기의 공반 유물과의 비교 편년이 무엇보다 중요할 것이다.

Ⅱ. 유적별 주요 유물 편년 검토

중앙산 흑색마연토기 직구광견호가 출토된 대표 유적(구)으로는 경당196호, 가락동2호분, 용인 신갈동, 천안 용원리·화성리, 해미 기지리, 서산 부장리, 화천 원천리 등이 있으며, 재지산출토지로는 함평 만가촌 고분군, 고창 만동, 청주 신봉동 등이 있다. 이 중 주요 유적을 선정하여 비교 검토를 진행해 보고자 한다.

우선 중앙의 흑색마연토기 초출시점으로 거론되는 유구로는 경당 196호 출토품과 가락동 2호분 출토품이 있다. 초현기로 대표되는 만큼 이 연대가 후대의 토기 편년에도 영향을 미칠 수 있으므로 이 유구 출토품의 연대가 중요하다고 볼 수 있다.

1) 풍납 경당196호

현재까지 백제 흑색마연토기의 기준이 될 수 있는 중앙 출토품 중 가장 이른 시기로 거론되는 유물은 풍납 경당 101호와 196호 출토품이다(그림 1)[1]. 이중 101호 유구에서는 호류의 동체부로 추정되는 편이 나왔고, 196호에서는 산화되어 붉게 변한 직구광견호가 출토되었다. 101호 유구는 원삼국시대 주거지를 파괴하며 설치된 것과 백제토기 초현기 기종이 출현한다는 것을 근거로 3세기 중-후반 경으로 편년하고 있다. 그리고 196호 유구는 중국제 시유도기 편년과 101호 유구에서 출토된 편과 접합되는 것을 근거로 이와 비슷한 연대 3세기후반 혹은 4세기 전반으로 편년하고 있다.

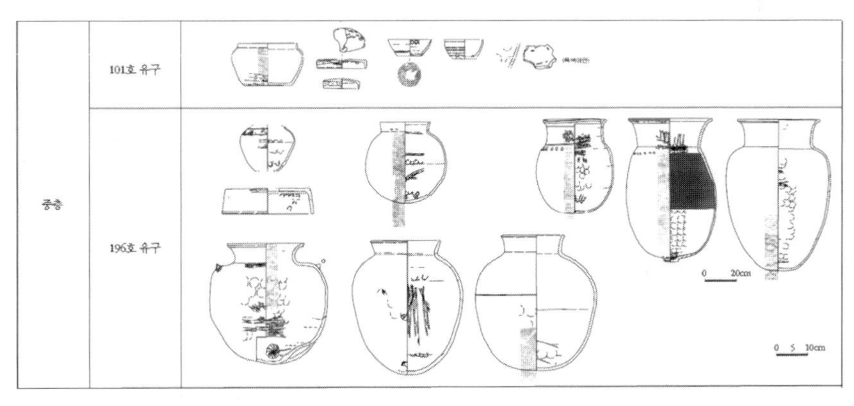

〈그림 1〉 경당 196호 출토 흑색마연 직구광견호와 공반유물

2) 가락동 2호분

가락동 2호분 출토품은 정확한 출토위치가 기록되지 않았으나, 보고에 따르면 봉토 출토품으로 보고 있고 최소한 목관묘 또는 토광묘의 부장품이거나

1) 국립문화재연구소, 2012, 『한성지역 백제토기 분류 표준화 방안 연구』, 313쪽 편집인용.

이보다 늦은 시기로 보아야 할 것이다. 편년의 기준으로 거론된 목관묘 출토 이중구연호(경부돌대호)는 동래패총 F피트 8층에서 출토된 이중구연호와 비교되면서 그와 공반된 하지끼계 토기 및 영남지역의 고식도질토기와 비교되면서 3세기 후반~4세기 전반으로 편년되기도 하였다. 그러나 동래패총 F피트 8층에서 출토된 유물 자체가 층위상으로 상하관계가 명확한 것이 아니기 때문에 기준이 된 유물에 대해 재검토가 필요할 것으로 보인다. 한편 가락동2호분 보고서를 재발간하는 과정에서 집필자는 이중구연호의 시간속성의 경부의 내경 → 직립 → 외만으로, 동최대경을 상위에서 하위로의 변화를 설정하고 이와는 다른 편년안을 내놓았다. 그리고 수청동 5-2지점 18호 주구부 이중목관묘에서 출토된 이중구연호와 공반된 단경호를 영남지역 고식도질토기로 보고

〈그림 2〉 가락동 2호분 출토 직구광견호와 공반유물

이와 동일한 형식의 토기를 부산 복천동 54호분 출토품으로 보고 수청동의 편년을 4세기3/4분기로 편년하고 가락동 2호분 출토품은 4세기4/4분기로 설정하여 백제토기의 기준연대 자체를 늦춰보는 연구가 있다. 그러나 형태적 유사성만으로 전지역을 아울러 연대를 대입하는 방법은 신중을 요할 필요가 있다고 판단된다.

3) 용인 신갈동

용인 지역은 마북동 취락·백제토광묘, 상갈동·신갈동·두창리 주구토광묘, 고림동·수지 백제주거지 등 백제관련 유적밀집도가 매우 높다. 용인지역의 원삼국~한성기 백제 관련 생활유적은 주실의 평면형태가 방형·오각형·육각형으로 횡방향 출입시설을 갖는다는 점에서 한성지역과 공통점이 있으나 묘제에서는 서울에서 나타나는 주구가 없는 단순목관(곽)묘가 아닌 주구토광묘가 나타나

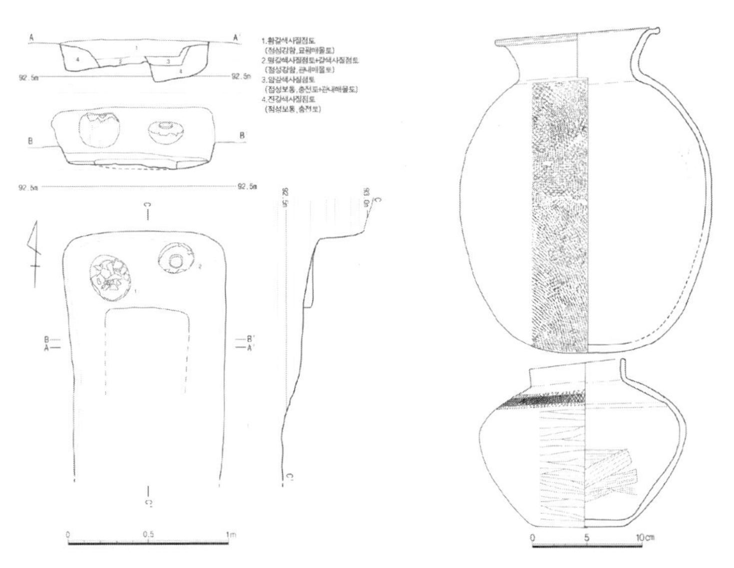

〈그림 3〉 신갈동 흑색마연토기 출토모습과 공반유물

〈그림 4〉 용인 신갈동 6호 주구토광묘 출토품

오히려 충청 서부지역과 비슷한 양상을 보이고 있다.[2)] 그리고 이러한 양상은 백제영역화가 진전된 후에도 지속되어 묘제라는 문화요소는 전통성이 강하다는 것을 알 수 있다.

용인 지역은 세 유적에서 흑색마연토기가 발견되었는데 서로 지근거리에 위치하며 시기적 차이는 있지만 문화양상이 같아 당시 공통된 물질문화를 공유했던 지역으로 설정가능하다. 용인 신갈동의 경우 6호 주구토광묘 묘광 북단에서 경질의 단경호와 함께 흑색마연 직구광견호가 1점 출토되었다(그림 3·4). 세사립이 소량 섞인 태토에 외면 전반이 치밀하게 마연되어 광택이 난다. 견부 문양대는 침선 내에 사격자문이 시문되고 그 위아래로 2조의 삼각점열문이 돌아간다. 형태상으로는 동최대경이 동체 중위로 많이 내려와 있어 중앙에서 초현기에 확인되는 동최대경이 동체 상부에 위치하는 직구광견호와는 형태상에서 많은 차이가 있다. 또한 동체가 좌우대칭하지 못하며 기벽도 두꺼운 편으로 무엇보다 중앙의 전형적인 직구광견호 동체형태를 띠지 않는 다는 것이 재지생산의

2) 권오영, 2009, 「원삼국기 한강유역 정치체의 존재양태와 백제국가의 통합양상」, 『고고학』 8-2.

느낌을 강하게 준다. 이러한 점으로 볼 때 문양대나 외면 처리 기술은 중앙의 흑색마연기술유형과 동일하나 이를 중앙에서의 사여로 보기보다는 재지산일 가능성이 높아 보인다. 보고자는 직구광견호의 형태와 이와 공반된 조족문 단경호를 근거로 천안 용원리 유적과 비교를 통하여 4세기 말엽~5세기 초엽 무렵으로 편년하고 있으나,[3] 백제토기가 나타나는 시점도 천안지역보다는 이르고 지리상 여건과 영역화 시점, 한성양식 토기의 출토비중도 높기 때문에 용원리와 동시기로 보기 보다는 좀 더 이른 4세기 중·후엽경으로 보는 것이 타당할 듯하다.

4) 천안 화성리

화성리 A-2호 토광목관묘에서 출토된 흑색마연토기는 제작기술적인 면에서 많은 공력이 투여됐음에도 불구하고 공반되는 유물이 심발형토기와 방추차 각 한 점으로 너무나 빈약한 양상을 보이고 있다. 이러한 양상은 동일 유적 내 다른 유구와의 상관관계를 따져보고 흑색마연토기가 출토된 유구가 동일유적 내에서 어떠한 성격인지를 파악해야하나 화성리의 경우 조사 구역이 협소하고 구역 내 존재하는 유구의 수도 적어 비교 가능한 자료가 한정적이다. 다만 비슷한 규모로 만들어진 A-1호 목관묘에서 고도의 기술이 반영된 은상감 환두대도가 출토되어 피장자가 상당한 권위를 갖고 있었을 것으로 추정되나 공반되는 유물은 장동호와 철모 각 한 점 외에 발견되지 않아 역시 부장품이 박한 것을 알 수 있다. 이러한 양상이 당시 이 지역 장례행위에 대한 지역색을 반영하는 것일 수도 있고 몇 안되는 유구와 공반유물을 통해 흑색마연토기의 위세를 논하기는

---

3) 이후석, 2010, 「용인 신갈동 주구토광묘유적의 주구토광묘에 대하여」, 『龍仁 新葛洞 周溝土壙墓』, 경기문화재연구원, p.126.

어려울 것 같다.

화성리 출토품은 매우 정선된 니질의 태토를 사용하였으며 바닥은 약간 들린 말각평저이며 동체와의 접합부는 둥글게 처리되었다. 기벽의 두께는 거의 균일하며 동최대경은 동체 중상위에 이루어지고 있다. 외면은 횡방향으로 치밀하게 마연됐으나 현재는 대부분 박락되고 부분적으로만 광택이 나고 있다. 견부에는 2줄의 삼각점열문대, 1줄의 삼각점열문대, 삼각거치문대, 사격자문대, 평행집선문대, 2줄의 삼각점열문대 등의 단위문양대로 구성된 복합 문양대가 정교하게 시문되어 있어 제작당시 상당한 공이 들어갔음을 알 수 있다. 각각의 단위문양대 사이사이에는 가는 횡침선을 돌려서 문양대를 구획하고 있으며, 날카로운

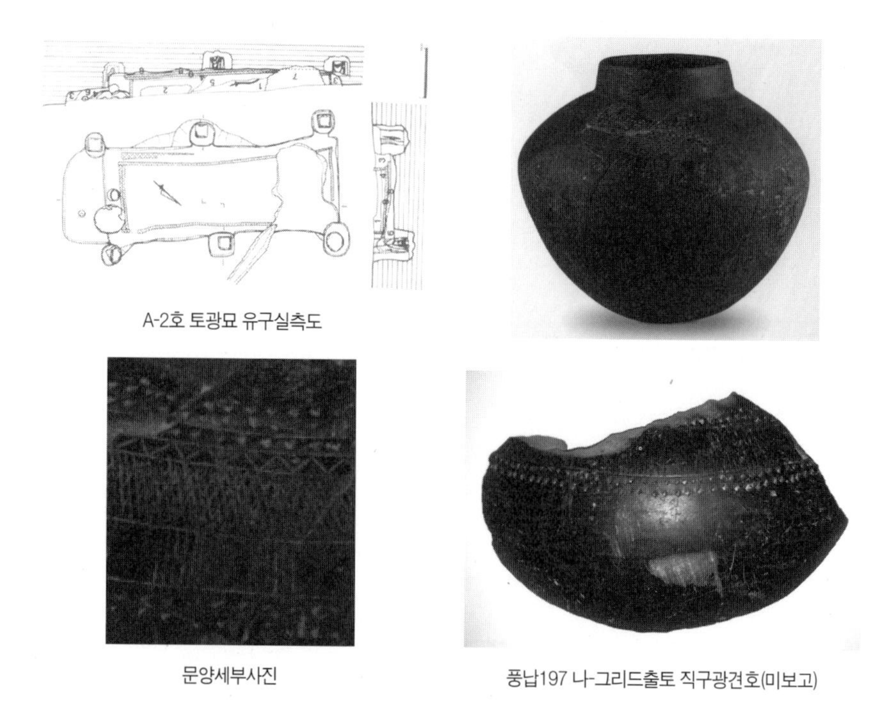

A-2호 토광묘 유구실측도

문양세부사진

풍납197 나-그리드출토 직구광견호(미보고)

〈그림 5〉 화성리 A-2호 목곽묘 출토품 및 문양세부 비교사진

도구로 좌선방향으로 하나하나 찍어 내어 오른쪽으로 돌아가면서 시문하였다. 내면은 부분적으로 박리되었으나 동중상부에는 布와 같은 것에 의한 회전정면이 행해져 있고, 그 아래에는 손가락으로 아래에서 위로 물손질한 다음 布와 같은 것으로 무질서하게 정면하였다. 경부 외면은 횡으로 곱게 마연되었으며 내면에는 회전물손질 후에 마연하였다. 이렇게 니질 태토를 사용하고 외면 전체에 횡방향으로 고르게 마연한 점과 복합적인 문양대를 갖고 있는 토기는 중앙의 흑색마연토기로 볼 수 있다. 다만 이러한 복합적인 문양대의 경우 중앙에서도 희귀한 예이기는 하나 각 단위별 문양 속성은 중앙에 존재하는 문양이며, 제작기술 측면에서 중앙에서 사여된 물품의 성격이 강하다(그림 5).

화성리 A-2호묘 출토 직구광견호의 편년적 위치를 밝히는 것은 보고서상 유물의 영세성으로 유구의 연대를 알기 어려우나 그동안 축적된 편년자료와 이른 시기 중앙의 전형적인 직구광견호로 볼 수 있는 가락동 2호분 출토품과 비교해 볼 때 동최대경의 위치가 동체 중상위로 다소 내려오고, 동최대경의 팽만도가 커진 점 등으로 볼 때 이보다는 늦고 천안 용원리 9호 석곽묘 출토품보다는 다소 이른 4세기 중엽경으로 보는 것이 좋을 것 같다.

5) 천안 용원리

이 유적의 출토 사례를 통해 흑색마연토기의 인식이 위세품으로 강하게 자리잡았다는 점에서 용원리는 매우 의미 있는 유적이다. 용원리는 9호 석곽묘에서 직구광견호, 합+뚜껑이, 72호 토광묘에서는 직구광견호+뚜껑으로 총 5점이 출토되었으며 이들은 결합양상으로 볼 때 부장을 위해 특별히 제작된 것을 알 수 있으며, 백제의 전형적인 흑색마연토기로 볼 수 있다(그림 6).

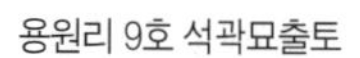
용원리 9호 석곽묘출토 용원리 9호 석곽묘출토 용원리 72호 토광묘출토

〈그림 6〉 천안 용원리 출토 흑색마연토기

9호 석곽묘는 동일 유적 내에서 가장 상위급 묘제로 판단되며, 공반되는 유물도 수입 흑유계수호, 철제 환두대도, 성시구, 금동제 이식, 관모장식, 재갈, 등자, 철모, 철부, 경질호, 심발형토기 등 다수의 위세품이 다양하게 공반되었다. 출토된 직구광견호는 바닥은 납작하게 평저를 이루며 동체는 바닥에서 둔각으로 완만한 각을 지며 올라간다. 동최대경은 동중상위에 위치하여 전형적인 직구광견호 형태를 나타내고 있다. 표면은 마연한 흔적이 역력하게 남아 있고, 다시 표면에 마치 시유한 것처럼 부분적으로 광택이 있는 검은 칠이 남아 있어 표면이 반질반질하게 윤이 나고 있다. 어깨부분의 문양은 음각으로 횡침선을 만들고 그 안에 사격자문의 음각선을 시문하고, 이어 횡침선의 상하로 각각 2조의 삼각 점열문을 시문하여 장식하였는데 가락동 2호분 출토품과 동일한 문양대를 보이고 있다. 이 밖에도 용원리 출토 흑색마연토기들은 모두 뚜렷한 횡방향 마연단이 확인되고 표면에 탄소가 흡착된 방식이 중앙의 흑색마연토기와 동일하다. 72호 토광묘 뚜껑 한 점을 제외하고 모두 외면에 짙은 흑색에 반질반질한 광택이 나는 물질이 부분적으로 확인되고 있으며 앞서 살펴보았듯 이렇게 흑색마연토기 위로 반짝이는 물질이 도포된 경우는 현재까지 석촌동 N6E2 그리드 출토품, 화천 원천리 출토품, 서산 부장리, 해미 기지리 출토품 등 지방

으로 사여된 유물을 중심으로 몇 안 되는 개체수를 보인다. 표면에 이차로 도포된 이러한 광택물질은 정확한 성분에 대해서는 漆이라는 추정만 있을 뿐 현재로서는 파악이 어렵고 앞으로의 분석기술의 발전과 더불어 밝혀져야 할 부분이며 매장 후 손실률이 높기 때문에 보존에 각별한 주의가 필요하다. 9호 석곽묘 출토 유개합의 경우 출토된 기형을 중앙의 것이 아니라고 보는 견해가 있지만,[4] 용원리고분군 출토 전체 토기 중에 합은 흑색마연토기 유개합을 포함해 단 2점만 확인되었으며, 나머지 1점은 13호 석곽묘 출토품으로 회청색 경질에 동체에 돌대장식이 가해진 형태이다. 출토 빈도로 보았을 때 용원리유적에서 합은 일반적이지 않은 기종이었으며, 그만큼 흑색마연의 합은 외부에서 유입된 성격이 강하다고 볼 수 있다. 그리고 9호 석곽묘 출토품의 형태를 살펴보아도 이와 연관성 있는 기형과 문양들을 중앙에서 찾을 수 있다. 9호 석곽묘 출토 합의 경우 형태적으로 뚜껑과 결합하는 경부가 살짝 외반하여 강조되었고 동최대경에 돌대가 장식되었다는 점에서 중앙에서 일반적이지 않은 합의 기형을 하고 있으나 이는 중앙출토 합의 명목형 속성 중 동체부에 일정 간격을 두고 돌대로 장식한 c2형에 해당하며[5] 이와 형태적으로 유사한 유물로는 몽촌토성87-3-1호 수혈출토 합과 몽촌토성85-3호 수혈출토 합 등이 있다. 또한 송엽문이 장식된 뚜껑의 경우도 풍납토성X 경당지구 유물포함층에서 보고된 211·212번의 뚜껑에서 비슷한 문양이 확인된바 있으며,[6] 더욱 주목할 만한 자료로 풍납동 197번지 라-105호 수혈에서 용원리 9호 석곽묘 뚜껑과 완벽히 일치 한다고 볼 수 있는

---

4) 권오영, 2005, 「백제의 생산기술과 유통체계 이해를 위하여」, 『백제의 생산기술과 유통체계』, p.13.

5) 국립문화재연구소, 2011, 『한성지역 백제토기 분류표준화 방안연구』, 「합」, p.173.

6) 서울역사박물관·한신대학교박물관, 2009, 『風納土城X-慶堂地區 遺物包含層出土 遺物에 대한 報 告-』, p.120.

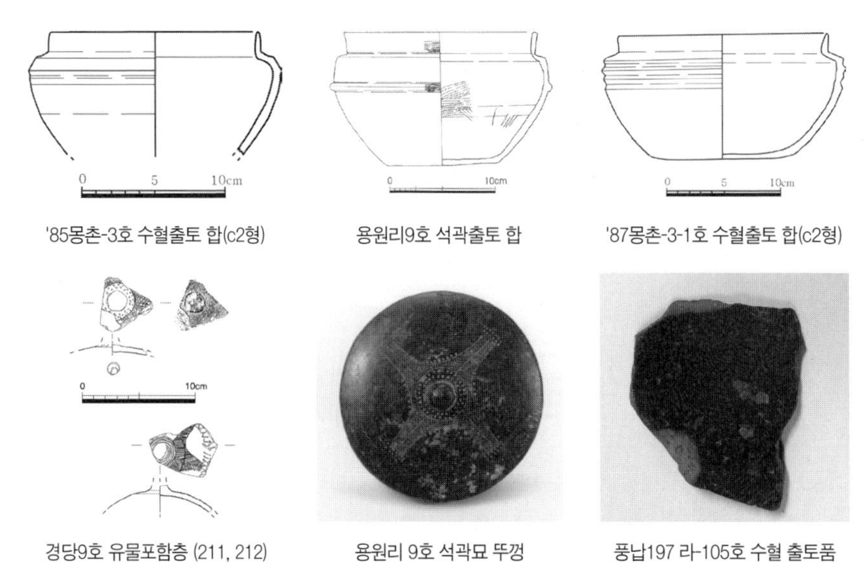

〈그림 7〉 용원리 흑색마연토기와 중앙양식토기와의 유사성

뚜껑 문양대편이 확인되어 용원리 흑색마연토기가 중앙에서 사여된 물품일 것이란 가능성을 높여주고 있다(그림 7). 이러한 형태적 속성 외에 무엇보다 제작기술적인 측면까지 고려한다면 중앙의 흑색마연 기술유형과 매우 동일하여 용원리 출토품은 중앙산일 가능성이 매우 높다. 또한 공반된 승문 심발형토기는 마한계 격자심발형토기와 구별되 백제의 토기문화의 이입을 알려주는 자료이고 무엇보다 흑유계수호 등의 수입청자는 지방세력의 지도자가 동진과의 직접적인 교류로 들여왔다고는 보기에는 현재까지의 고고학이나 문헌사적 자료로 내비춰 볼 때 이를 입증할 만한 근거를 찾기 힘들며, 이러한 위세품이 중앙으로부터 사여될 때 흑색마연토기도 함께 전해졌을 가능성이 높다.

용원리에서 조사된 많은 분묘 중 흑색마연토기를 포함하는 것은 단 두 기 뿐이며 72호 토광묘 역시 동일 묘제 중 가장 큰 규모를 보이고 있으며 공반유물로 보았을 때 상당한 계층의 분묘였을 것으로 판단된다. 출토된 직구광견호의 형태로 볼 때 시간차를 반영하기는 힘들고 9호 석곽묘와 비슷한 연대일 것으로 판단되나 유적의 조영양상이 토광묘에서 수혈식 석곽묘가 병용되는 양상이 파악될 때 72호 토광묘가 9호 석곽묘보다 약간 이를 가능성이 있다.[7)]

유물의 연대에 관해서는 보고자는 9호 석곽묘 출토 계수호는 그것이 동진제라는 점에서 5세기까지는 내려오지 않는다는 추정이 절대연대의 기준이 되고 있으며, 9호 석곽묘 출토품의 주종인 토기들은 토광묘출토 토기와 달리 구순에 장식적 의도가 있어 후행하는 요소로 볼 수 있고, 5세기 이후가 되면 일반적으로 출토되는 기대, 고배, 삼족토기, 개배와 같은 백제의 전형적 토기가 용원리 유적에는 없음을 근거로 용원리유적이 5세기대 밑으로 내려오지 않는다고 보고 있다. 이외 연구자들도 기년명 고분에서 출토된 흑유계수호의 형태적 변화와 더불어 각종 장신구와 장식대도의 연대를 토대로 용원리 9호 석곽묘의 연대에 관하여 4세기 말엽~5세기 초로 모아지고 있어 편년에는 큰 문제가 없다.[8)]

6) 서산 부장리·기지리

서산 부장리와 해미 기지리 유적은 서해안지역의 마한 분구묘 문화를 대표하는 유적으로 백제 영역화에 들어온 이후에도 재지성을 강하게 드러내는 지역으로 볼 수 있다. 부장리에서는 흑색마연토기가 총 5점이 보고되었다. 이중 중앙의 기술유형으로 제작된 것이 명확히 확인되는 흑색마연토기는 8호 분구묘 표토 제거 중에 출토된 직구광견호와 시굴조사에서 발견된 직구광견(단경)호 견부 문양대편으로 2점이 확인된다. 전자는 좁은 말각평저에 최대경이 동체 상위

---

7) 이남석, 2001, 「百濟 黑色磨硏土器의 考察」, 『先史와 古代』16, p.190.
8) 成正鏞, 2003, 「百濟와 中國의 貿易陶磁」, 『百濟硏究』38. pp.36~37 ; 李漢祥, 2007, 「威勢品으로 본 古代國家의 形成」, 『국가형성에 대한 고고학적 접근』, 제31회 한국고고학회 전국대회 발표요지, p.112.

에 존재하고 있다. 동체 하부에 비해 상부가 짧고 어깨가 발달된 광견호의 형태를 하고 있다. 바닥은 평저이나 동체와 저부 경계면은 부드럽게 처리되었다. 견부에는 1.3~1.5cm간격으로 상하에 한 줄씩 횡침선을 돌리고 이와 같은 두께로 안 쪽에 사격자문을 새겼으나 시문 상태가 정밀하지 않고 조잡한편으로 횡침선 밖으로 삐져나오기도 한다. 횡침선대 바깥쪽에는 상하로 각각 2조의 삼각점열문대 등간격으로 돌아가는 형태가 역시 가락동 2호분 출토품의 문양대를 모티브로 하여 제작·사여된 지방 직구광견호들에서 많이 나타나는 형태이다. 외면에는 광택을 내는 물질이 부분적으로 남아있다. 문양에서 다소 정교함이 떨어지지만 전반적인 기술유형이 중앙의 흑색마연토기와 동일함이 확인된다. 후자의 경우는 출토맥락이 불분명하고 편에 불과하지만 시문된 문양의 형태가 전자의 것보다 공이 많이 들어가고 문양대 밑으로 횡방향 마연단이 뚜렷하게 나타나며 표면에 탄소 흡착상태와 광택정도가 중앙의 흑색마연토기와 같다고 볼 수 있다(그림 8).

서산 부장리 유적은 묘제상에서 지역색을 강하게 갖고 있지만 직구단경호, 광구장경호, 병, 삼족기 등의 존재로 볼 때 백제영향을 많이 받았다고 볼 수 있

서산 부장리 8호 분구묘 출토품

해미 기지리 II-27호 분구묘 출토품

〈그림 8〉 서산 부장리·해미 기지리 출토 흑색마연 직구광견호

다. 또한 6호 분구묘에서 수입청자인 녹유자기사호가, 5호 분구묘에서는 삼엽환두대도, 금동관모, 철제 초두 등이 출토되는 등 중앙에서 볼 때 서산 부장리가 차지하는 중요도를 방증하고 있다. 출토된 금동관모는 최근까지 출토된 금동관모들과 세부 사항의 차이는 있지만 모티브가 비슷하여, 이들 금동관모가 중앙에서 지방에 파견한 지방관의 것이 아니라 각 지역에 기반을 두고 있었던 재지세력가들에게 주어진 사여품이라는 사실을 보여주고 있다.

유물의 연대에 대해서는 8호 분구묘에서 출토된 흑색마연 직구광견호의 형태만으로 연대를 추정하기에는 무리가 따르며 주변 유구와 연대를 비교해 볼 수 있다. 금동관모가 출토된 5호 분구묘 내 1호 토광묘의 경우는 금동관모의 형태와 제작기술 수법으로 정확한 연대를 파악하기 힘들지만 공반된 철제 鐎壺의 연대가 신라의 경우 5세기 중후반대 이후에 출현한 것을 토대로 5호 분구묘의 연대도 5세기 중엽을 전후한 시기로 추정되고 있다.[9] 그리고 동일한 유구 내에서 공반된 토기들은 대부분 구연단에 요철면이 형성된 발달된 형태를 띠고 있다. 그 중 회청색 경질의 광구장경호(그림 9-②)는 경부에 돌대 장식되어 후행하는 요소를 보이고 있다. 반면 흑색마연토기가 출토된 8호 분구묘에서도 광구장경호(그림 9-①)가 공반되었는데 전체적으로 아무 장식도 가미되지 않은 무문이며 이와 공반되는 토기들도 전반적으로 구연단 장식이 미미해 5호 분구묘보다 선행한다는 것을 알 수 있다. 반면 광구장경호가 백제토기에 출현한 시점이 4세기 후반경의 어느 무렵으로 판단되는 것으로 볼 때[10] 부장리 6호분의 흑색마연 직구광견호의 연대는 5세기 전엽경으로 보는 것이 안정적일 것 같다. 그리고 이러한 흑색마연 직구광견호의 출현은 지방 수장에게 착장형 위세품이 수여될 때의 의

9) 이한상, 2008, 「百濟 金銅冠帽의 製作과 所有方式」, 『한국고대사연구』51, p.100.
10) 박순발, 2006, 『백제토기 탐구』, 주류성, p.166.

미처럼 중앙 정치체제의 일원으로 편입하기 위한 수단으로 사여된 것으로 보여지나 공반유물로 보았을 때 그 만큼의 가치는 없었던 것으로 판단된다.

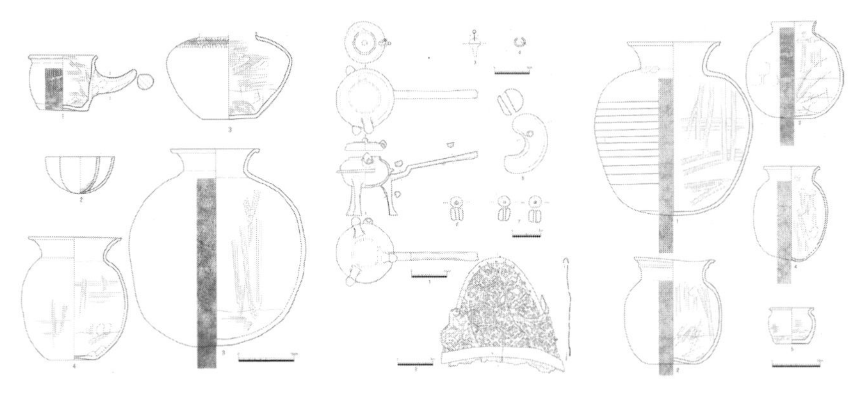

① 부장리 8호 분구묘 공반유물
(右上:직구광견호, 左下:광구장경호)

② 부장리 5호 분구묘 공반유물
(左下:광구장경호, 中:철제 초호)

〈그림 9〉 서산 부장리 출토 흑색마연 직구광견호 및 비교연대자료

해미 기지리의 경우 총 13점의 흑색마연토기가 보고되었으나 Ⅱ-27호 분구묘에서 출토된 직구광견호만이 중앙의 기술유형으로 제작된 것이 확실한 흑색마연토기로 판단 가능하다. 나머지 토기들은 중앙에서 제작된 흑색마연토로 보기에 기술적인 면에서 차이를 보이며 중앙산 흑색마연토기를 모방한 토기이거나 모방에 상관없이 이 지역 재지기술로 생산된 토기로 볼 수 있다. Ⅱ-27호 분구묘 출토품은 부장리 8호 분구묘 출토품에 비해 동체상부가 약간 긴 편이나 전체적인 형태는 비슷하다. 문양대 면에서도 횡침선 내에 사격자문이 음각으로 시문되고 그 주변으로 2조의 삼각점열문대가 돌아가는 것은 동일하나 시문이 더욱 정교하게 베풀어졌고 하단의 점열문 밑으로 교차사선문이 부분적으로 성기게 시문되어 약간의 차이가 있다. 기지리 직구광견호 역시 횡방향의 선명한 마연단이 확인되고 흑색 발현이 치밀하게 이루어졌으며 외면에 부분적으로 윤

기 있는 물질이 칠해진 것이 확인된다는 점에서 중앙의 기술유형으로 제작되어 사여됐다고 볼 수 있다. 해미 기지리 Ⅱ-27호 분구묘 출토품의 연대는 서산 부장리와 형태상으로 유사하여 비슷한 시기일 것으로 보일 수 있으나 위세품인 흑색마연토기의 형태만으로 연대를 가늠하기는 어렵고 유적 전반에 걸친 백제토기 유입도를 살펴보면 부장리의 경우 삼족기, 병, 합, 경부돌대 광구장경호 등이 존재하고 대부분의 토기들이 구연단에 요철면이 형성되고 발달한 형태를 보이고 있다. 반면 기지리의 출토유물은 백제 신기종의 유입이 극히 낮고 평저직구호의 강세, 경질무문토기와의 공존 등 재지적 성격이 강하게 나타나고 있다. 두 유적이 지근거리인 것을 감안한다면 동시기를 상정하긴 힘들며 이로 볼 때 부장리와 다소 차이를 보이는 4세기 중·후엽경으로 볼 수 있겠다.

7) 화천 원천리

화천 원천리에서 출토된 흑색마연 직구광견호는 4점으로 이 중 기형 추정이 가능한 것은 2점이다. 33호 주거지와 99호 주거지 출토품이 그것이다. 보고자에 따르면 해당 유적은 크게 3단계로 시기가 분류된다. Ⅰ기는 점토띠식 노지만 시설 혹은 '一'자형 구들이 시설된 주거지가 주를 이루며 원천리 취락의 시작단계로 한성백제 중앙양식 토기가 출현하는 양상(3C후엽~4C전반)이다. Ⅱ기는 주거지 주축방향으로 Ⅱ-1기와 Ⅱ-2기로 세분 가능하나 중복관계와 동반유물로 볼 때 시기차이는 비슷할 것으로 보고 있다. 이 단계에는 모든 주거지의 내부시설이 '一'자형 구들이며, 한성 백제 중앙양식의 토기와 다양한 철기류가 동반되어 원천리 유적의 최성기로 보고 있다(4C후반~5C전반). Ⅲ단계는 원천리 취락의 규모가 급속하게 작아지는 시기로 Ⅱ기에 비해 유물의 다양성도 줄어드는 시기이다(5C중엽~5C후엽). 이 두 주거지는 Ⅱ-1단계로 편년하고 있다. 33호 주거지 출토품은 그 형태가 제작기술이 중앙 사여품으로 추정되며 가락동 2호분 출토품과 형태나 견부 문양대가 매우 흡사하다. 33호 주거지에서는 공반된 대상파수가 달린 뚜껑은 백제 장인이 고구려토기를 모방했을 가능성이 제기[11]되기도 했다. 99호 주거지에서 출토된 흑색마연 직구광견호는 그와 동일한 문양대는 중앙에서 발견된 사례는 없지만 그의 모티브가 될 만한 요소의 토기들은 발견되기도 했다(경당 9호 유구 출토).

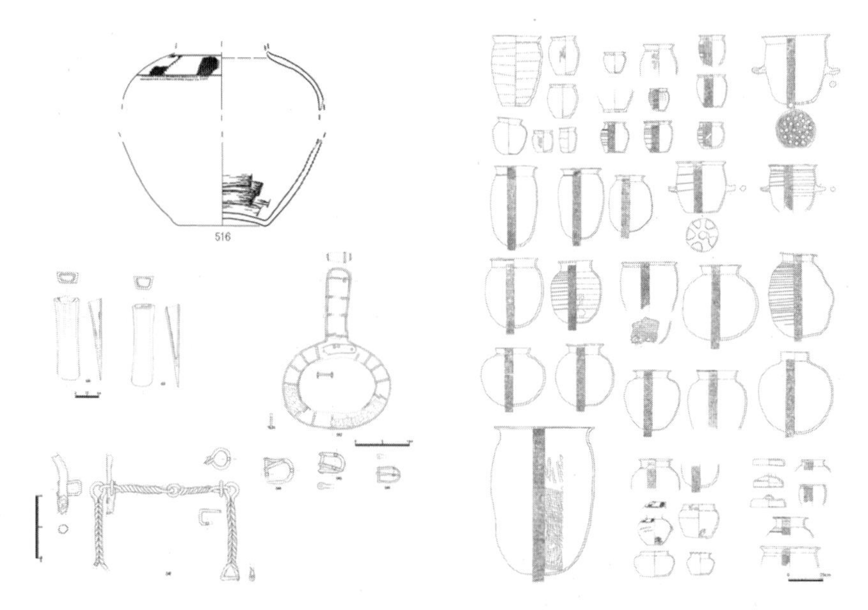

〈그림 10〉 원천리 33호 주거지 출토 직구광견호 및 공반유물

화천 원천리유적 출토 토기들은 고급기종(흑색마연토기, 합 등), 중앙양식의 실생활토기(심발, 장란형토기, 호, 옹 등), 경질무문토기를 샘플링하여 토기암

11) 양시은, 2011, 「남한에서 확인되는 고구려의 시·공간적 정체성」, 『고고학』10-2, 중부고고학회.

석학 및 중성자방사화 분석을 통하여 원산지 분석을 시도하였다. 분석 개체수가 적어 실험자 역시 실험 결과에 대한 절대적 확신은 어렵다고 말하고 있으나, 그 결과 고급기종과 중앙양식의 실생활토기는 서로 원산지를 상당부분 공유하지만 풍납토성 출토 고급기종들(풍납토성 경당9호 3층 출토유물 35점)과는 상당히 다른 결과를 보였다고 한다. 따라서 당시의 유통망이 중앙에서 직접적으로 이루어지지 않고 화천지역 내 혹은 그 인근지역에 생산거점이 운용되었던 것으로 해석하기도 하였다.

8) 함평 예덕리 만가촌 고분군 출토품

예덕리 만가촌 고분군에서 출토된 직구호는 중앙의 직구광견호와 형태적 측면뿐만 아니라, 표면 마연 방식 등 제작기술적인 면에서도 차이를 보인다. 그러나 흑색마연이라는 기술이 부장품으로 사용되었다는 것이 중앙에 의한 영향인지 아니면 이와는 무관한 재지적 현상인지 편년적으로 검토해 볼 필요가 있다.

만가촌 고분군은 영산강 유역의 분구묘 유적으로 14기의 고분군이 조사되었다. 목관묘가 주 매장시설로 사용되고 출토유물로는 이중구연호, 편구형 동체의 외반구연호 등의 연질토기가 대표되는 영산강유역 초기 단계의 고분군으로서 대부분의 매장 시설들이 송절동 고분군, 하봉리 고분군, 장원리 고분군, 두정리 고분군, 율촌리 고분군 등과 같이 충청권이나 전북권의 3세기대 유적들과 거의 병행하면서도 일부 목관묘 대형 옹관묘는 화성리 고분군이나 용원리 고분군의 늦은 시기까지 연결되는 4세기 후반대에 해당하는 것으로 판단하고 있다.[12)]

흑색마연토기는 유적 전체 중 13호 분구묘 내에 시설된 3호 묘의 표토를 제거하는 중 원저외반호와 함께 1점이 출토되었다. 만가촌 고분군 출토 토기양상

---

12) 전남대학교박물관, 2004, 『함평 예덕리 만가촌 고분군』.

은 북쪽군집은 심발이나 천발, 원저호와 평저호가 조합되며 원저단경호나 원저외반호, 원저이중구연호와 평저이중구연호는 전체적으로 정형화되어 있고, 반면 남쪽군집에서는 호의 동체부 크기가 다양해지며 동체에 비해 구경이 상대적으로 작은 것들이 있다(그림 11). 시기적으로는 남쪽군집이 북쪽군집보다 늦으며, 남쪽군집 중에서도 13호분 두부의 13-4호가 만가촌 고분군 중 가장 늦은 시기로 조사자는 보고 있으며, 13-3호 역시 이와 연접한 묘로 이와 비슷한 시기일 것으로 추정된다. 이러한 점에서 13-3호묘는 4세기 후반대로 비정될 수 있다.

이 시기는 『日本書紀』 神功紀 49년조(369)의 근초고왕 남정과 관련된 기사를 인용하여 시기적으로 영산강유역의 백제물질문화 유입을 연상케 하지만 현재까지의 고고자료로 볼 때는 13-3호 흑색마연직구호를 포함하여 백제의 물질문

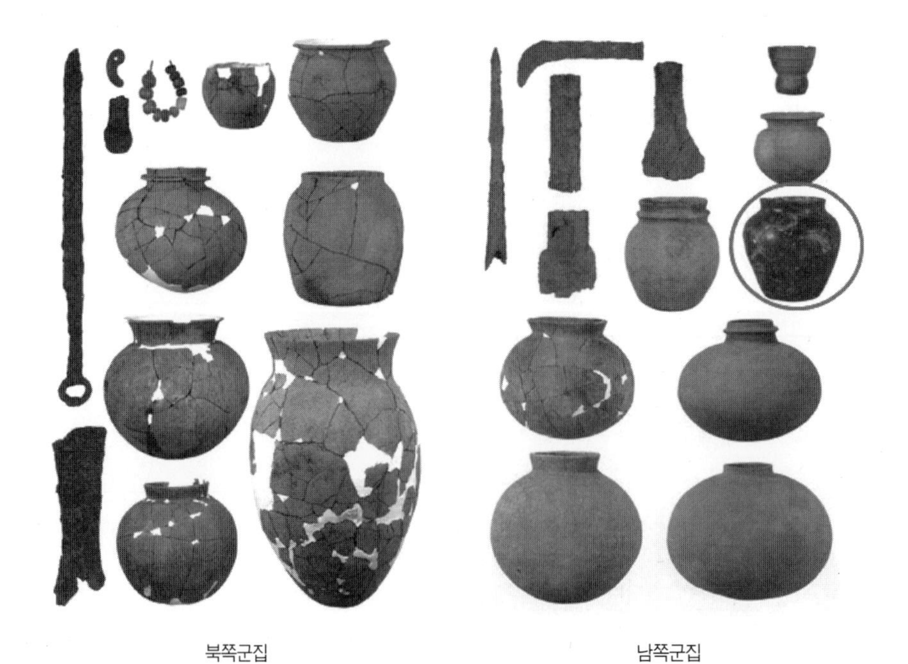

북쪽군집 남쪽군집

〈그림 11〉 함평 예덕리 만가촌고분군 출토 평저직구호와 공반유물

화와 연관지을 만한 근거를 찾아보기는 힘들다.

한편 이와 관련하여 4세기 말 영산강유역의 백제화 과정을 입증할 자료로 백제 직구광견호와 유사한 형태로 어깨가 발달한 평저직구호의 등장을 예로 들기도 하며, 이러한 기종은 만가촌 출토품을 포함하여, 함평 국산유적, 해남 분토유적 등의 출토품이 해당한다.[13)]

그러나 이 시기 영산강유역의 흑색마연토기 제작기술과 고고학적 자료의 정황으로 볼 때 만가촌 고분군 출토 토기들은 백제 중앙과의 연관성은 부족한 것으로 보인다.

Ⅲ. 맺음말

이상의 내용을 정리해보면 아래 표와 같다. 흑색마연토기 직구광견호는 중앙에서 직접 제작하여 각 지방으로 사여한 경우가 있고 재지에서 생산하여 사용한 경우가 있다. 이는 형태적으로도 구분이 가지만 무엇보다 제작기술에서 차이를 보이기 때문에 실견을 해보면 쉬이 관찰된다. 아래 표를 토대로 유물들을 시기순으로 나열해 보면 <그림 12>와 같다. 기존의 연구에서와 같이 견부 팽만도나, 동체의 형태, 구연의 내만·외경 등의 속성으로는 정확한 변화양상이 간취되지 않는다. 이는 흑색마연토기 직구광견호라는 기종 자체가 생산이 다량으로 이루어진 제품이 아닐뿐더러 사여의 목적을 갖고 시간성을 갖고 각기 다른 장인이 제작했을 가능성이 있음에 기인한 것으로 추정된다.

---

13) 서현주, 2011,「영산강유역 토기문화의 변천 양상과 백제화과정」,『백제학보』6.

〈표 1〉 흑색마연토기 직구광견호 출토 유구 및 편년

연번	출토 유적	출토 유구	공반유물	편년
1	풍납경당지구	196호	시유도기옹, 장동호, 단경호, 시루, 뚜껑, 대옹 등	3C후반~4C초
2	가락동고분	2호분	원저단경호, 장동호, 뚜껑, 차양주편, 철모, 이중구연호(경부돌대호)	3C후반~4C전반
3	용인 신갈동	6호 주구토광묘	단경호	4C중엽
4	천안 화성리	A-2호 토광묘	심발형토기, 방추차	4C중반~후반
5	천안 용원리	72호 토광묘	흑색마연 뚜껑, 심발, 장경호, 철모, 금동제 이식, 교구, 철모, 철도자, 철겸 등	4C말~5C초
		9호 석곽묘	흑색마연 합+뚜껑, 흑유계수호, 환두대도, 성시구, 금동제 이식, 관모장식, 재갈, 등자, 심발, 단경호, 직구호, 장동옹 등	4C말~5C초
6	해미 기지리	Ⅱ-27호 분구묘	원저호, 직구호, 경질무문토기 등	4C말
7	서산 부장리	8호 분구묘	파수부발, 광구장경호, 단경호, 철모, 철부, 식리 등	5C전반
8	화천 원천리	33호 주거지	경질무문토기 옹, 심발, 장란형토기, 난형토기, 시루, 단경호, 직구호, 합, 평저유견호, 뚜껑, 주조괭이, 단조철부, 철겸, 도자, 목심등자, 표비, 교구, 철촉, 금동이식편, 청동편 등	4C후반~5C전반, Ⅱ-2기
		46호 주거지	(견부문양대), 경질무문토기옹, 심발, 타날문토기편, 목병도, 철촉 등	4C후반~5C전반, Ⅱ-1기
		99호 주거지	타날문토기편, 직구호편 등	4C후반~5C전반, Ⅱ-1기
9	함평 예덕리 만가촌	13-3호 묘	원저외반호, 이중구연호, 단경호, 철겸, 철모, 철부 등	4C말

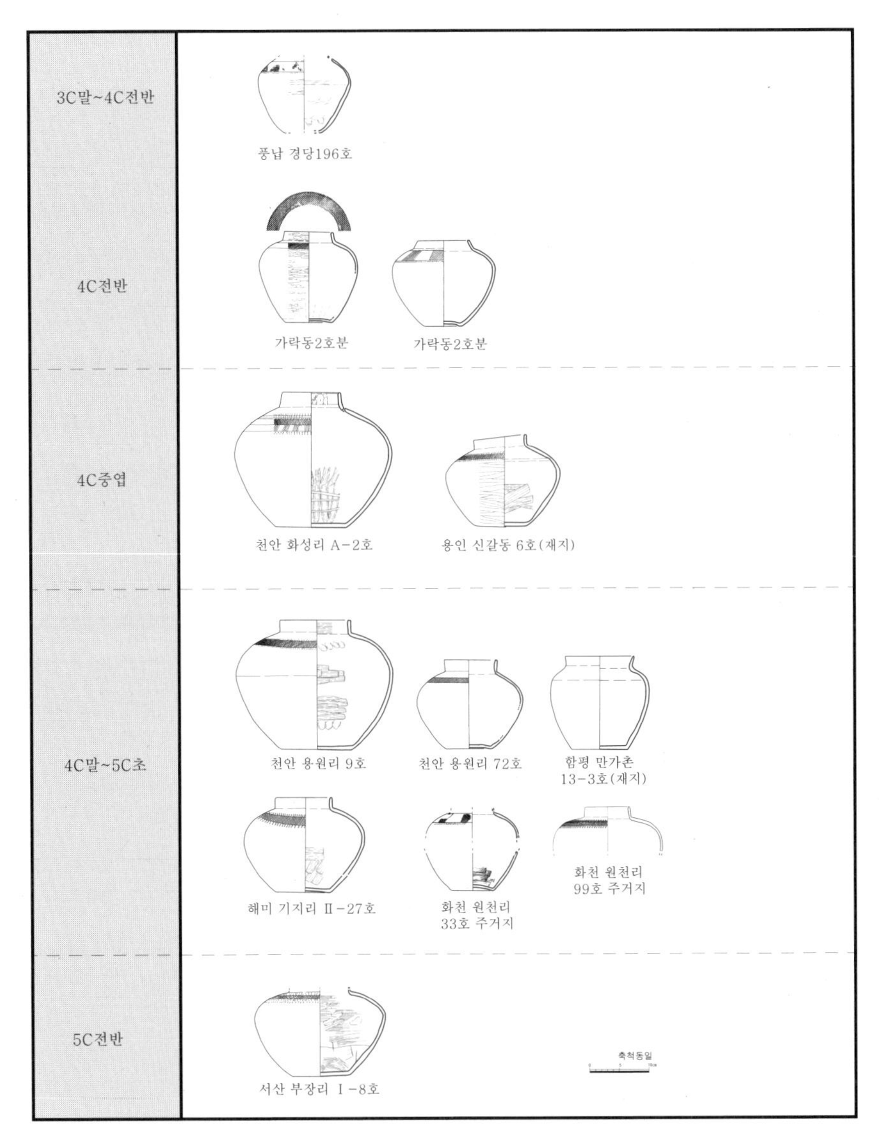

〈그림 12〉 각 유적별 흑색마연토기 직구광견호 변화양상

한성기 직구호류의 연구 쟁점과 편년 시안

조가영 서울대학교 고고미술사학과

Ⅰ. 머리말

직구호류[1], 특히 직구단경호는 삼족기, 고배 등과 함께 백제 국가의 성립에서 종말까지 지속적으로 사용된 백제의 특징적인 기종으로, 1980년대를 중심으로 이루어진 몽촌토성과 석촌동고분군의 발굴조사를 통해 대표적인 '한성양식토기' 중 하나로 인식되었다. 직구단경호는 이전 시기와 차별화 된 기술 요소로 제작되었다는 점에서 고고학적으로 백제 국가의 형성 시점을 반영하는 기종으로 지목되었다.[2] 또한 백제 중앙과의 관계를 맺기 시작한 지역 정치체 유적에서 매우 빈번하게 출토되고 있어 백제의 영역 확장 과정과 지역 정치체와의 관계에 접근하는 중요한 단초가 되고 있다.[3] 한편으로는 중앙과 지방의 기형 변화 양상이 동시간성을 가진다는 전제 하에 교차편년을 통한 백제 지방 유

---

1) '직구호류'라는 명칭은 구연이 짧고 직립하는 호류를 통칭하는 용어로, 직구단경호, 직구광견호, 직구호 등의 상위 개념으로 사용하였다.

2) 朴淳發, 1992, 「百濟土器의 變遷과 形成過程: 한강유역을 중심으로」, 『百濟硏究』 23.

3) 권오영, 2009, 「원삼국기 한성유역 정치체의 존재 양태와 백제국가의 통합양상」, 『고고학』 8-2, pp.42~44.

적의 시간적 위치를 파악하는 근거로도 빈번히 이용되고 있다.

그러나 이 기종의 의미가 강조되면서 연구자의 관점에 따라 '직립하는 짧은 목', '견부 문양대', '흑색 마연' 등의 속성 중 일부를 부각하여 중앙과의 관계를 추정하거나, 유사한 기형의 토기를 '원저단경호', '직구호', '직구단경호' 등의 다른 명칭으로 지칭하고 있다. 또한 직구단경호를 흑색마연 직구광견호의 동일 기종 내 후행 형식으로 이해해 연대를 부여한 경우[4]와 견부 문양대가 없는 직구호를 직구단경호의 후행 형식으로 보아 직구단경호의 상한을 추론한 경우[5] 등 세부 형의 규정과 관계에 대한 설정이 기종의 등장 계기와 변화의 방향성을 설정하는 전제가 다양하게 제시되고 있다. 일부 연구자들 간에 이견은 마한의 각지에서 직구호의 출토사례가 급증함에 따라 더욱 심화되고 있다.

그럼에도 불구하고 직구호류 개별 기종군을 대상으로 한 연구는 많지 않으며, 대부분의 연구는 직구단경호의 출토여부에 집중하고 있다. 이 글에서는 직구호류에 대한 그간의 연구를 쟁점에 따라 정리하고, 논리간의 상충되는 점들을 드러내어 향후 연구 방향을 모색해보고자 한다. 또한 대략적으로나마 각 기종의 시간적 위치를 살펴봄으로서, 이 기종군의 변화 방향을 모색해보고자 한다.

---

4) 김일규, 2007, 「漢城期 百濟土器 編年再考」, 『先史와 古代』 27.

5) 박순발, 2012, 「백제, 언제 세웠나」, 『백제, 누가 언제 세웠나』(한성백제박물관 '백제사의 쟁점' 학술회의), 한성백제박물관.

Ⅱ. 연구 쟁점

1. 기종의 정의

넓은 의미에서 직구단경호는 직립하고 짧은 구연의 형태를 갖춘 일련의 토기군을 지칭하는 용어이지만, 통상의 직구단경호는 1) 짧고 곧은 구연과 구형의 동체 2) 견부 문양대 3) 저부 타날 등의 특징을 복수로 나타내는 기종으로 인식된다.[6] '동체 마연'의 정면 방법 역시 이 기종에서 확인되는 공통적인 요소 중 하나이다.[7]

직구단경호는 한성양식토기의 대표적인 기종으로 인식되고 있으며, 한성기의 지역 정치체 유적에서 높은 출토 빈도를 보이고 있다. 이로 인하여 백제의 영역 확대 과정과 중앙과 지방과의 관계를 논의, 나아가 지역 정치체 유적을 편년하는 근거로도 적극적으로 활용되고 있다. 그러나 지방 출토품의 경우 중앙과의 관련성에 대한 연구자의 관점에 따라 유사한 기형의 기물이 직구단경호, 직구호, 직구광견호, 단경호, 원저단경호 등으로 분류되고 있다.

한성지역으로 한정하여도, 직구단경호는 직구호, 직구광견호 등과 여러 속성을 공유하고 있어 경계를 설정하는 일이 녹록하지 않다. 이 중, 직구광견호는 저부의 형태가 평저이고 동체 하반부에 타날문이 없다는 점에서 하나의 기종으

6) 朴淳發, 1989,「漢江流域 百濟土器의 變遷과 夢村土城의 性格에 對한 一考察-夢村土城 出土品을 中心으로-」, 서울大學校 大學院 碩士學位論文.; 박순발, 2003,「熊津·泗沘期 百濟土器 編年에 대하여-三足器와 直口短頸壺를 中心으로-」,『百濟硏究』37.

7) 권오영·한지선, 2005,『풍납토성VI-경당지구 중층 101호 유구에 대한 보고』, 국립문화재연구소·한신대학교박물관.

로 구분하는 것이 바람직하다고 보는 것이 대체적인 견해이며,[8] '직구유견호'라는 명칭이 사용되기도 한다.[9] 통상 직구호는 직구단경호의 특징 중 일부가 누락된 경우를 지칭하는데 견부 문양대가 없는 경우를 가르키는 경향이 있으나, 직구단경호의 문양 요소 중 하나로 '무문'이 설정되기도 하여 절대적인 기준이라고는 할 수 없다.

경계 설정이 명확하지 않음에도 직구광견호, 직구호, 직구단경호는 등장과정에서 계기적인 관련을 가진 것으로 전제되고 있다. 그러나 일부 연구자들은 기종 설정의 기준을 명확하게 밝히지 않고 논의를 전개하여, 지칭하는 대상의 범주와 특징적인 속성에 대한 견해 차이가 나타난 측면이 있으며 이는 이 기종을 둘러싼 이견이 심화되는 원인으로 작용하고 있다.

2. 출현의 계기와 등장 시점

직구단경호는 이전 시기와 차별화되는 '흑색마연'의 기술 요소로 제작되었고, 국가로서 백제의 대외 교류의 산물로 볼 수 있다는 점에서 고고학적으로 백제 국가의 성립을 반영하는 기종으로 인식되었다(그림 1).[10]

직구단경호의 성립 시점과 계기를 살펴보는데 있어 가장 주목되는 속성은 견부 문양대이다. 祖型으로 설정된 토기는 흑색마연 기법으로 제작된 가락동 2호 출토품으로, 견부 문양 요소가 요녕 일대에서 확인되는 직구호에서 수용된 것으로 보았다. 요녕 일대는 동이교위부 소재지로 판단되어, 문양 요소의 수용은 『晉

8) 박순발, 2006, 『백제토기탐구』, 주류성, p.160.
9) 국립문화재연구소, 2013, 『백제한성유물자료집』, p.183.
10) 박순발, 1992, 「백제토기 형성과정-한강유역을 중심으로」, 『百濟硏究』 23.

書』에 기록된 마한과 西晉의 교섭 기사의 연대인 3세기 후반 볼 수 있다는 것이다.[11] 이후 가락동 2호 출토품과 동래패총 이중구연호와의 교차편년을 통해 3세기 중반까지 상향될 수 있는 가능성이 제기되면서, 해당 시점을 백제 토기의 성립기로 보는 적극적인 해석이 이루어졌다.[12]

가락동 2호분의 조성시기를 4세기 전반 경으로 본 연구와 같이 유구의 연대에 대한 의문이 제기되었음에도 불구하고[13] 직구단경호의 3세기 중후엽 등장설은 여러 연구자들에 의해 재생산되며 굳건한 논리로 자리 매김하였다.

한지선은 직구단경호의 출현이 재지 직구호와 중국 도자의 문양대가 결합해 이루어졌다는 견해를 제시하였다.[14] 이는 직구단경호 및 직구유견호의 특징적인 견부 문양대의 기원을 남조의 청자 罐에서 찾아야 한다고 본 것과 궤를 같이 한다.[15] 김성남 역시 직구단경호의 출현이 원삼국 III기 이래의 직구호 전통과 관련되는 것으로 보고, 흑색마연토기 호류의 구연 및 동체 특징이 확대 적용되며 기형이 조정된 것으로 이해하고 있다.[16]

약간의 차이에도 불구하고 직구단경호의 등장 시점과 관련한 논의는 견부 문양대에 초점을 맞추어서 이루어지고 있다. 특히 중국 문양요소의 채용을 염두에 두고 전개되고 있다. 견해의 차이는 문양요소의 채용의 계기가 중국 남조지

---

11) 박순발, 1999, 「漢城百濟의 對外關係-國家 成立期 對外交涉의 實狀과 意味」, 『百濟硏究』 30, pp. 30~35.

12) 박순발, 2001, 『한성백제의 탄생』, 서경문화사.

13) 成正鏞, 2000, 「中西部 馬韓地域의 百濟領域化過程 硏究」, 서울大學校大學院 博士學位論文.; 李南奭, 2001, 「百濟 黑色磨硏土器의 考察」, 『先史와 古代』 16.

14) 韓志仙, 2005, 「百濟土器 成立期 樣相에 대한 再檢討」, 『百濟硏究』 41, pp. 1~31.

15) 李明燁, 2003, 「百濟土器의 成立과 發展過程에 나타난 中國 陶磁器의 影響」, 한신大學校大學院 碩士學位論文.

16) 金成南, 2004, 「백제한성양식토기의 형성과 변천에 대하여」, 『고고학』 3-1, p.40.

역과 직접적인 교류에 의한 것인지의 여부와 모티브가 된 기물이 동진대의 것인지 서진대의 것인지에 대한 관점에서 비롯된 것으로 보인다.

풍납토성에 대한 조사 성과가 발표됨에 따라 직구단경호의 등장 시점을 밝히기 위해 경당지구 196호에 주목하는 연구 성과들이 제시되었다. 풍납토성 경당지구 196호에서는 대형의 시유도기 옹이 33점이 출토되었고 대호, 옹, 호, 시루, 무뉴식 뚜껑 등이 수습되었다. 여기에서는 2조 구획침선, 삼각집선문, 점열문이 결합된 직구광견호가 출토되었다. 시유도기의 구연의 변화에 주목해서 3세기 후반~4세기 전반으로 볼 수 있다는 견해는 이 기종이 적어도 3세기 후반에 등장했다는 주장의 근거로 이용되고 있으며, 출현시기와 관련한 중요한 시사점을 제공하는 것으로 이해되고 있다.[17]

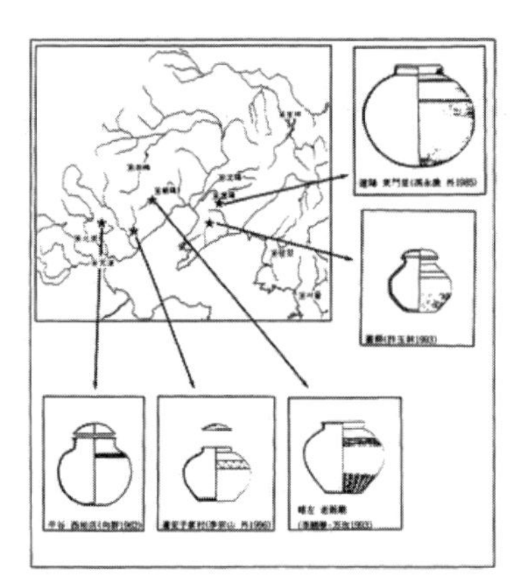

〈그림 1〉 요녕 일대의 직구단경호
(박순발 1992)

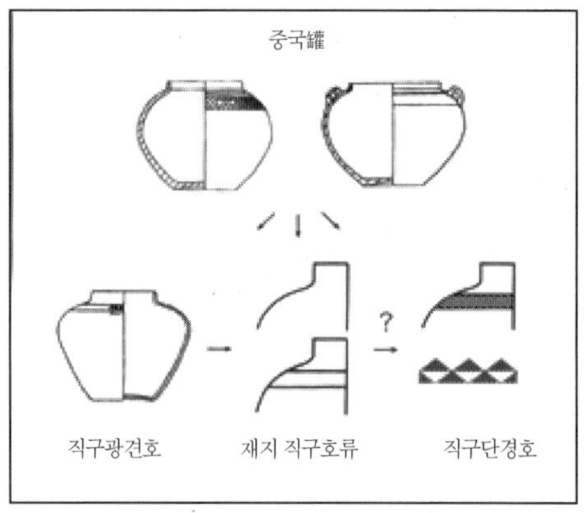

〈그림 2〉 직구호류의 등장계기
(권오영·한지선 2005)

17) 박순발, 2012, 「백제, 언제 세웠나」, 『백제, 누가 언제 세웠나』(한성백제박물관 '백제사의 쟁점' 학술회의), 한성백제박물관.; 土田純子, 2014, 『百濟土器 東아시아 交叉編年』, 서경문화사, pp. 213~214.

3. 세부 기종간의 관계

앞서 살펴본 것과 같이 박순발은 직구단경호의 중요한 특징으로 어깨문양대와 함께 저부 타날을 들고, 동북지역에 이와 유사한 특징이 확인되는 기종이 있다는 점에 주목하고 있다. 명확하게 표현하고 있지는 않지만, 동북지역에서 견부 문양 요소, 저부 타날의 요소, 그리고 직구의 요소가 '서진'과의 교류과정에서 유입되게 되고 그 결과 직구단경호가 등장한 것으로 이해한다. 또한 직구광견호나 직구단경호와 같은 위세품적인 성격이 강한 기종의 영향을 받아 일부의 요소가 변형된 결과물로 출현한 기종이 직구호일 가능성을 염두에 두고 있다.[18)]

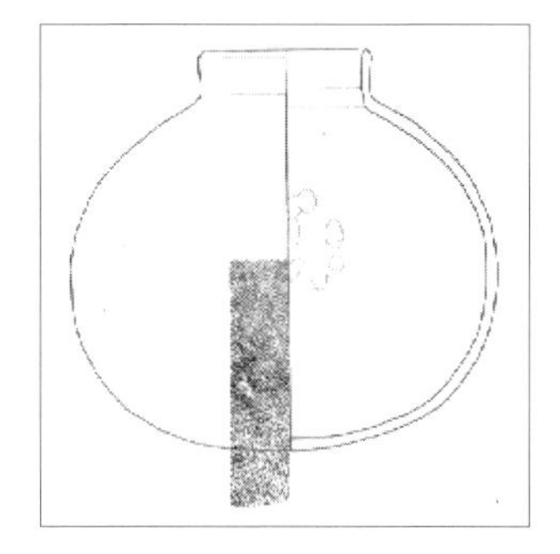

〈그림 3〉 포항 옥석리 출토 직구호 (박순발 2012)

이러한 견해는 충분한 논증을 거치지 못하였음에도, 직구단경호의 상한 연대를 추정하는 논거로 적용되고 있다. 포항 옥석리 나-90호 목곽묘에서 출토된 직구호(그림 3)를 통해 직구단경호의 상한 연대에 대한 입장을 재정리하면서, 견부 문양대가 시문된 직구단경호는 3세기 말~4세기 전엽에 해당하는 옥석리 직구호보다 이를 것이라고 하였다.[19)] 논의의 핵심은 견부에 문양이 시문된 직구단경호가 문양이 없는 직구호에 선행해 등장한다는 것이다.

일각에서는 직구광견호가 중국의 청자 관을 모방하여 먼저 등장하고, 재지

18) 박순발, 2006, 『백제토기의 탐구』, 주류성, pp.165~166.

19) 박순발, 2012, 「백제, 언제 세웠나」, 『백제, 누가 언제 세웠나』(한성백제박물관 '백제사의 쟁점' 학술회의), 한성백제박물관.

의 밑이 둥근 토기의 영향을 받아 직구단경호가 등장한 것이라는 견해가 제시되기도 하였다. 백제토기 성립기에 해당하는 유구에서 직구단경호의 출토 예가 없다는 것과 중국에서도 원저보다 평저류가 다수 확인되는 것 등도 평저인 직구광견호가 직구단경호에 선행하여 등장한 것이라는 근거로 제시되었다(그림 2).[20)]

직구호의 출현 계기로 낙랑토기의 영향이 강조되기도 하였다. 풍납토성 가-2호 주거지 출토품에 주목해, 직립한 구연의 길이가 길고, 회전 물손질의 흔적이 강하게 남은 것이 낙랑계 토기인 미사리 고려대 014호 주거지의 회색단경호와의 유사하다는 점이 근거로 제시되었다. 이 토기들은 동최대경이 대개 동중위에 위치하며 연질계통으로 동체 전면에 타날을 한 후 지운 것으로 보인다. 원삼국 마지막 단계의 낙랑계 토기의 영향을 받아 재지 호 기종에 모방 제작한 것으로 생각된다.[21)]

한편 직구단경호를 흑색마연 직구호의 동일 기종 내 후행 형식으로 두고, 조형으로 설정한 가락동 2호분 출토품과 용원리 9호분 출토품의 연대 설정을 시도된 바 있다(그림 4).[22)] 이 논고에서는 가락동 2호분 출토 직구광견호의 조형을 중국 청자에서 찾고, 그 시점을 330년 이후로 비정하고 있는 점이 주목된다. 세부적으로 한성지역과 지방지역의 토기 양식의 시간적 차이를 인정하지 않아 지방 출토품을 한성지역의 역연대 설정의 근거로 사용하고, 475년 이후 한강 유역에 대한 백제의 점유 지속을 주장하고 있다는 점 등에 대한 충분한 논증이 이루어지지 못했다. 편년의 골격을 이루는 직구단경호를 직구광견호의 동일 기종

---

20) 권오영·한지선, 2005, 『풍납토성VI-경당지구 중층 101호 유구에 대한 보고』, 국립문화재연구소·한신대학교박물관.

21) 韓志仙, 2006, 「百濟土器 成立期 樣相에 대한 再檢討」, 『百濟研究』 41, pp. 24~25.

22) 김일규, 2007, 「漢城期 百濟土器 編年再考」, 『先史와 古代』 27.

내 후행 형식으로 두는 것에 대한 근거도 제시되지 않았다.

이와 관련해 박순발은 직구단경호와 직구광견호의 특징인 견부 문양대가 서진대 장강 유역의 청자관에 그 모티브가 있다는 견해를 밝히기도 하였다.[23]

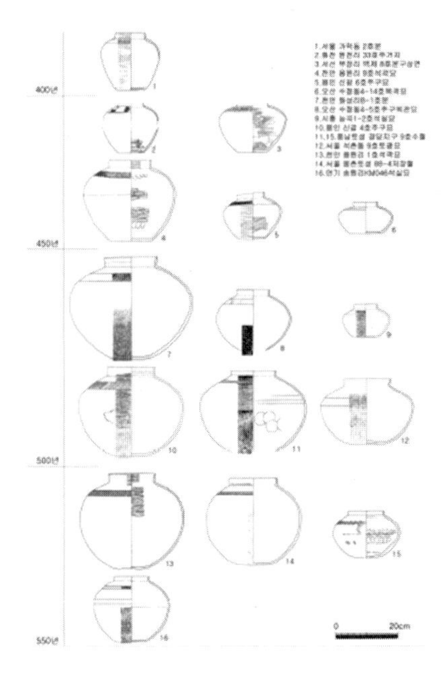

〈그림 4〉 직구호의 형식편년(김일규 2007)

직구호류 세부 기종의 출현과 종말 연대, 그리고 상호간의 영향 관계를 설정하는 것 어려운 과제이다. 그러나 세부 기종 간의 관계 설정에 의해 상한 연대가 부여되는 연구 이전에 세부형을 구분하는 일관된 기준에 의한 표준화된 분류안의 도출이 절실하다.

4. 기종 내의 변화의 방향

직구단경호의 시간성을 반영하는 속성을 추출해 개별 기종의 변화 양상을 밝히고자 한 여러 시도들이 이루어지고 있다. 우선 한성지역 출토품을 대상으로 한 연구 성과들을 살펴보면 박순발은 몽촌토성과 석촌동 고분군 출토품을 대상으로 대구경-연질-파상문과 소구경군-경질-사격자문의 조합을 설정하고 소

23) 박순발, 2012, 「백제, 언제 세웠나」, 『백제, 누가 언제 세웠나』(한성백제박물관 '백제사의 쟁점' 학술회의), 한성백제박물관.

구경군이 후행하는 것으로 파악하였다.[24] 임영진은 석촌동 고분군에 대한 조사 성과를 바탕으로 사격자문에서 파상문을 거쳐 파상 집선문이 등장하는 것으로 문양대의 변화를 이해하였고, 구형에서 편구형으로 동체가 변해가는 것으로 보았다.[25] 신희권은 풍납토성 조사 성과를 통해 대구경군-무문양계, 사격자문계와 소구경군-파상문계, 구획문계의 조합을 통해 소구경군이 후행하는 것으로 이해하였다.[26] 이명엽은 대체로 대형군으로의 변화양상과 교차사선문계에서 파상문계로의 변화를 상정하였다.[27]

이상에서 한성지역을 대상으로 변화양상을 살핀 연구자들은 대체로 사격자문와 파상문계의 등장 시점의 차이와 대형에서 소형으로, 구형에서 편구형으로의 기형 변화 양상을 인정하고 있다. 또한 웅진기 이후에는 최대경이 위로 올라가 어깨가 발달하고, 평저화되는 경향을 나타낸다. 다만, 조합 관계의 설정에 있어서는 대상으로 한 유적에 따라 약간의 차이가 확인된다.

한성기에서 사비기로의 긴 시간 폭 안에서 변화양상을 살핀 연구도 시도되었다. 박순발은 한성기~사비기에 이르는 직구단경호 45개체에 대해 기종 내 변화양상에 대한 접근을 시도하였다. 이를 통해 직구단경호의 기형 변천이 단일 방향이 아닌 크기군으로 구분되는 세부 기종들의 다양한 방향으로 이루어지는 것으로 이해하였다(그림 5).[28] 김조윤은 직구단경호의 명목 속성과 연속 속성의 검토

---

24) 朴淳發, 1989,「漢江流域 百濟土器의 變遷과 夢村土城의 性格에 對한 一考察-夢村土城出土品을 中心으로-」, 서울大學校 大學院 碩士學位論文.

25) 林永珍, 1996,「百濟初期 漢城時代 土器硏究」,『湖南考古學報』4, pp. 69~113.

26) 申熙權, 2003,「風納洞 百濟王城 百濟土器의 形成과 發展-'漢城百濟土器'에 대한 提言-」,『서울風納洞 百濟王城硏究 國際學術 세미나』.

27) 李明燁, 2003,「百濟土器의 成立과 發展過程에 나타난 中國 陶磁器의 影響」, 한신大學校 大學院 碩士學位論文.

28) 朴淳發, 2003,「熊津·泗沘期 百濟土器 編年에 대하여-三足器와 直口短頸壺를 中心으로-」,

를 통해 직구단경호가 크기군에 따라 다른 변화 양상을 보이고 있음을 보여주었다. 이 연구를 통해 사격자문이나 단치구를 이용한 파상문에서 다치구를 이용한 다치 파상문으로, 문양 시문의 범위는 견부에서 동최대경으로, 마연 정면에서 회전물손질 정면으로 변천되었음이 확인되었다. 이들 연구는 직구단경호가 크기에 따라 다른 발전 양상을 보이고 있음을 보여주었다는 점에서 의미를 가진다(그림 6).[29] 츠지다 준코는 직구단경호의 문양을 형식 구분의 기준으로 삼는다. 공반한 중국제 기물, 일본계 유물, 신라 가야계 유물과의 비교 편년을 통해, 한성기에만 존재한 문양대가 존재함을 논의한다. 특징적인 것은 한성기 분묘에서 가장 많이 보이는 2조 횡침 구획후 사격자문 시문한 유형을 가장 이른 유형으로 설정하면서, 그 조형을 마하리로 3호 석곽묘로 보고 있다는 점이다. 실증하고 있는 연대의 폭은 4세 3/4분기임에도 기종의 등장 시점은 포항 옥석리 직구호를 근거로한 박순발의 논의를 고려하여 상한을 3세기 중후반까지로 보고 있다. 또한 직구광견호의 종말 연대를 475년 전후임을 지적하고 있다(그림 7, 그림 8).[30]

직구단경호에 대한 연구가 진행될수록, 이 기종이 시간의 흐름에 민감한 기종인가에 대한 회의적인 시각이 제시되고 있다.[31] 이러한 연구들은 공통적으로 좁은 의미의 직구단경호를 대상으로 하여, 중앙과 지방의 출토품을 동일한 시간축에서 비교 검토하고 있다. 직구단경호의 변화 방향이 지역에 따라 적지 않은 차이가 있음을 고려한다면,[32] 기종내의 변화의 양상을 살피기 위해서는 유

『百濟研究』 37, pp. 57~79.

29) 金朝允, 2010, 『百濟 直口短頸壺의 變遷』, 全南大學校 大學院 碩士學位論文.

30) 土田純子, 2014, 『百濟土器 東아시아 交叉編年』, 서경문화사.

31) 박순발, 2003, 「熊津·泗沘期 百濟土器 編年에 대하여-三足器와 直口短頸壺를 中心으로-」, 『百濟研究』 37; 김조윤 2010, 『百濟 直口短頸壺의 變遷』, 全南大學校 大學院 碩士學位論文.

32) 김은혜, 2014, 『백제 직구단경호 연구-중서부지역 분묘 출토 유물을 중심으로』, 경희대학

적단위, 지역단위의 편년이 선행 검토되어야 할 것으로 생각된다.

5. 지방 출토품의 해석 문제

지방에서 출토되고 있는 고광택의 흑색 직구광견호 및 직구단경호의 출토 유무는 국가로서 백제의 영향력 확대 과정의 중요한 근거로 이용되고 있다. 이러한 논의의 초점이 정치적 영향력 확대에 맞춰있었던 만큼, 해당 과정을 "이념적으로 중앙에 동화시켜 국가 질서에 편입시키려는 전략"[33]으로 이해하는 태도가 주를 이루고 있다.

지방에서 직구단경호는 대체로 고분에서 출토되고 있으나, 주요 관방 유적에서도 확인된다. 고분 부장품의 경우, 횡혈식 석실, 위세품 출토 유구 등에서 유의미한 출토의 예가 확인되고 있어 확산의 계기를 짐작할 수 있는 근거가 되고 있다.

삼룡리 산수리 발굴에서 조사된 흑색 완과 직구호는 이러한 기종들이 지방에서 자체 생산되었을 가능성에 무게를 실어주었다.[34] 또한 미량원소분석 결과, 한성백제의 토기 유통범위는 국지적이며, 한성양식 토기의 사여 가능성은 그리 높지 않은 것으로 확인되었다. 이를 고려한다면 지방은 한성양식토기의 수동적인 수용자가 아닌 보다 능동적인 제작자로서 이해되어야 할 것이며, 연장선상에서 지방 출토품의 변이 또한 이해되어야 할 필요가 있음을 의미하는 것으로 볼 수 있다. 물론 이러한 관점은 초기 백제에 대한 최근의 연구 경향이 지방 사

교 대학원 석사학위논문.

33) 김장석·권오영, 2006, 「백제 한성양식 토기의 유통망 분석」, 『백제 생산기술의 발달과 유통체계 확대의 정치적 함의』, 한신대학교 학술원 편(2008), p.112.

34) 최병현 외, 2006, 『진천 삼룡리·산수리 토기 요지군』, 한남대학교박물관.

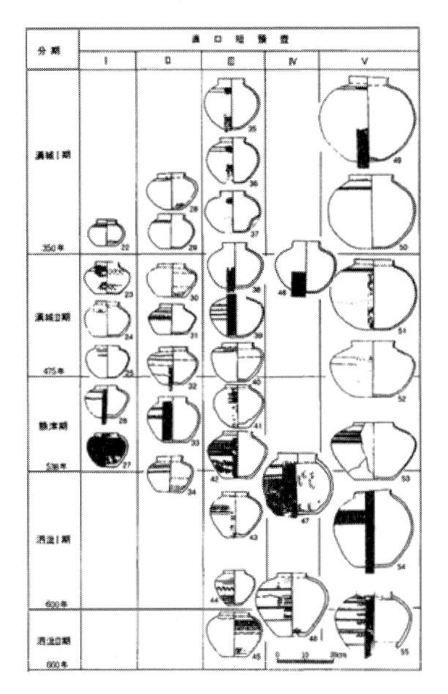

〈그림 5〉 크기군별 직구단경호의 변천양상
(박순발 2003)

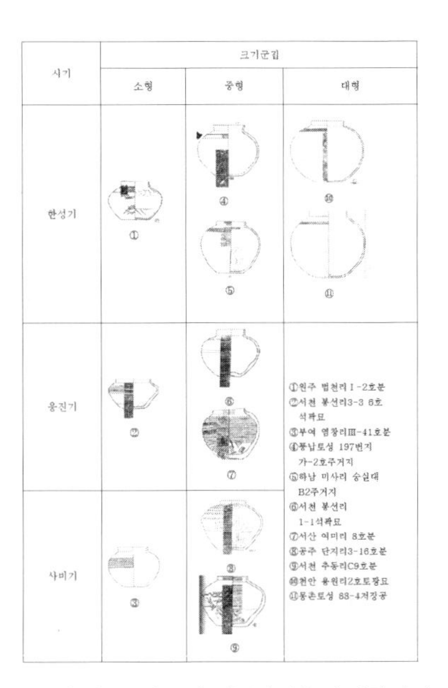

〈그림 6〉 크기군별 직구단경호의 변천양상
(김조윤 2010)

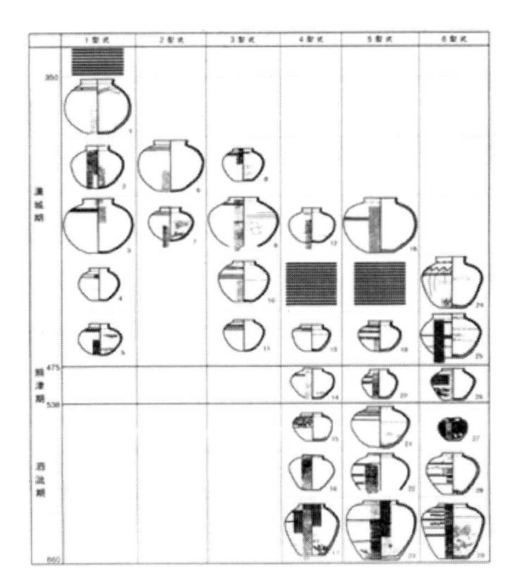

〈그림 7〉 문양대별 직구단경호의 변천안
(츠지다 준코 2013)

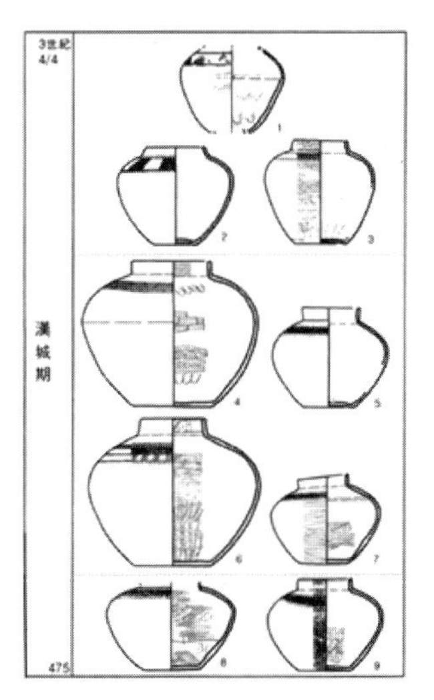

〈그림 8〉 직구광견호의 변천안
(츠지다 준코 2013)

회의 역할과 마한 소국을 드러내는 것에 주력하고 있음과 무관하지 않을 것이다.[35] 또한 흑색토기의 생산이 지방에서 자체적으로 이루어졌음에 대한 논의와[36] 한성지역과 충청북부지역의 직구단경호의 형태적 유사도가 높음을 통하여 이들 지역의 정치적 친연성이 높았음을 지적한 연구는 이러한 관점이 반영된 예로 볼 수 있다.[37]

Ⅲ. 직구호류의 분류와 지역 양상

직구호류는 구연부가 짧고 직립하는 형태의 호류를 통칭한다. 이 기종군은 저부의 형태·구형도·어깨형성도 등에 따라 직구광견호, 직구평저호, 직구단경호,[38] 등의 세부 기종을 설정할 수 있으며, 일부 기종은 특정한 문양과 결합하기

35) 박순발, 2013,「유물상으로 본 백제의 영역화과정」,『백제, 마한과 하나되다』, 한성백제박물관 특별전도록.; 이성준, 2014,『한성기 백제 지역사회의 상호작용 연구』, 충남대학교 대학원 박사학위논문.

36) 남상원, 2013,『백제 흑색마연토기 연구』, 충북대학교대학원 석사학위논문.

37) 김은혜, 2014,『백제 직구단경호 연구-중서부지역 분묘 출토 유물을 중심으로』, 경희대학교대학원 석사학위논문.

38) 직구호류의 분류 시안은 아래와 같다.

도 한다. 이 중, 직구광견호와 직구단경호는 백제의 중앙지역에서 발생하여 영역 확대 과정을 거치는 동안 지방으로 확산된다.

직구호류는 백제의 직간적접인 영역권에 걸쳐 넓게 분포한다.[39] 북한계선은 원천리 유적으로 견부에 문양대가 시문된 직구광견호와 흑색마연 직구호 등이 확인되었다. 법천리 유적은 직구단경호가 출토되는 가장 동쪽에 위치하며, 중앙양식토기의 동한계선일 가능성이 있다. 또한 백제의 군사 경계선과 관련이 있을 것으로 생각되는 월롱산성, 설봉산성, 고모리산성 등지에서는 직구단경호편이 확인되는 직구호류는 백제의 거점 지역에서 높은 빈도로 출토된다(그림 9).

직구호류, 특히 직구단경호와 직구광견호는 백제의 중앙과 지방의 매장유적에서 집중적으로 출토된다. 이는 이 기종이 매장 의례와 관련되어 부장용품으로 지방에 확산되었을 가능성을 반영한다. 출토 지점은 지형과 수계에 따라 권역으로 구분할 수 있으며, 이는 고분축조 방법에 의해 구분되는 문화권과도 높은 상관을 보인다.

지형과 고분 축조 방법 등을 고려하면 한성기 도성, 경기 분구묘권(한강하류역), 경기 주구토광묘권(안성천 및 안양천 유역), 경기 적석분구묘권(한강 상류 및 임진강 유역), 충청 분구묘권(금강하류 및 서해안유역), 충청 주구토광묘권(금강 중류- 아산), 충청 단순목관묘분포권(금강 상류)로 나누어 볼 수 있다. 다만 경기분구묘권에서는 중산리 11지점에서 출토된 직구호 1점과 구월동에서 출토된 직구단경소호 1점 이외의 출토 사례가 확인되지 않았고, 경기 적석분구묘 권역에서의 출토 예 역시 중도 적석총에서 직구단경소호 1점과 고모리산성에서 직구단경호편 등에 그치고 있어 분석의 대상에서는 제외하였다.

---

39) 권오영, 2009, 「원삼국기 한강유역 정치체의 존재양태와 백제국가의 통합양상」, 『고고학』 8-2, pp.42-44.

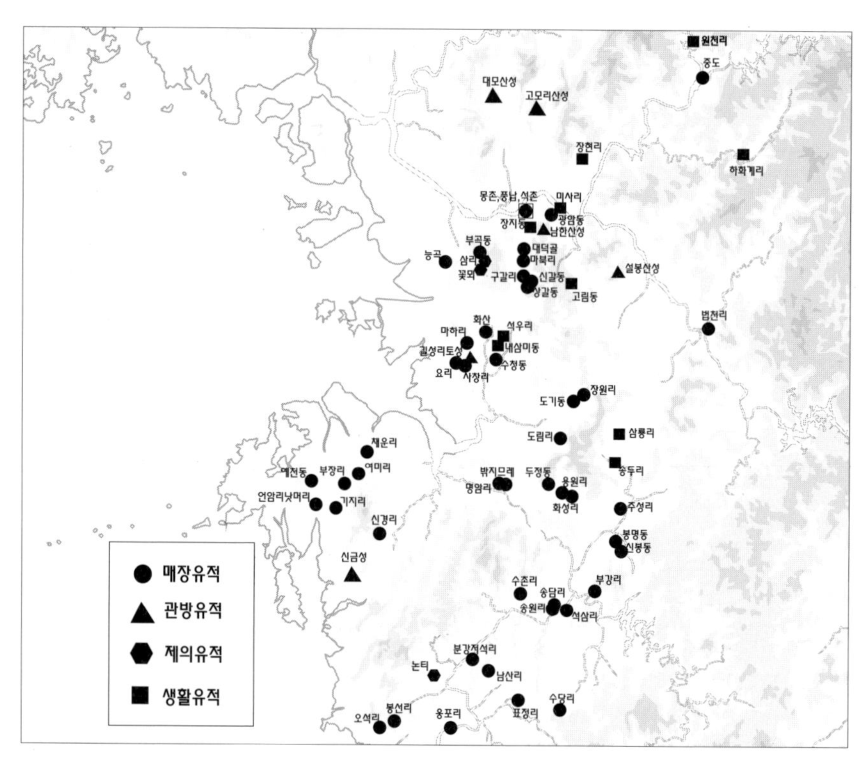

〈그림 9〉 직구호류 출토 유적 분포도

경기 주구토광묘권의 가장 큰 특징은 생활유적에서도 직구단경호와 흑색마연 직구광견호가 출토된다는 점이다. 이는 도성의 문물이 직접적으로 차용될 수 있는 사회적 거리에 있었기 때문으로 생각되는데, 내삼미동, 석우리 먹실, 고림동, 장지동 유적 등이 대표적이다.

충청 분구묘권에서는 직구광견호와 직구평저호의 출토 비중이 높다. 특히 이 지역은 매장공간과 생활공간이 분리 조성되는 한성 백제기의 일반적인 공간 구성과 달리, 주거유적과 매장유적이 하나의 능선과 같은 근거리에서 조사되고 있다. 그럼에도 직구호류는 매장유적에서만 확인되고 있어 기종의 성격 및 도

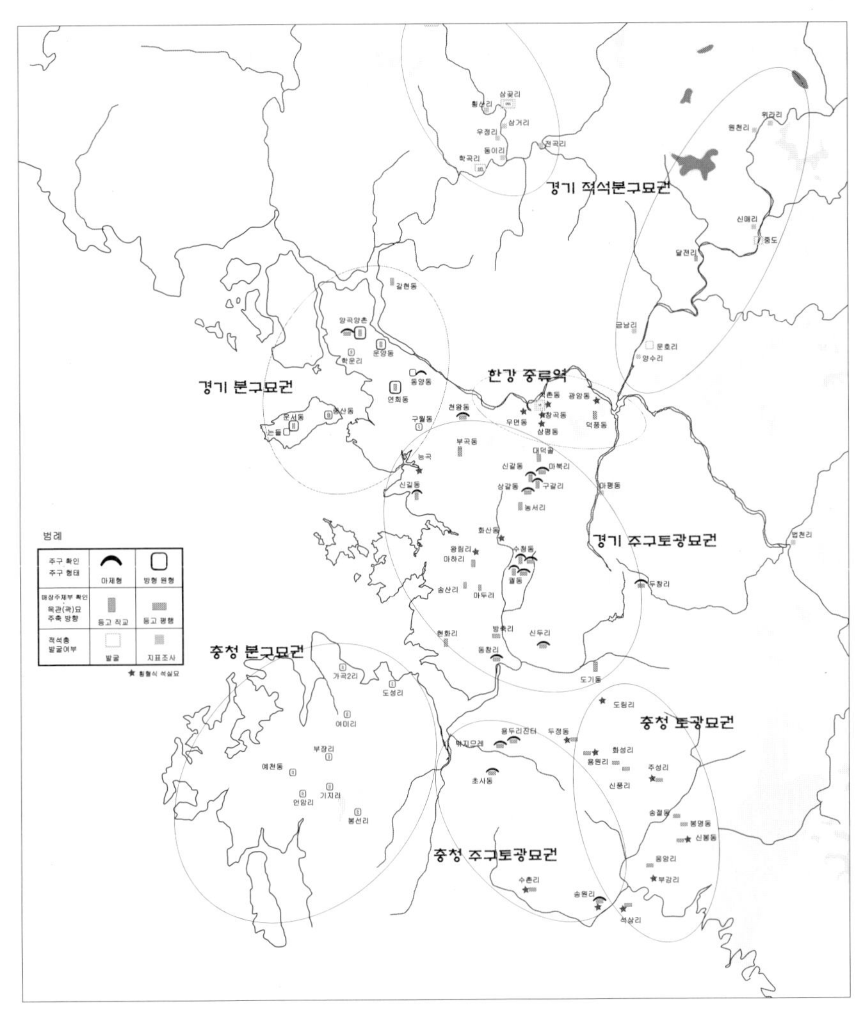

〈그림 10〉 묘제의 분포 권역

입의 계기와 관련되어 주목된다.

충청 주구토광묘권에서는 직구호류의 출토 사례가 많지 않으며, 문양대가 시문된 것은 1건에 불과하다. 나머지 출토 예는 모두 무문직구호이며, 무뉴식 뚜껑과 결합한 경우도 확인된다. 아산을 중심으로 하는 이 지역에서는 원통형토기와 함께 직구호가 출토되었다. 원통형토기의 연대를 고려한다면[40], 이 직구호는 도성의 초현기 직구호와 유사한 시점이거나 그에 앞설 것으로 생각된다.

충청 단순토광묘권에서는 가장 많은 수량의 유문 직구단경호가 출토되었다. 이 중 신봉동 고분군 출토품은 한성지역 출토품과는 유사도가 떨어지지만, 동일 유적 출토품간의 유사도는 높게 확인된다. 이는 자체 생산 과정에서 한성중앙양식과는 일정한 차이가 있는 지역 내의 정형성을 지니게 된 까닭으로 생각된다. 수촌리 고분군 출토품도 한성지역 출토품의 유사도가 떨어지는데, 이는 문양대, 목조임도 등 복수의 속성이 작용한 결과이다. 특히 수촌리 4호분 출토품은 한성지역에서 확인되지 않는 시문요소를 채택하고 있는데, 모촌리 5호분 출토 광구장경호의 경부 문양요소와 유사하다(그림 11). 이는 지방에서 자체적으로 직구단경호가 생산되는 과정에서 나타나는 변이로 생각된다.

〈그림 11〉 수촌리 4호분 출토 직구호의 문양 모티브
(1. 수촌리 4호분, 2·3. 93 모촌리 5호분)

40) 임영진, 2015,「한국 분주토기의 발생과정과 확산배경」,『호남고고학보』49.

Ⅳ. 한성기 직구호류의 편년 시안

직구호류는 이전 시기와 차별화된 기술요소로 제작되며, 대외교류의 산물로 고고학적으로 백제 국가의 성립을 반영하는 기종으로 인식되었다. 특히 특징적인 견부 문양대에 주목하여 등장의 계기와 편년을 설명하였기 때문에, 시간적 위치에 대한 연구는 직구단경호와 직구광견호를 대상으로 이루어져왔다. 흥미로운 점은 기종간의 관계 설정에 의해 상한 연대가 부여되거나, 별다른 논증 없이 선후행 기종을 설정하여 시간적인 위치를 가늠하고 있다는 점이다.

이 장에서는 각 기종의 관계를 살피기 위한 선행 작업으로 개별 기종의 시간적인 위치를 살펴보고자 한다. 시론적으로 상한 연대를 추정하고, 기종 내에서의 변화 양상을 확인해 볼 것이다.

1. 직구호

직구호는 짧게 직립되는 구연부를 특징으로 하며, 뚜껑과 대체로 무뉴식 뚜껑과 결합된다. 직구호의 등장시점은 직구단경호와의 관련성 하에서 논의되어 왔다. 기존 논의의 핵심은 직구호에 문양대가 차용되어 직구단경호가 등장한 것인지, 직구단경호에 문양대가 탈락되어 직구호가 등장한 것인지 여부이다.

중앙에서 직구호의 출현 연대는 풍납토성 출토 유물을 통해 추정할 수 있다. 한성 백제 토기 성립기의 지표로 지목되어온 가-2호 주거지와 나-10호 주거지에서는 동체 전면을 마연하고, 저부에 타날을 한 직구호가 출토되었다. 이들 유구는 공반 유물에 대한 분석, 절대연대측정, 오수전을 통한 교차 편년 등을 통해

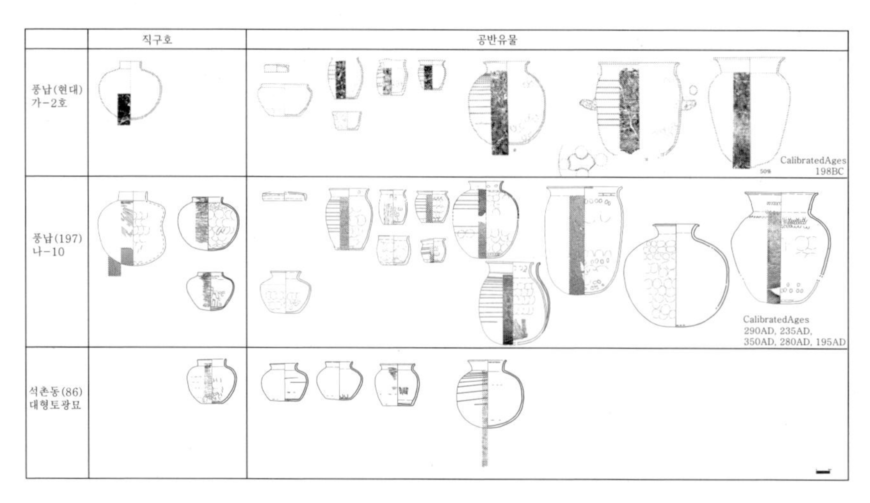

〈그림 12〉 중앙에서 출토된 직구호의 상한 연대 관련 유구 및 출토유물

3세기 후반~4세기 전반의 연대가 파악된바 있다.[41] 석촌동 대형토광묘 출토 직구호 이 단계에 해당할 것으로 생각되는데, 이들 직구호들은 공통적으로 저부에 격자타날흔이 남아있다(그림 12).

직구호는 한강유역 뿐 아니라 중서부지역, 영산강유역 등에서도 확인되고 있다. 지방 직구호의 출토 시점과 관련하여 가장 주목되는 지역은 충청 주구토광묘권이다. 명암리 밖지므레에서 출토된 직구호는 원통형토기와 공반되고 있다(그림 13). 아산 지역의 원통형토기는 초현기 원통형토기로, 대체로 3세기 무렵에 등장한 것으로 이해된다.[42] 동시에 이 지역의 직구호는 저부 타날까지 지운 무문의 연질 소성품으로 한성 중앙에서 가장 먼저 등장한 직구호의 형태와도 차이가 있다. 이는 이 지역의 직구호가 한성 중앙으로 부터의 확산이 아닌 별개

41) 한지선, 2013,「풍납토성 유구·유물의 편년적 위치」,『풍납토성 XV』, 국립문화재연구소.
42) 임영진, 2016,「한·중·일 분구묘의 관련성과 그 배경」,『마한 분구묘의 기원과 발전』, 학연문화사.

	직구단경호	직구호	직구광견호	광구장/단경호	심발	옹/호	기타
명암리 밖지므레 2-2 26호 주구토광묘							[곽외]
명암리 밖지므레 2-2 31호 토광묘							
명암리 밖지므레 3-23호 토광묘							
명암리 12-5							0 10cm

〈그림 13〉 충청 주구토광묘권에서 출토된 직구호 및 공반유물

의 계기로 도입되었을 가능성을 반영하는 것으로 생각된다.

한편, 아산 명암리 12지점에서 견부 문양대가 시문된 직구단경호가 외반구연 소호와 유뉴식 뚜껑과 함께 출토되었다. 이 고분군에서는 주구토광묘 토광묘 5기가 조사되었는데, 광구장경호 유개고배 등의 존재를 통해 한성기 후기에 조영된 소규묘 집단의 무덤으로 추정된 바 있다. 특히 주구가 확인되는 무덤에서 광구장경호, 유개고배등이 출토되어 이 지역에서 백제 중앙과의 관계가 시작된 이후에도 주구토광묘가 지속적으로 사용되고 있었음을 보여주는 사례이다. 이 유물은 송원리, 산월리 등의 출토품과 기형, 소성도 등에서 매우 유사한데, 주구토광묘 권역에서 파상문이 시문된 연질의 직구단경호가 한성기 늦은 시기까지 존속하였음 보여준다.

2. 직구광견호

직구광견호는 흑색마연의 기법으로 제작되는 경우가 다수이며, 한성기에만

사용된 기종이다. 출토량은 많지 않다. 매장유적에서 출토되는 경우가 대부분이지만, 한성지역과 거리가 가까운 일부 취락유적에서도 확인되고 있다.

직구광견호는 대체로 흑색마연기법으로 제작된다. 견부에 2조의 횡침선으로 문양대의 범위를 구획한 후 그 내부에 문양대를 시문하는데, 문양의 모티브에 따라 삼각문계, 교차사선문계, 제형계, 복합문계로 구분할 수 있다(그림 14).

직구광견호와 결합하는 문양의 특징은 2조 횡침선의 외곽에 1열 혹은 2열의 점열문이 부가된다는 점이다. 직구광견호에 부가되는 점열문은 찍기와 삐치기의 두 가지 방식으로 시문되는데, 위에서 아래로 삐치기에 의한 방식이 보다 보편적으로 채용되며, 시간적 위치가 늦다고 판단되는 유물의 경우 삐치기는 각도와 강도 등이 강해져 삼각점열에 가까운 양상을 보인다.

직구광견호의 출현 시기와 관련해서 가장 주목받는 유구는 가락동 2호분으로 흑색 직구광견호(그림 8)의 교차 편년을 통해 3세기 중후엽이라는 연대관

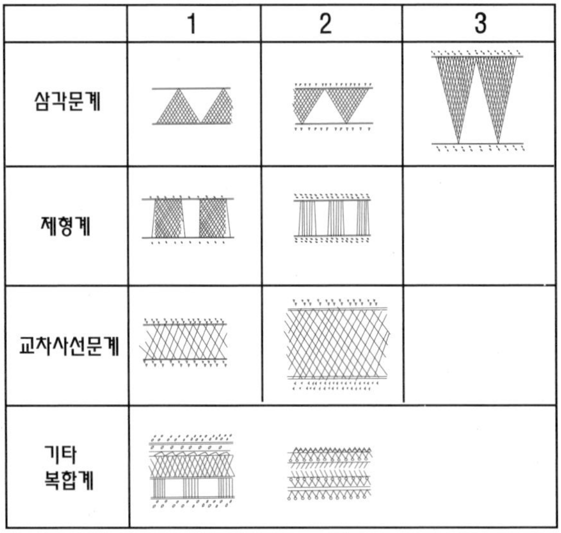

	1	2	3
삼각문계			
제형계			
교차사선문계			
기타 복합계			

〈그림 14〉 직구광견호의 문양 요소

이 제시된 이래,[43] 다수의 이견이 제기되었다.[44] 경당지구 9호 유구 보고자 역시 직구유견반형호의 흑색마연의 현상을 통해 가락동 2호분 출토 직구광견호의 연대관에 문제를 제기하고, 이 기종이 한성 2기에 성행할 가능성을 제시하였다.[45] 비록 직구유견반형호는 직구광견호에 후행하여 등장하는 기종으로 그 연대관을 근거로 가락동 2호분의 연대를 추론함은 어색하다고 생각되나, 흑색마연 기법의 후행 가능성을 보여준다. 또한 공반하고 있는 직구호의 소성도가 이미 경질화되었다는 점, 옹관으로 사용된 난형호의 구순부의 형태가 단부 아래로 빠친 형태라는 점[46] 등에서 한성기의 가장 선행 분기로 두기에는 무리가 있다고 판단된다.

직구광견호의 출현 시점과 관련해서 경당지구 풍납토성 196호로 공반된 회유전문도기를 통하여 4세기 전반경의 교차 연대가 비정된 바 있다.[47] 이 유구에서는 2조 횡침선 안에 삼각집선문이 시문되고 있으며, 어깨가 발달한 형태의 직구광견호가 출토되었다.

문양대의 등장 시점은 문양대별로 차이가 있다고 생각되지만, 문양대 간 존속 기간이 겹쳐지는 경우가 다수이기 때문에 문양대만으로 시기를 비정하는 것은 적절하지 않다. 다만 이른 시기 동체부 상부를 강조하여 어깨를 조성하지만, 늦은 시기로 갈수록 상대적으로 동체 중위로 어깨가 내려와 전체적으로 눌린

---

43) 박순발, 2001,『한성백제의 탄생』, 서경문화사.
44) 성정용, 2000,『중서부 마한지역의 백제영역화과정 연구』, 서울대학교대학원 박사학위논문.
이남석, 2001,「백제 흑색마연토기의 고찰」,『선사와 고대』16.
김일규, 2007,「한성기 백제토기 편년재고」,『선사와 고대』27.
45) 권오영·권도희·한지선, 2004,『풍납토성IV』, 한신대학교박물관.
46) 전동현, 2011,『한성백제기 취사용기의 형성과 변천』, 숭실대학교대학원 석사학위논문.
47) 한지수, 2010,「백제 풍납토성 출토 시유도기연구-경당지구 196호 유구 출토품과 중국 자료와의 비교를 중심으로」,『百濟硏究』51.

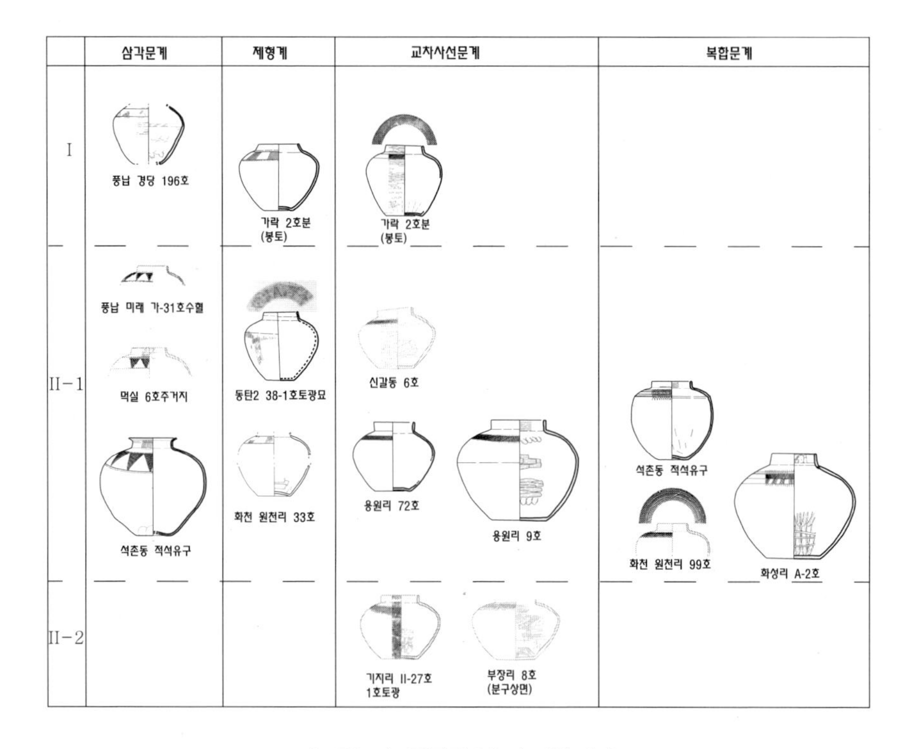

〈그림 15〉 직구광견호의 변천 시안

바둑돌 모양을 띠고 있는 기형의 변화 양상과 연결시켜 보면 교차사선문이 가장 지속기간이 긴 문양이었을 것으로 생각된다. 또한 복수의 문양 모티브가 채용되는 복합문계의 시문은 단일문계에 비해 후행하여 등장한 후, 사용 시기의 폭이 좁았던 것으로 생각된다.

직구광견호는 대체로 분묘에서 출토되고 있지만, 중앙과 직접적인 사회적 교류가 있는 취락 유적도 출토되고 있다. 경기 일원에서는 이 확산 시점은 대체로 4세기 후반 경으로 판단된다.

3. 직구단경호

직구단경호는 국가로서 백제의 대외 교류의 산물로 볼 수 있다는 점에서 백제 국가의 성립을 반영하는 기종으로 인식되었지만, 등장 계기와 시점과 대해서는 앞서 살펴본 것과 같이 여러 이견이 제시된바 있다.

직구단경호는 견부 문양대를 가장 큰 특징으로 한다. 직구단경호에서 확인되는 견부 문양대는 직구광견호의 견부 문양대와 시문되는 위치, 일부 문양의 모티브 등이 상통하기 때문에 두 기종의 등장시점이 같거나 유사할 것으로 추정하는 중요한 근거가 되어왔다. 실제 두 기종의 문양 요소는 2조 횡침선의 구획과 그 내부에 문양을 시문한다는 점에서 높은 유사도를 나타낸다. 특히 2조 횡침 후 교차사선문을 시문하는 것은 직구단경호와 직구광견호에서 공통적으로 보이는 확인된다.

한편 일부의 문양요소는 두 기종에서 배타적으로 확인된다. 직구광견호에서 확인되는 삼각집선문, 부가 점열문 등은 직구단경호에서 거의 확인되지 않으며 (그림 14), 직구단경호에서 보편적으로 나타나는 파상문, 파상집선문은 직구광견호에서는 채용되지 않는다(그림 16).[48] 이와 같은 특징은 두 기종이 독립적인 기종이었음을 의미함과 동시에 특정한 문양 요소의 등장이 선후 관계를 가지고 있을 가능성을 보여준다.

견부 문양 요소의 존속 기간은 차이가 있다고 생각되지만, 출현 시점은 시간적인 양상을 반영하는 것으로 이해된다. 한성기에 출토된 직구단경호의 문양

48) 이와 같은 관찰은 도상복원이 가능한 정도로 잔존하는 유물을 대상으로 한다. 몽촌토성, 풍납토성 등 유적에서는 이 글에서 다루지 못한 다양한 문양이 시문된 직구단경호의 편이 확인된 바 있다.

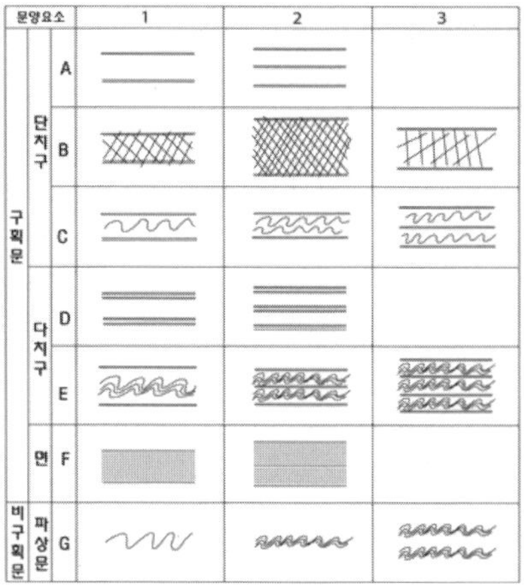

문양요소			1	2	3
구획문	단치구	A			
		B			
		C			
	다치구	D			
		E			
	면	F			
비구획문	파상문	G			

〈그림 16〉 직구단경호의 문양 요소

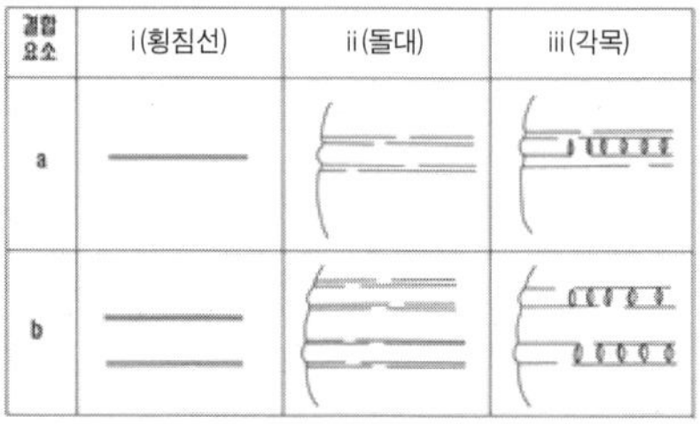

결합요소	i(횡침선)	ii(돌대)	iii(각목)
a			
b			

〈그림 17〉 직구단경호의 결합 요소

중 가장 비중이 높은 것은 견부에 2조 구획선을 시문한 후 그 내부를 교차사선문으로 채운 것이다. 이는 웅진·사비기까지 지속되는 파상문, 다치 파상문으로 대체된다. 다만 이전 연구성과에서 한성기 늦은 시점에 교차사선문이 파상문으로 이행하는 것으로 이해하였지만, 이 문양의 모티브는 한성기 마지막 단계까지 지속되는 것으로 생각된다(그림 18).

초현기에는 견부에 한정하여 문양대가 시문되지만, 점차 동중위에 요철과 음각을 이용한 장식요소가 추가되며(그림 17),[49] 문양대 시문의 폭이 넓어지는 경향이 나타난다.

土田純子 역시 직구단경호의 문양의 출현 순서를 시간에 가장 민감한 속성으로 보았는데, 특히 2조 횡침선에 교차사선문을 시문한 것을 가장 먼저 등장한 문양으

49) 이는 한성기 광구단경호, 광구장경호 등에서 동체 중위에 장식요소가 추가되는 것과 맥락을 같이하는 것으로 판단된다.

로 파악하였다. 이 형식 중 가장 이른 것으로 법천리 2호분과 화성 마하리 3호 석곽묘에 주목하였다. 법천리 2호분 출토 양형기는 4세기 중엽으로 비정할 수 있으며, 마하리 출토품은 직구단경호와 공반된 마구의 편년안에 따라 4세기 3/4분기에 연대를 부여할 수 있기 때문에, 중앙의 등장 연대는 이보다 앞설 것으로 파악하였다(그림 7).[50]

백제 중앙에서 교차편년이 가능한 연대 결정 자료와의 공반 출토 예가 많지 않고, 직구단경호의 각 문양의 출현기간과 지속기간의 차이로 인하여 문양대만으로 편년적 위치를 부여하는 작업은 쉽지 않다.

물론 경당지구 101호 유구에서 직구단경호 편이 출토되어 상한 연대는 조정될 가능성도 있다.[51] 문양이 직구광견호와 결합율이 높은 2단의 삼각집선문을 띄고 있다는 점에서 직구단경호의 상한 연대를 논의하기에 적절한 자료는 아니다. 향후 시간적 위치를 파악하기 위해서는 크기군에 따른 변천 양상의 차이까지 유념할 필요가 있다고 생각된다.

직구단경호는 직구광견호의 교차 사선의 문양 요소를 채용하여 등장한 기종으로 판단되며, 원저단경호+발의 조합의 호를 대체하는 매장 유물로 사용된 것으로 생각된다. 직구단경호는 크기에 따라 중형의 비중이 가장 높게 나타나며, 존속 연대 역시 가장 길다. 그러나 대형 직구단경호와 소형 직구단경호의 경우, 중형에 비해 등장이 늦고 존속 연대 역시 한성기로 한정되는 경향이 나타난다.

중앙의 고분 출토품을 대상으로 직구호류의 변천 양상을 대략적으로 살펴보면 아래와 같다.

---

50) 土田純子, 2014,『百濟土器 東아시아 交叉編年』, 서경문화사, pp. 221~222.

51) 권오영·한지선, 2005,『풍납토성 VI-경당지구 중층 101호 유구에 대한 보고』, 국립문화재연구소·한신대학교박물관, p.53, 도면 15-3.

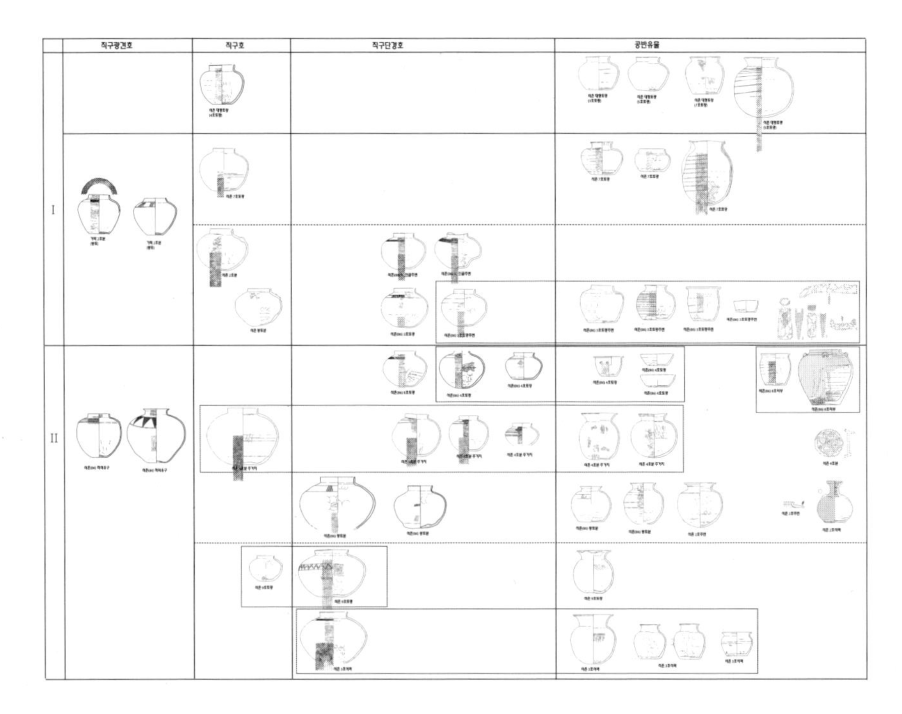

〈그림 18〉 한성 중앙지역 고분 출토 작구호류의 변천 시안

V. 맺음말

이상의 짧은 글에서는 직구호류와 관련한 몇 가지 쟁점들을 살펴보았다. 여러 논의들의 상충점은 세부 기종의 설정과 기종간의 관계에 대한 시각의 차이, 또 이 기종군의 등장 계기와 계통에 대한 관점의 차이에 기인하는 것으로 생각된다. 당연한 이야기겠지만 이는 직구호의 출토 양상에 대한 검토 뿐 아니라,

공반 유물의 특징 등에 대해서도 더 주목함으로써 해결의 실마리를 찾을 수 있을 것이다.

이 글에서는 간략하게나마 직구호류를 기준에 따라 분류하고, 무문 직구호의 시간적인 위치가 직구단경호·직구광견호에 앞설 가능성을 살펴보았다. 또한 각 기종의 상한연대와 기종 내 변천 양상에 대해 시론적으로 언급하였다. 이는 향후 지방 출토 직구호류와의 비교 연구를 통하여 한성중앙양식 확산의 과정을 그리는 바탕이 될 것이라 기대한다.

물론, 확산 양상을 그리기 위해서는 공시적으로 백제의 권역에서 세부 기종들이 어떻게 분포하고 변해가는지 살펴보아야 할 것이다. 이 때, 특정한 산지에서 제작된 토기의 유통과 특정한 지역의 토기 제작 수법 혹은 양식의 유행이 구분되어야 한다는 견해를 참고해야 할 것이며,[52] 지방에서 출토되고 있는 한성중앙기종의 출현 배경에 1) 위세품 사여 2) 경제적 목적을 바탕으로 한 중앙과 지방의 자율적 물자 교환 3) 경제적 지배 확대를 위한 중앙의 생산체제 관여 4) 일부 아이디어의 이식 5) 재지집단의 적극적 모사행위 등의 가능성[53]와 같은 다양한 매커니즘이 존재할 수 있음을 고려해야 할 것이다.

---

52) 조대연, 2005, 「한성백제 토기의 생산기술에 관한 일 고찰-진천 삼룡리, 산수리가마 출토 토기를 중심으로-」, 『백제 생산기술의 발달과 유통체계 확대의 정치사회적 함의』, 한신대학교 학술원 편, p.72.

53) 김장석·권오영, 2006, 「백제 한성양식 토기의 유통망 분석」, 『백제 생산기술의 발달과 유통체계 확대의 정치적 함의』, 한신대학교 학술원 편(2008), pp. 99~144.

광구호와 광구장경호

이순엽 순천대학교박물관

Ⅰ. 머리말

광구호는 영산강유역 고분 부장 유물의 일종으로 토광묘, 옹관묘에서 출토되고 있다. 이중구연호와 함께 마한토기 기종 중 하나로 연구되어 왔다. 광구호는 광구호, 유견광구호, 광구단경호, 평저광구호 등 다양한 명칭으로 불려지고 있으나 구경이 저경보다 넓고, 평저의 기형을 이루고 있는 특징이 있다.

기존 광구호에 대한 연구는 개별 기종만으로 검토된 경우는 없고, 유구나 유물의 분석에 있어서 공반유물로서 보조자료 정도로 고찰되어 왔다. 연구경향은 용어에 대한 정의나 기형의 형식학적 변화를 중심으로 이루어져 왔다.

광구장경호는 구형의 동체부에 경부가 길고 구연부가 크게 벌어진 형태를 가진 백제의 대표적인 호로 알려져 있다. 대부분 경질소성으로 타날문을 물손질로 지워 무문으로 제작한 예가 다수이며, 경부에 요철이나 파상집선문을 장식한 예도 확인[1]된다.

광구장경호는 서울지역을 중심으로 중서부지역에서 빈출하고 있으며, 원삼

---

1) 국립문화재연구소, 2011, 『한성지역 백제토기 분류표준화 방안연구』.

국시대에는 관찰되지 않는 기종으로 한성백제토기의 성립과 관련된 주요 기종으로 인식되고 있다. 광구장경호에 대한 연구는 사용시기, 형식학적 변화상을 중심으로 이루어져 왔다.

Ⅱ. 광구호

1. 용어

광구호는 연구자마다 광구호[2], 유견광구호[3], 평저광구호[4], 광구평저호[5] 등으로 명칭되고 있다.

한옥민, 이순엽은 기형상 구경이 저경보다 넓은 속성을 기준으로 광구호로 분류하였다. 이영철은 구경이 동최대경보다 크며 동체부 상단에서 어깨를 갖는 평저호를 칭하며 유견광구호라 명명하였다. 서현주는 저부의 형태인 평저를 중심으로 동최대경에 비해 구연부가 길고 크게 벌어진 것을 광구평저호로 분류하였다. 박형열은 구경이 넓고, 평저의 형태를 띠는 호로 광구평저호라 하였으며, 무문의 특징을 가진다고 하였다.

초기 영산강유역 옹관묘를 중심으로는 넓은 구경과 견부에 초점을 맞추어 광

2) 한옥민, 2000, 『전남지방 토광묘 연구』, 전북대학교 석사학위논문 ; 이순엽, 2003, 『전남지방 분묘 출토 호의 분류와 편년』, 목포대학교 석사학위논문.
3) 이영철, 2001, 『영산강유역 옹관고분사회의 구조 연구』, 경북대학교 석사학위논문.
4) 박지은, 2007, 『백제 평저호 연구』, 충남대학교 석사학위논문.
5) 서현주, 2006, 『영산강유역 고분 토기 연구』, 학연문화사; 박형열, 2014, 『영산강유역 3~5세기 고분 변천』, 동국대학교 석사학위논문.

구호라는 명칭이 보고서를 중심으로 사용되었다. 이후 토기에 대한 연구가 세분화 되면서 하나의 특징만을 강조하는 용어 대신에 토기의 속성을 중심으로 기준점을 제시하는 방향으로 변화된 것으로 파악된다. 즉 토기 중 호류로 대별하고, 저부의 형태나 구연부의 형태로 세분하면서 평저광구호 혹은 광구평저호로 명명되고 있다.

용어와 함께 광구호의 지역적 분포상도 연구되고 있는데 서현주[6]는 한강유역에는 단경이나 직구에 가까운 평저호들이 많고, 그 이남지역인 화성 마하리, 천안 신봉동 유적에서는 각진 어깨를 갖는 유견호가 많으며, 영산강유역에는 둥근 어깨를 갖는 광구호가 많은 점을 특징으로 보았다. 또한 평저광구호는 전체적인 형태 뿐 아니라 분포지역에 있어서도 이중구연호의 성행지역과 관련이 깊으며, 낙랑지역의 평저호 동체부에 기존이 단경호 구연부가 약간 변형되어 채용되었을 가능성이 있는 것으로 보았다.

박지은[7] 역시 평저광구호는 금강 이남지역 및 영산강유역에서 출토되는 것으로 파악하였다.

2. 형식분류 및 변천양상

광구호는 고분편년의 보조 자료로서 형식분류 후 공반관계를 통해 편년을 제시하는 중심으로 연구가 이루어져 왔다.

한옥민[8]은 전남지방 토광묘를 크게 3시기로 구분하고, 토광묘 출토 토기류

6) 서현주, 2006, 『영산강유역 고분 토기 연구』, 학연문화사.
7) 박지은, 2007, 『백제 평저호 연구』, 충남대학교 석사학위논문.
8) 한옥민, 2000, 『전남지방 토광묘 연구』, 전북대학교 석사학위논문.

에 대해서 형식분류를 시도하였는데, 광구호도 분석 대상에 포함되었다. 광구호가 시간의 흐름에 따라 가장 두드러지게 변화하는 속성으로 견부의 퇴화현상을 들었고, 견부의 꺾임이 있는 것(Ⅰ식)에서 점차 퇴화되어 없어지는 것(Ⅱ식)으로 변화한다고 하였다. 구경과 동최대경의 관계는 동최대경의 지름이 구경보다 큰 것을 선행요소로 파악하고 있다. Ⅱ기 토광묘의 표식적인 기종으로 광구호와 이중구연호를 들 수 있으며, 시기는 기원전후부터 3세기 후반으로 보고 있다.

이영철[9]은 영산강유역 옹관고분 사회에 대하여 연구하면서 옹관고분사회의 범주 속에서 출토되는 토기류를 검토하여, 시기적으로 공반된 대표 기종들을 선별하여 4단계의 획기로 나누었다. 구연부와 동체부의 형태변화를 속성으로 2형식으로 분류하였다. Ⅰ형식은 구연부 끝이 수평으로 외반되고 어깨가 강조된 형태이고, Ⅱ형식은 구연부는 직립화하며 어깨는 둥글게 퇴화된 형태이다. 두 형식은 공반유물 관계에서 차이를 보이는데 Ⅰ형식은 단경호와 Ⅱ형식은 직구원저호와 공반되며, 철기류의 부장율은 Ⅱ형식에서 급증한다고 한다. 유견광구호는 이중구연호와 함께 Ⅰ기 고분의 표지적 기종으로 볼 수 있으며, 대부분의 토기들이 평저 전통을 강하게 유지하고 있으며, 소성도가 낮은 연질이 대부분임을 알 수 있다고 한다. 상한은 3세기 중반으로, 하한은 4세기 초로 설정하고 있다.

이순엽[10]은 전남지방 분묘 출토 토기 중 점유율이 가장 높은 호류에 대해서 검토하였다. 호는 묘제·지역간의 상호 연관을 가지며 변화하고 있는데 이중구연호 → 광구호·양이부호 → 장경호·유공광구소호·직구호 순으로 기존의 기종

9) 이영철, 2001, 『영산강유역 옹관고분사회의 구조 연구』, 경북대학교 석사학위논문.
10) 이순엽, 2003, 『전남지방 분묘 출토 호의 분류와 편년』, 목포대학교 석사학위논문.

에 새로운 기종들이 부가되는 방향으로 변화해 간다고 한다. 광구호는 경의 형태, 구연부의 형태, 동체부의 형태, 구경:동최대경의 비율 등의 속성을 통해 3형식으로 분류하고 있다. Ⅰ형식은 직립경에 구연부는 수평으로 외반하고, 동체부는 견부의 꺾임으로 강조되고 있다. 구경은 동최대경이나 기고보다 작다. Ⅱ형식은 외반된 경을 형성하고, 구연부는 내부에 홈이 추가되며, 동체부는 편구형으로 동최대경은 동상위나 동중위에 위치한다. 구경은 동최대경이나 기고보다 크다. Ⅲ형식은 경이 없이 외반된 구연부에 구순가 둥글게 혹은 홈이 형성되고, 동체부는 구형으로 동중위에 최대경이 위치하고 있다. 광구호는 옹관묘에서 부장율이 높게 나타나고 있다고 한다.

서현주[11]는 영산강유역 고분에서 출토된 토기를 기종별로 분류하고, 유적별로 토기 공반관계의 분기를 설정하여 대체적인 변화의 흐름을 파악하고 있다. 호류는 단경의 원저호류, 평저호류, 장경호류, 양이부호, 이중구연호 등으로 대별하고, 평저호 중 구연형태에 따라 광구형과 직구형으로 세분하고 있다. 광구형은 동최대경에 비해 구연부가 길고 크게 벌어진 것들이며, 직구형은 곧고 작게 벌어진 것으로 보았다. 광구형은 동최대경에 비해 동체 높이가 높고 구연부가 크게 벌어진 것(a형)과 동체높이가 낮고 구연부의 벌어짐이 상대적으로 작은 것(b형)으로 세분하였다. 평저호는 직구 a형과 함께 광구 a형과 광구 b형이 나타나기 시작하는 시기를 Ⅰ기로 보았으며, 3세기 중·후엽에서 4세기 전·중엽으로 보았다.

박지은[12]은 한성기 백제 평저호의 발생과 변천, 그리고 유통과 편년 등 전반적으로 살펴보았다. 특히 유견호, 평견호, 직구광견호를 중심으로 출현배경과

11) 서현주, 2006, 『영산강유역 고분 토기 연구』, 학연문화사.
12) 박지은, 2007, 『백제 평저호 연구』, 충남대학교 석사학위논문.

분포양상에 대해 검토하였다. 평저광구호는 유견호와 거의 유사한 동체 형태를 띠지만 구경이 저부와 비슷하거나 더 넓은 기형을 하고 있고, 주로 한성백제 Ⅱ기에 해당하는 시기에 금강 이남지역 및 영산강유역에서 출토되는 것으로 파악하였다. 금강유역에서는 공주 분강·저석리유적, 서천 오석리 유적, 진주 송천동 유적 등에서 유사기종이 확인되기는 하나 전형적인 평저광구호는 확인되지 않는 것으로 파악하였다.

박형열[13]은 영산강유역 3~5세기 고분을 중심으로 고분의 변화양상을 파악하였다. 고분의 형식간 선후관계의 파악을 위해 부장토기의 검증을 시도하고 있는데 광구평저호를 살펴보고 있다. 광구평저호는 구경부 형태, 동체부의 형태를 속성으로 4단계로 분류하였다. 구경부 형태는 경부의 형태에 따라 경부가 외경하여 (사)직립 하는 것(Ⅰ)과 외반하는 것(Ⅱ)으로 구분할 수 있으며. 동체부 단면형태로 팔각형(A), 역제형(B), 횡타원형(C)으로 구분하였다. 이들 상관관계를 통하여 Ⅰ단계에는 ⅠA형식이 확인되고, Ⅱ단계에는 ⅠB형식이 확인되며, Ⅲ단계에는 ⅡB형식이 있다. Ⅳ단계에는 ⅡC형식이 확인되며 동체부의 직경이 좁아지는 경향을 가진다고 보았다.

이상의 연구현황을 정리하면 〈표 1〉과 같다.

〈표 1〉 연구자별 광구호 속성 변화상 및 형식분류

속성 / 연구자	구연부(경부) 형태	동체부 형태	구경:동최대경 비율	명칭	변화상
한옥민(2000)		견부꺾임 있음 → 견부꺾임 없음	구경〈동최대경이 선행	광구호	→

13) 박형열, 2014, 『영산강유역 3~5세기 고분 변천』, 동국대학교 석사학위논문.

이영철 (2001)	끝이 수평으로 외반 → 직립화	어깨 강조 → 어깨 둥글게		유견광구호	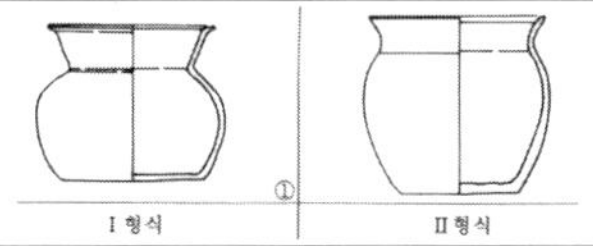
이순엽 (2003)	직립경 → 외반경	어깨 강조 → 편구형 → 구형	구경〈동최대경 → 구경〉동최대경	광구호	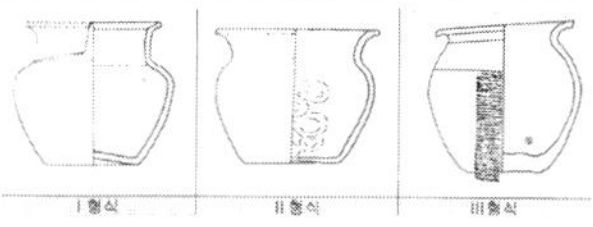
서현주 (2006)	광구a - 구연부에 비해 동체부가 높고 구연부의 벌어짐이 작아지는 것으로 변화 광구b - 구경이 동최대경에 비해 작아지는 변화			광구평저호	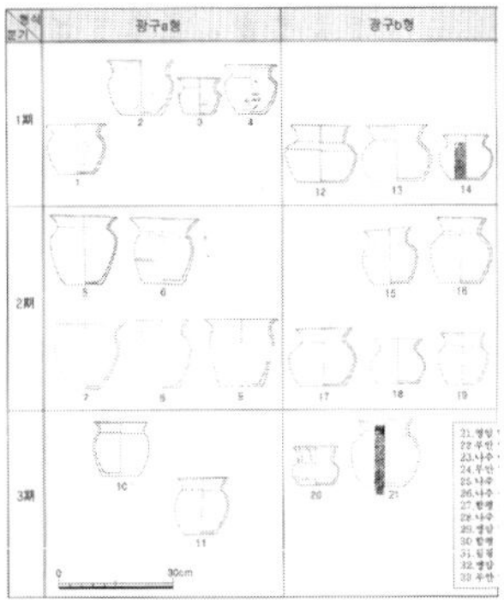
박지은 (2007)				평저광구호	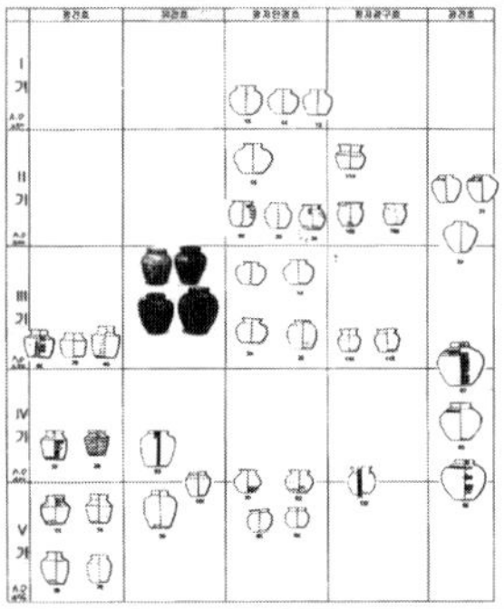
박형열 (2014)	경부 외경 → 경부 외반	팔각형 → 역제형 → 횡타원형		광구평저호	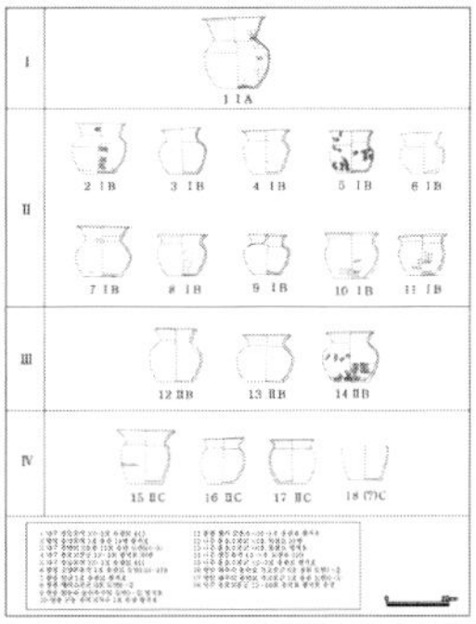

3. 편년

광구호는 기존의 연구에 의하면 3세기를 전후하여 등장하여 4세기대까지 사용된 것으로 파악되고 있다. 연구자간의 변화상을 살펴볼 때 광구호는 공통적으로 평저를 이루고 있으며, 구연부의 벌어짐, 경부의 변화, 구경과 동최대경의 관계 등이 주요 변화의 속성으로 파악되고 있다. 특히 견부가 강조되는 형식, 구연의 꺾임이 수평인 형식, 경부가 형성된 형식 등이 이른 시기의 광구호에서 관찰되는 속성으로 이해되고 있다.

상한에 대해서는 함평 순촌유적 A-3호 주구토광묘[14]의 주구에서 확인된 광구호와 영광 군동 B지구 1호 토광묘[15] 출토품을 비교적 이른 시기의 것으로 보고 있다.

함평 순촌유적 A-3호 광구호는 바닥은 평저이고, 동상위에서 최대경, 동최대경 부분에 유두모양의 꼭지가 부착되어 있다. 이러한 유두 부착 현상은 이중구연호의 초기속성과 관련지을 수 있다. 영광 군동 B지구 1호 토광묘 광구호는 이중구연호와 함께 옆으로 약간 누운 상태로 노출되었다. 평저로 각이 없이 동체와 연결되고, 동상위에서 최대경을 이루고 있다. 공반된 이중구연호는 평저이고, 동체는 편구형이며, 상구연과 하구연이 따로 제작된 것으로 3세기 중엽까지 보고 있는바 적어도 영산강유역을 중심으로 광구호는 3세기 2/4분기에 등장하는 것으로 추정된다.

하한에 대해서는 영암 와우리 가 -1호·6호 옹관 출토품[16], 영암 만수리 4호분 10 토광묘 출토품[17]을 중심으로 살펴볼 수 있다. 이들 출토품은 구연부에 비해

---

14) 최성락 외, 2001, 『함평 월야 순촌유적』, 목포대학교박물관.
15) 최성락 외, 2001, 『영광 군동유적』, 목포대학교박물관.
16) 성낙준 외, 1989, 『영암 와우리 옹관묘』, 국립광주박물관.
17) 국립광주박물관, 1990, 『영암 만수리 4호분』.

동체부가 높고, 구연부의 벌어짐이 작아지는 것으로 변화하고 있는데 이는 광구호의 퇴화현상으로 파악된다. 공반유물에 있어서 영암 만수리 4호분 10호 토광묘의 광구소호는 4C후~5C 으로 편년[18]되고, 영암 와우리 가-1호 옹관의 판상철부는 대체로 5세기 전반에 사라지는 것으로 보고 있으며, 광구호는 옹관고분에서 주로 부장되다가 석실분의 등장과 함께 사라지는 것[19]으로 하한은 4세기 4/4분기로 추정된다.

Ⅲ. 광구장경호

1. 용어 및 사용시기

서울 지역을 중심으로 중서부지역에서는 연구자마다 광구호, 광구장경호, 외반광구호, 평저광구호 등으로 불려지고 있으나 대부분 광구장경호로 명칭되고 있다.

광구호란 명칭이 영산강유역 중심으로 관찰되는 광구호 또는 평저광구호 기종과 똑같아 혼란이 있을 수 있다. 하지만 저부의 형태와 경부의 길이에 있어서 확연한 차이가 관찰된다. 영산강유역을 중심으로 토광묘, 옹관묘에서 확인되는 광구호는 평저에 경부가 짧은 단경호류에 속한다. 반대로 광구장경호는 원저에 경부가 긴 장경호류에 속한다. 사용시기에 있어서도 광구호는 3~4세기이고, 광구장경호는 4세기대에 등장하는 백제토기의 일종이다.

---

18) 박형열, 2014, 『영산강유역 3~5세기 고분 변천』, 동국대학교 석사학위논문.
19) 이순엽, 2003, 『전남지방 분묘 출토 호의 분류와 편년』, 목포대학교 석사학위논문.

2. 형식분류 및 변천양상

광구장경호는 백제토기 대표 기종으로 등장시기에 대한 문제를 언급하고, 다음으로 형식분류를 시도하여 편년자료로 사용하는 방향으로 연구되고 있다.

박순발[20]은 광구장경호를 원삼국토기에는 없던 기종으로 한성백제토기의 주요 기종의 하나로 직구단경호류, 심발형토기와 더불어 고분 부장토기로 많이 확인된다고 보았다. 기형의 변화는 회색연질이면서 목의 외반도가 비교적 작은 것에서 점차 목이 길어지면서 외반도가 증가하는 추세로 나타나고, 한성백제기의 늦은 시기인 5세기 중엽 이후에는 1~2조의 돌대가 돌려지는 등의 새로운 속성이 등장하는 것으로 파악하였다.

임영진[21]은 백제토기의 성립, 발전, 확산의 과정을 살피는 과정에서 서울지역 유적을 통해 토기를 검토하고 있다. 석촌동 고분군 중층에서는 기존의 토기와 함께 백제토기의 대표적인 기종의 하나라고 할 수 있는 광구호가 사용되기 시작하는데 초기에는 승석문과 격자문이 동체 전면에 시문되다가 점차 동체 문양이 사라지고 경부에 1~2조의 돌대가 형성된다. 몽촌토성에서 외반광구호는 대부분 경질토기이며, 구순부가 단순한 형태에서 구순 아랫부분이 삼각형을 이루면서 홈이 형성되는 날렵한 형태로, 경부가 단순하고 무문양에서 경부 중간에 1~2개의 돌대가 생기고, 돌대 상하부에 파상집선문이 시문되는 변화를 보이고 있다. 미사리 주거지 Ⅲ기부터는 서울 한강유역의 전형적인 백제토기가 확산되어 기존 전통의 토기를 압도하는 시기로서 고배, 삼족기, 직구단경호, 광구

20) 박순발, 1992, 「백제토기의 형성과정-한강유역을 중심으로」, 『백제연구』23, 충남대학교 백제연구소.

21) 임영진, 1996, 「백제초기 한성시대 토기연구」, 『호남고고학보』4, 호남고고학회.

단경호, 광구장경호 등과 같은 다양한 기종이 출토되고 있다.

성정용[22]은 신봉동 고분군 출토 유물의 분석에서 전체적으로 15개 내외의 기종이 확인되었고, 이중 광구장경호는 60여점이 출토되었다. 광구장경호는 5세기 무렵 금강중하류역의 분묘유적의 편년적 지표로서의 역할을 한다고 보았다. 또한 백제토기 광구장경호는 영남지방의 장경호와 달리 경부 높이가 전체 높이의 1/4내외에 불과하고 구경이 최대경보다 큰 경우가 거의 없는 기형적 특징을 하고 있다. 경부 형태의 속성으로 경부에 장식이 없는 것은 A형이고, 경부에 돌대가 부가된 것은 B형이며, 경부 돌대에 파상문이 다양하게 시문된 것은 C형으로 분류하였다. 경부가 직립하여 있는 것이 거의 없고, 어깨부와 경부가 연결되는 곳에서 약간 외반하다가 경부의 중간 정도부터 좀 더 급격하게 외반되며 표면을 회전 깎기 하거나 타날 후 정면하는 것을 특징으로 파악하였다.

신종국[23]은 원삼국~한성기 백제에 이르는 한강 및 임진강 유역의 주거유적에서 출토된 토기자료를 연구대상으로 백제토기가 형성·발전하게 되는 원인을 추론하고 있다. 토기류는 47개 기종으로 세분하였고, 광구장경호는 회(청)색무문계토기의 4부류에 속하고 있다. 변화상은 늦은 시기로 가면서 경부에 돌대나 파상집선문 등이 시문되는 양상이 나타난다. 이러한 시문양식은 광구장경호의 시간성을 파악하기 위한 훌륭한 자료로 판단하였다.

한준영[24]은 성곽 출토 토기를 중심으로 토기의 기종분석과 편년을 시도하고

---

22) 성정용, 1998, 「금강유역 4~6세기 분묘 및 토기의 양상과 변천」, 『백제연구』28, 충남대학교 백제연구소 ; 성정용, 2000, 『중서부 마한지역의 백제영역화과정 연구』, 서울대학교 박사학위논문.

23) 신종국, 2002, 『백제토기의 형성과 변천과정에 대한 연구』, 성균관대학교 석사학위논문.

24) 한준영, 2002, 『백제 한성기의 토기 연구:성곽 출토 유물을 중심으로』, 단국대학교 석사학위논문.

그 결과를 바탕으로 각 지역 성곽의 편년을 실시하였다. 그는 각 성곽출토 토기 변화상을 3단계로 나누었는데 3단계에서는 토기의 기종이 세분화되는 시기로 광구장경호가 등장한다고 보았으며, 시기는 4세기 후반에서 5세기 중·후반에 해당된다.

한지선[25]은 풍납토성 경당지구 출토유물을 바탕으로 백제의 국가형성 시점 및 과정의 재검토를 시도하였다. 토기 변화양상을 기준으로 6기의 분기를 설정하고, Ⅴ기에는 백제토기의 신 기종으로 고배, 삼족기를 비롯하여 반류 및 직구단경호, 기대와 광구장경호 등이 출현한다고 파악하였다. 광구장경호는 초기에는 무문인 경우가 많고 구순에 凹面이 가해지는 것 이외의 장식성은 별다르게 보여지지 않다가 점차 경부에 파상문이 시문되는 등의 장식성이 두드러져 간다고 보았다.

최영주[26]는 한국 중서부이남 지역과 일본에서 출토되는 조족문토기에 대한 검토를 통해 조족문토기의 시기적인 변천과 지역적인 특성을 알아보고, 조족문토기의 특성과 내포하는 의미에 대해서 검토하고 있다. 조족문토기의 공반유물로서 광구장경호를 살펴보고 있는데 5세기 후반에서 6세기 초반으로 추정하고 있다.

김은경[27]은 경기지방 토광묘 유적을 대상으로 유적의 입지, 매장주체부 및 유물부장상태를 대략적으로 검토하고, 분기를 설정하여 교차편년 등을 통해 연대 설정을 하였다. 상대편년의 자료로서 토기를 분류하고 있는데, 광구호는 구연부의 직경이 동최대경과 비슷하거나 넓은 형태를 가진 기형으로 보았다.

25) 한지선, 2003, 『토기를 통해서 본 백제 고대국가 형성과정 연구』, 중앙대학교 석사학위논문.
26) 최영주, 2006, 『조족문토기 고찰』, 전남대학교 석사학위논문.
27) 김은경, 2009, 『경기지방 3~5세기 토광묘 일고찰』, 숭실대학교 석사학위논문.

동체는 구형 또는 말각방형이며, 저부는 말각평저인 경우가 대부분이다. 동체에는 격자문, 무문, 승문, 선문 등이 다양하게 나타나고, 목부분에는 돌대가 있는 것과 없는 것이 있으며, 돌대사이 물결무늬가 돌아가는 것도 있다고 파악하였다.

조용호[28]는 4~5세기 미호천유역의 고분에서 출토되는 유물을 검토함으로써 백제 한성화되어가는 과정을 살피고 있다. 광구장경호는 장경호에 비해 구경부가 길어지며, 구연부의 직경이 동최대경과 비슷하거나 넓은 형태이다. 형식은 구연부의 구순형태, 구경부의 돌대 유무, 문양을 기준으로 4형식으로 분류하였다. Ⅰ형식은 구순상부에 약하게 홈이 진 형태로 동체는 난형과 구형이다. Ⅱ형식은 구순이 직각으로 꺾여 상부와 하부 중앙에 홈이 파여진 형태로 동체는 대부분 구형이다. Ⅲ형식은 구순에 아무런 표현없이 비교적 둥글게 처리되어 외반하는 형태이다. Ⅳ형식은 구경부가 다른 형식에 비해 길어지고, 돌대가 만들어지며, 일부 파상문양이 시문되는 형태이다. 백제한성 후기로 갈수록 구경부에 돌대가 돌려지고, 문양이 시문되며, 저부는 대부분이 평저의 형태로 파악하였다. 광구장경호는 미호천 유역에서 대표적인 백제토기 기종으로 비교적 장기간에 걸쳐 사용된다고 보았다.

조은하[29]는 송원리 고분군에서 확인되는 다양한 묘제 간의 관계를 규명해보고자 부장품인 토기에 대해 검토하고 있다. 고분군에서 출토된 백제토기는 형태적인 속성에 따라 17류의 개별 기종으로 세분할 수 있고, 출토 수량별 빈도는 개배류>외반구연소호류>광구장경호류 순으로 확인된다. 광구장경호는 구연부의 외반형태, 동체부의 형태, 경부에 부가된 속성의 유무에 따라 크게 3형식

28) 조용호, 2005,「미호천유역 백제한성화 과정 연구」,『연구논문집』창간호, 중앙문화재연구원.
29) 조은하, 2010,『송원리고분 출토 백제토기 연구』, 고려대학교 석사학위논문.

으로 분류하였다. A형은 동체의 형태가 구형에 가까우며 구연부의 외반도가 크지 않고 경부에 돌선이 부가되지 않으며, 동체의 형태가 구형에 가까운 기형이다. B형은 동최대경이 동체 중상부 혹은 중부에 위치하고 구연부가 나팔상으로 벌어지거나 경부에 돌선이 부가된 것이다. C형은 B형과 구연의 외반형태는 유사하나 B형에 비해 어깨가 강조된 형태이며, 동체 상부에서 중하부에 걸쳐 다수의 횡침선이 확인된다. 변화상은 A→ C로 파악하였다. 광구장경호는 송원리 고분군 Ⅲ기에 등장하는데 정형성은 떨어지는 편으로 파악하였다.

이현숙[30]은 마한의 고지로 인식되는 한강이남~금강유역권을 포함하는 중서부지방의 4~5세기대 취락과 분묘유적을 중심으로 지역적 특성을 분석하였다. 그 중 금강의 미호천 유역에 위치하는 용원리유적권 내의 용원리, 화성리 유적 출토 토기를 중심으로 형식분류를 시도하여 단계적 변화상을 파악하였다. 광구장경호는 구형의 동체에 넓은 구연부를 갖추고 있는 것으로 저면은 말각평저가 많다고 한다. 넓게 벌어진 구연부의 높이가 전체 기고의 1/5이상을 차지하므로, 동체 세장도에 의한 분류보다 목외반도에 의한 구분이 변별력 있다고 판단하여 3형식으로 나누었다. A는 목외반도 30미만, B는 목외반도 30~45미만, C는 목외반도 45이상이다. 또한 용원리 유적에서는 단경호와 광구장경호를 기본으로 하는 유물부장이 이루어졌다고 보았다.

土田純子[31]는 한성양식 백제토기 성립시기의 중요기종으로 고배, 삼족토기, 단경병, 광구장경호의 형식학적 변천을 파악한 후 연대결정자료와 공반된 토기를 통해 백제토기 편년의 중심축을 세웠다. 광구장경호의 변화 속성으로는 경부문양(파상문(a), 돌대(b), 파상문과 돌대의 복합문(c), 문양이 없는 것(d)), 구

30) 이현숙, 2011, 『4~5세기대 백제의 지역상 연구』, 고려대학교 박사학위논문.
31) 土田純子, 2014, 『백제토기 동아시아 교류편년 연구』, 서경문화사.

연형태(구연부가 직선으로 구연단이 둥글게 처리된 것(a①), 각지게 처리된 것(a②), 구연부가 직선으로 뻗고 구단부에 홈이 파여있는 것(b①)과 구연부가 외반되어 있는 것(b②), 외반 구연의 구단부에 홈이 파여 있는 것(b③))를 중심으로 6형식으로 분류하였다. 구연형태 a와 경부장식이 없는 것을 1형식, 구연형태 b와 경부장식이 없는 것을 2형식, 구연형태 c와 경부장식이 없는 것을 3형식, 구연형태 a와 경부장식이 있는 것을 4형식, 구연형태 b와 경부장식이 있는 것을 5형식, 구연형태 c와 경부장식이 있는 것을 6형식으로 보았다. 광구장경호의 상한은 4세기4/4분기, 하한은 웅진기로 설정하였다.

신희권[32]은 공주 수촌리 II지점 고분군에서 출토된 백제토기에 대하여 그 현황과 특징, 백제 한성지역과의 관계 등을 살펴보았다. 수촌리 토기의 기종 빈도는 광구장경호가 18점으로 가장 큰 비중을 차지하였고, 이에 광구장경호에 대한 분석을 시도하였다. 수촌리 광구장경호는 전체적인 기형에서는 한성지역의 것과 큰 차이가 없다고 볼 수 있다. 다만 수촌리 출토품은 한성의 중앙양식이 지방으로 전파되어 나름대로 지방색 색채를 띤 단계의 것으로 볼 수 있어 시간적으로 한성지역보다 후행하는 요소로 보았다.

조상기[33]는 청주지역 원삼국~백제시대 유적 가운데 청주의 중앙에 위치한 송절동·봉명 동·신봉동의 고분유적 출토 토기 복합체를 분류하여 기종에 따라 형식을 분류하고 기종 및 형식에 따른 출토상황을 살펴 분기 설정의 기준을 마련하고자 하였다. 광구장경호는 경부에 돌려진 돌대 또는 침선의 유무에 따라 경부에 돌대나 침선이 돌려지지 않은 것은 A형이고, 경부에 돌대나 침선이 돌

---

32) 충청남도역사문화연구권, 2007, 『공주 수촌리 유적』; 신희권, 2014, 「공주 수촌리 토기의 계통연구」, 『백제문화』50, 공주대학교백제문화연구소.

33) 조상기, 2014, 『청주지역 3~5세기 토기의 전개양상과 정치체의 변동』, 단국대학교 박사학위논문.

려진 것을 B형으로 구분하였다.

이상의 연구현황을 정리하면 <표 2>와 같다.

3. 편년

광구장경호는 주로 백제 한성기에 성행하고, 5세기 무렵 금강 중·하류지역의 분묘 유적에서 빈출하고 있어 이 지역 백제토기의 상대적 변천을 이해하는데 주요한 기종으로 인식되고 있다. 광구장경호의 형식적인 변화상은 구연부의 형태, 경부의 외반도, 경부의 돌대유무 등이 주요 변화 속성으로 파악되고 있다. 대부분의 연구자는 시기가 내려갈수록 경부가 상대적으로 길어지면서 경부의 외반도가 커지고, 경부의 돌대도 무→유로 변화한다고 이해하고 있다.

광구장경호의 초출시점에 대해서는 한성백제의 대표적인 유적인 석촌동고분, 몽촌토성을 볼 때 3세기 중후반에서 4세기 전반대에 등장하는 것으로 보았다.

성정용은 중서부지역에서 한강유역에서 발생한 백제양식토기가 본격적으로 매납되는 시점이 관찰되는데 광구장경호가 부장되고 있어 백제양식토기 확산의 표지로 할 수 있다고 하였으며 그 시기를 4세기 중후반으로 편년[34]하고 있다.

土田純子는 중국자기와의 공반관계를 통해 4세기 4/4분기~ 5세기1/4분기로 비정된 수촌리유적 1호 출토품과 대가야토기의 공반관계로 5세기3/4분기로 비정된 황산리 고분군 1호분 출토품이 기준이 된다고 하였다. 수촌리 출토품보다 목이 짧은 서울 풍납토성 대진·동산연립주택부지 나-Tr 井址 출토품은 4세기 4/4분기에 해당하는 것으로 보며, 초출시기를 475년 이전으로 비정[35]하였다.

34) 성정용, 2000, 『중서부 마한지역의 백제영역화과정 연구』, 서울대학교 박사학위논문.
35) 土田純子, 2014, 『백제토기 동아시아 교류편년 연구』, 서경문화사.

〈표 2-1〉 연구자별 광구장경호 속성 변화상 및 형식분류

속성 / 연구자	구연부 형태	경부 외반도	경부 돌대유무	등장시기	변화상
박순발 (1992)		외반도 작은 것 → 목이 길어지면서 외반도 증가	무 → 유	한성백제	
임영진 (1996)			무 → 유	석촌동Ⅲ기 몽촌 Ⅰ기 미사리 Ⅲ기	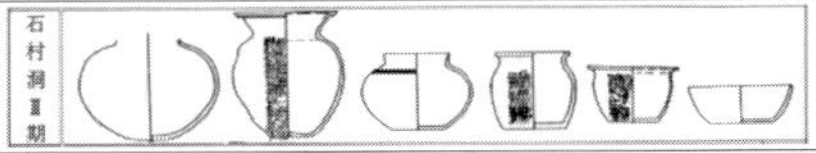 石村洞Ⅲ期
성정용 (1998 ; 2000)			무 → 유 돌대무문 → 돌대격자, 승문	신봉동 Ⅰ기 -4세기후엽	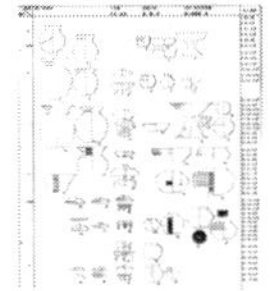 표정리 고분군 토기 편년 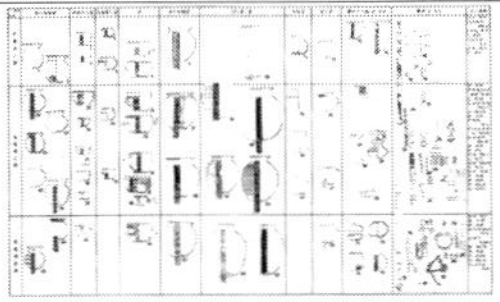 신봉동 고분군 토기 편년
신종국 (2002)			무 → 유, 돌대파상문		
한지선 (2003)	구순부에 凹面가해짐		경부에 파상문 시문으로 변화		
최영주 (2006)				5세기 후반 ~ 6세기 초반	
김은경 (2009)				4세기 후반경	
조용호 (2005)	구순 상부 홈 → 구순 둥글게 처리	구경부 길어짐	무 → 유, 돌대파상문	미호천유역 Ⅲ단계 - 5세기 중반	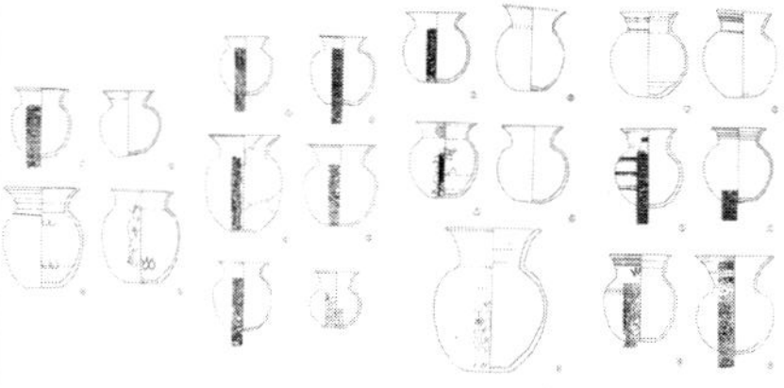 Ⅰ류 Ⅱ류 Ⅲ류 Ⅳ류

〈표 2-2〉 연구자별 광구장경호 속성 변화상 및 형식분류

속성 / 연구자	구연부 형태	경부 외반도	경부 돌대유무	등장시기	변화상
조은아 (2010)		외반도 크지 않음 → 외반도 커짐	무 → 유, 돌대파상문	송원리 Ⅲ기	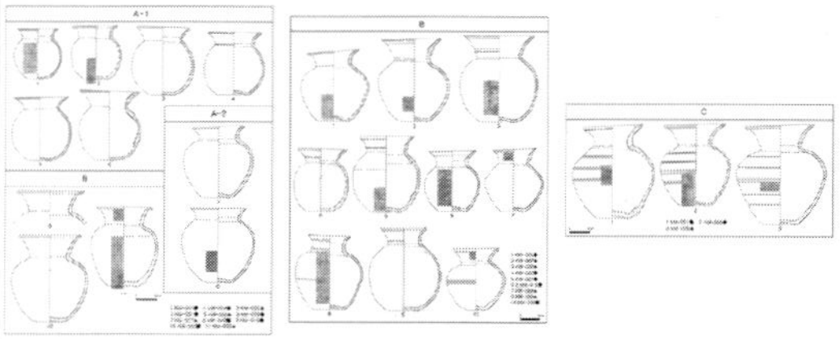
이현숙 (2011)		목외반도 30미만 → 목외반도 45이상			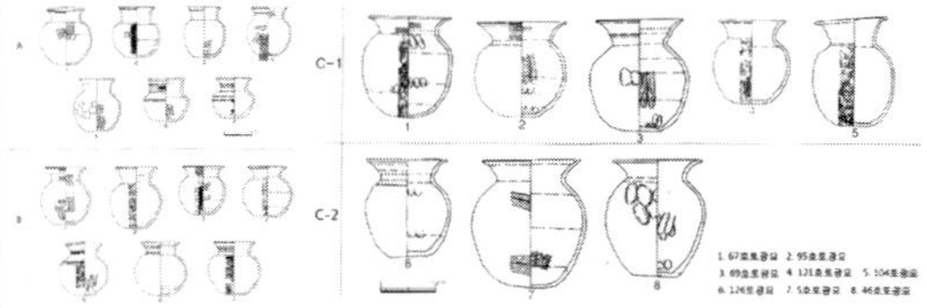
土田純子 (2014)	구연 직선, 구연단 둥글게 → 구연단 홈이 생김	시기 내려갈수록 경부가 길어짐	무 → 유, 문양시문	4세기4/4분기	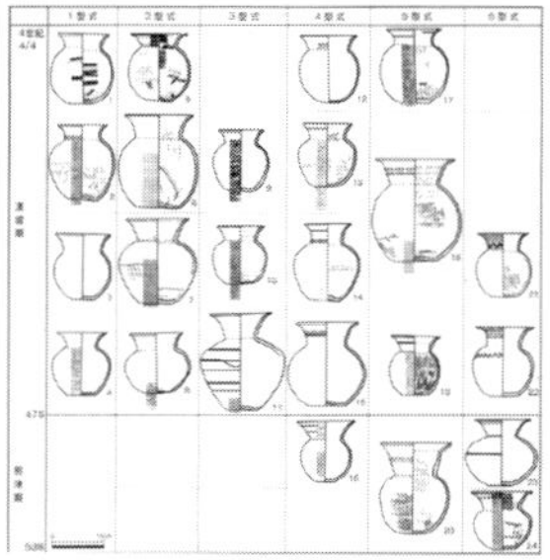

〈표 2-3〉 연구자별 광구장경호 속성 변화상 및 형식분류

속성 / 연구자	구연부 형태	경부 외반도	경부 돌대유무	등장시기	변화상
공주 수촌리 보고서 (2007)			돌대 장식으로 변화	한성기 후기	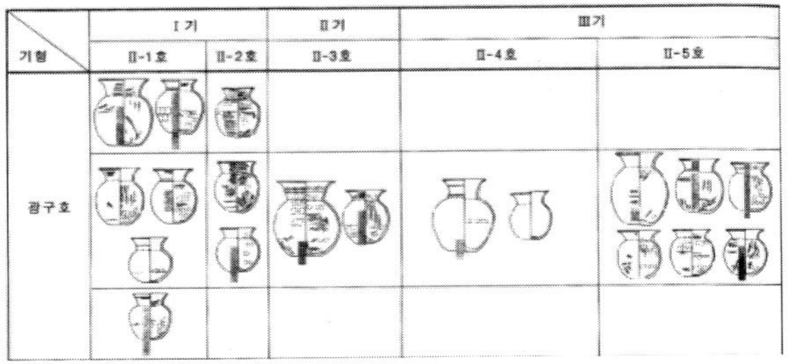 기형 / I기: II-1호, II-2호 / II기: II-3호 / III기: II-4호, II-5호 / 광구호
조상기 (2014)	경부 길게 외경 → 직립하는 경부 끝에서 구연부가 외반		무 → 유	청주지역 III기 등장 -5세기 전엽	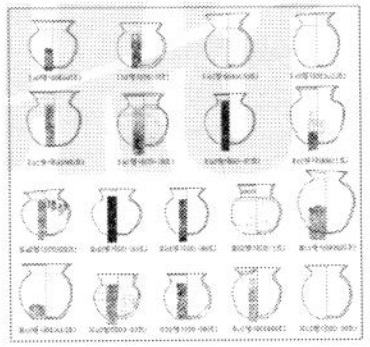 A형 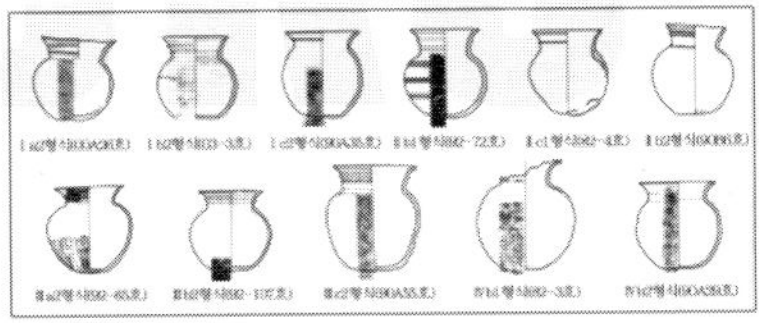 / B형

상한에 대하여 연구자마다 견해가 조금씩 다르게 나타나고 있는 바 한성백제의 대표적인 유적인 몽촌토성, 풍납토성, 석촌동 고분군과 금강유역에서 확인되는 신봉동고분군, 표정리 고분군, 수촌리 고분군 등의 출토품을 중심으로 면밀한 검토가 요구된다.

하한은 초출문제와 다르게 대부분 연구자들이 6세기1/4 분기 정도로 추정하고 있다.

土田純子는 웅진기로 중국 자기와의 공반관계를 통해 5세기 3/4~4/4분기로 비정된 입점리 고분군 1호 출토품보다 경부가 상대적으로 길어진 공주 금학동 고분군 12호분 횡혈식 석실분 출토품이 백제 광구장경호의 하한에 해당하며 그 시기는 6세기 1/4분기로 비정[36]했다.

조용호는 금강유역권의 청원 주성리 2호 석곽묘 출토품은 대체적으로 금강유역권에서 가장 늦은 단계로 설정하고 있는데 그 시기를 5세기 말에서 6세기 초로 편년[37]하고 있다.

Ⅳ. 맺음말

광구호는 용어에 대한 정의나 기형의 형식학적 변화를 중심으로 연구가 이루어져 왔다. 용어문제는 모든 연구자들이 '광구, 평저'라는 광구호가 가진 특징을 이해하고는 있지만 토기 속성의 기준점을 중심으로 좀 더 명확한 논의가 이루어져야 할 것으로 보인다.

36) 土田純子, 2014,『백제토기 동아시아 교류편년 연구』, 서경문화사.
37) 조용호, 2005,「미호천유역 백제한성화 과정 연구」,『연구논문집』창간호, 중앙문화재연구원.

기형의 형식학적 변화는 연구자들에 의해 시간적인 순서는 정해진 것으로 판단된다. 다만 광구호를 고분의 변화상을 밝히는 보조수단으로 연구하였다. 이에 지역을 포괄하는 단일 기종으로서의 연구가 이루어져야 할 것으로 판단되며, 기원이나 지역별 특징을 중심으로 연구가 이루어져야 할 것으로 보인다.

광구장경호는 다양항 용어의 사용이나 기형의 형식학적 변화를 중심으로 초출시기에 대한 편년 중심으로 연구가 진행되었다. 용어에 있어서 대부분의 연구자가 광구장경호라 명명하고 있지만 일부 광구호, 외반광구장경호 등으로 불리고 있어 명칭에 대한 명확한 제시가 이루어져야 할 것으로 보인다. 자칫 잘못하면 영산강유역에서 빈출하고 있는 광구호, 평저광구호와 혼돈을 유발할 수 있다. 이들 기종은 기형적, 시기적으로 아주 상이한 차이를 보이고 있기에 같은 기종으로 인식은 불가하다고 판단된다.

기형의 형식학적 변화에 있어서 많은 연구자들이 광구장경호를 분묘자료의 편년을 위한 보조적인 자료로서 사용하고 있다. 백제토기의 대표적인 기종으로 인식하고는 있었으나 단일기종으로 분석작업이 이루어지지 않은 상태이다. 우선적으로 백제기 전체적으로 형식적인 변화상을 수립하여 편년의 중심축을 형성해야 할 것으로 판단된다. 기형의 전체적인 변화상은 연구자마다 인지하고 있으나 많은 유적에서 출토되고 있는 상황에서 지역별로 세분되고 있어 초출시기나 유구간의 연관성이 결여되어 있기 때문이다.

광구장경호는 한성기에서 웅진기에 걸쳐 출토되는 백제토기의 대표적인 기종으로 집중적으로 출토되는 지역을 중심으로 지역권별 특징을 살펴보는 것도 이루어져야 한다고 생각된다. 더불어 한성백제 중앙과 지방과의 관계에 있어서도 지방에 한성백제양식의 토기가 첨가되면서 기존 토착세력의 변화를 가져와 지방의 백제 문화 성립과정을 밝히는 자료로서 역할을 가지고 있다고 생각된다.

조형토기

조규희 아시아문화원

Ⅰ. 머리말

조형토기는 해남 군곡리패총 발굴조사를 통해 발견되어 "유대각배(有臺角杯)"라 명명하여 처음 보고되었다[1]. 이후 발굴조사를 통해 지속적으로 조형토기가 확인되었으나 그에 대한 연구는 거의 이루어지지 않은 실정이다. 단일 개체로서 조형토기만을 연구한 자료는 마한·백제지역 출토 조형토기를 실용기로 사용했을 가능성을 염두에 두고 제작실험을 통해 용도를 추정한 논문[2]과 호남지역 출토 조형토기를 대상으로 형식분류 및 편년을 시도하고 성격 및 용도를 제시한 논문[3]이 있다. 그러나 최근까지 조형토기 출토 개체수가 상당 수 누적되었고, 주거지 출토 사례도 증가함에 따라 세부편년 및 용도와 기능에 대한 검토의 필요성이 제기되고 있다.

본 글에서는 기존의 연구현황 및 마한·백제지역 조형토기 출토 유적·유물에

1) 崔盛洛, 1987,『海南 郡谷里貝塚 I』, 木浦大學校博物館, p.35.
2) 노미선, 2012,「마한·백제지역 조형토기의 기능연구」,『湖南文化財研究』13, 湖南文化財研究院.
3) 김영희, 2013,「호남지방 鳥形土器의 성격」,『湖南考古學報』44, 湖南考古學會.

대하여 정리하고 간략한 편년 검토 및 선행 연구성과를 보완하기 위한 향후 연구과제를 제시하고자 한다.

Ⅱ. 연구현황

단일 개체로서 조형토기를 연구한 사례는 많지 않으나 크게 편년과 기능을 중심으로 연구가 이루어졌다. 먼저 조형토기의 명칭을 살펴보면 해남 군곡리패총에서 처음 발견되어 유대각배로 보고된 이후에 이형토기[4], 조형토기[5] 등으로 보고되어 왔다. 최근에는 대부분의 연구자들이 조형토기라는 명칭을 사용하고 있으며 각 부의 명칭은 <그림 1>과 같다.

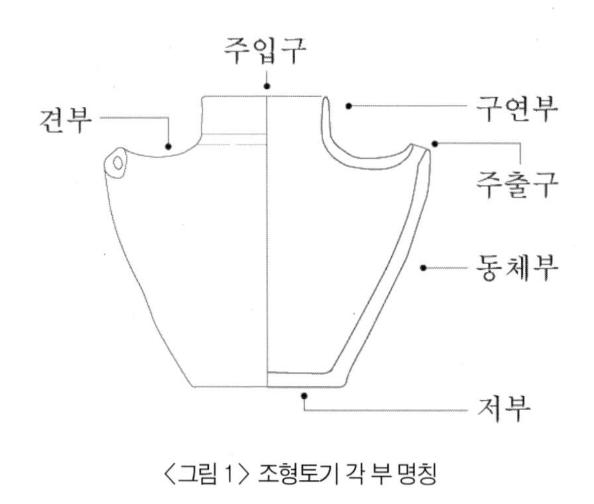

<그림 1> 조형토기 각 부 명칭

4) 崔盛洛, 1989,『海南 郡谷里貝塚Ⅲ』, 木浦大學校博物館. p.33.
5) 최성락·이영철·한옥민·김영희, 2001,『영광 군동유적』, 목포대학교박물관.

조형토기의 편년을 연구한 논문은 1편으로 김영희[6]는 조형토기의 변화를 크게 3기로 구분하였는데 1기는 조형토기가 등장하는 시점으로 경질무문토기와 복골, 연질타날문토기가 공존하는 단계이다. 2기는 경질무문토기가 확인되지 않고 이중구연호, 원저단경호, 장란형토기, 고식옹관 등 다양한 유물이 등장하면서 조형토기 역시 확산과 발전을 이루는 단계이다. 3기는 유공광구호와 외래적 요소가 강한 회청색 경질토기가 공반하면서 조형토기 역시 경질화되며 출토 빈도수는 점차 낮아지는 쇠퇴기로 보았다. 그러나 조형토기는 다른 토기에 비하여 출토된 수량이 매우 적고, 공반유물이 뚜렷하지 않아 세부적인 편년작업이 이루어지지 않았다. 또한 시간축을 설정할 수 있는 뚜렷한 형태적 속성을 찾기 어렵다는 문제점이 있다.

조형토기의 기능을 단독으로 연구한 논문 역시 1편이나 기능에 대해 간략하게라도 언급한 사례까지 살펴보고자 한다. 가장 먼저 해남 군곡리패총 보고서에서는 보고자가 직접 한쪽 구멍에 입을 대고 불어보는 실험을 통해 소리를 내기 위한 신호기로 추정하였다[7]. 그러나 일부 조형토기는 한 쪽 끝에만 주출구가 뚫려 있기도 하며, 실용기보다는 제의적 성격이 강한 유물로 추정하는 견해도 있다[8]. 이와 관련해 조형토기가 의식을 거행할 때 사용되는 신성수 또는 정화수 등의 물을 담아 따르는 기능을 했을 것으로 보기도 한다[9]. 또한 조형토기의 형태적 특성을 토대로 새와 관련된 유물은 풍요를 기원하는 신앙활동과 관련이 있을 것이고, 단일 유적 내에서도 1~2점만 확인되는 희소성이 있기 때문에 제의적

---

6) 김영희, 2013, 앞의 글.

7) 崔盛洛, 1989, 앞의 글, p.33.

8) 이상균, 2001, 「韓半島 先史人의 죽음관」, 『先史와 古代』 16, 韓國古代學會.

9) 국립김해박물관, 2004, 『영혼의 전달자』.

요소가 강하며 액체를 따르는 용기로써의 기능을 했던 것으로 추정한다[10]. 최근에는 실험을 통해 조형토기의 기능을 살펴본 연구[11]도 이루어졌다. 제작실험을 통해 신호기나 악기로 사용하였을 것으로 추정한다. 또한 담양 태목리 65호 주거지 출토 조형토기 내벽에서 유기물 추정 찌꺼기가 관찰되어 기름용기로 사용하였거나, 기름으로 피막을 만든 후 액체를 담았을 가능성도 제기되었다.

Ⅲ. 출토유적 및 유물 현황

마한·백제권 출토 조형토기는 25개소 유적(박만식 기증품 1점 포함)에서 33점이 출토되었다(그림 2). 금강유역부터 섬진강유역까지 넓게 분포하고 있으며 그 중에서도 영산강유역에서 출토된 조형토기는 19점으로 가장 집중하여 분포하고 있다. 유구별로는 패총에서 2점, 분묘 9점, 주구 4점, 주거지 16점, 구1점, 소장품 1점 등으로 나눌 수 있다(표 1). 조형토기는 소량 출토된다는 점, 형태적으로 '새'를 닮았다는 점 등을 통해 제의성이 강한 유물로 인식되고 있으나, 중심묘제보다는 주변묘제인 토광이나 옹관에서 확인되며 분묘보다는 주거지 출토량이 높다는 점이 특징이다. 이러한 양상을 일반적으로 이른 단계에서는 분묘에서 출토되고 이후에는 주거지에서 확인되는 경향으로 보기도 한다[12].

10) 김영희, 2013, 앞의 글, p.103.
11) 노미선, 2012, 앞의 글.
12) 김영희, 2013, 앞의 글, p.82.

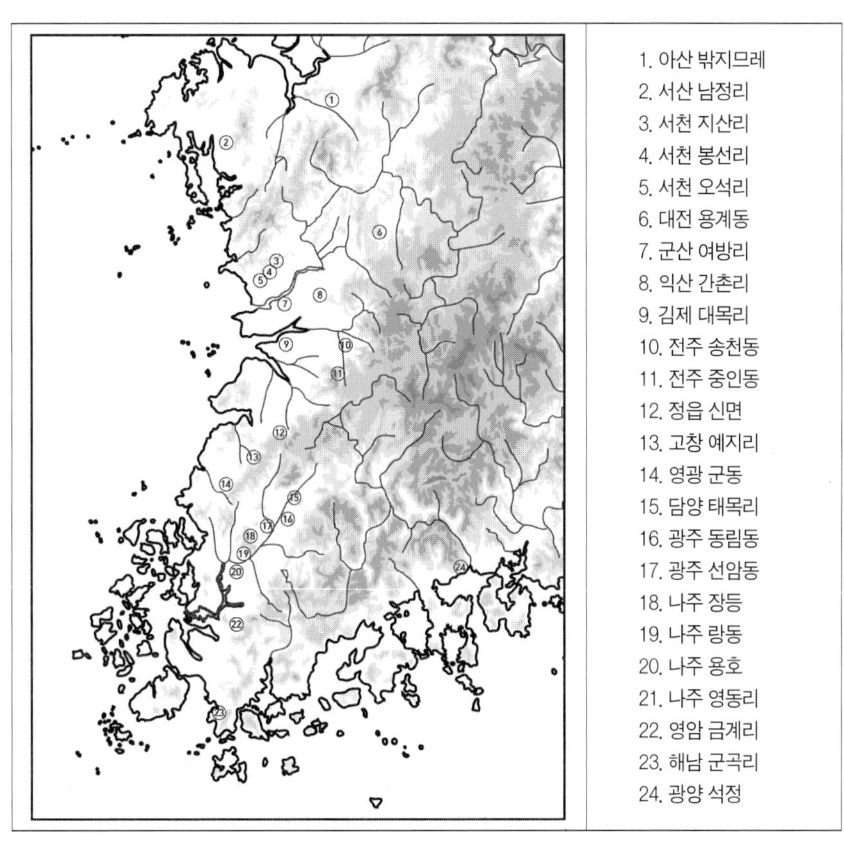

〈그림 2〉 조형토기 출토 유적 분포도

Ⅳ. 편년 및 향후 연구과제

조형토기 각각의 형태적 특성을 살펴보면 해남 군곡리패총 출토품 2점은 그 외 출토품과는 다르게 주입구가 없다는 점이 가장 큰 특징이다. 해남 군곡리패총 출토품은 경질무문토기, 점토대토기, 골촉, 석촉 등과 공반하며 기원후 1세기 후반부터 2세기대에 해당하는 것으로 보인다. 이들은 주입구가 없기 때문에 전형적인 조형토기의 형태로 보기 어려우나 형태적 시원은 동일할 것으로 여겨지기 때문에 등장기의 조형토기로 보아도 무방할 것이다. 본격적인 조형토기의 형태를 갖춘 토기들은 2세기대부터 보이기 시작한다. 등장기에 해당하는 조형토기가 경질무문토기와 공반되었다면 이후 조형토기는 타날문토기와 공반한다.

〈표 1〉 마한 · 백제권 조형토기 출토 유적현황 및 공반유물

유적연번	개체연번	유적명	유구명	유구제원(cm)	조형토기높이(cm)	공반유물
1	1	아산 명암리 밖지므레유적	2-2지점 23호 주구토광묘	묘광 586*170~205*95	30.2	원저단경호, 원저직구단경호, 대부단경호, 유공직구호, 심발형토기, 원통형토기, 옹관, 옹관뚜껑, 철부, 철촉, 재갈, 마탁, 구슬류
2	2	서산 남정리유적	백제 분묘 발견품	-	19.5	-
3	3	서천 지산리유적	2-11호 주거지	-	9.8	-
4	4	서천 봉선리유적	3-II구역 10호 주거지	(160)*415*44	(16.6)	연질토기편, 경질토기편, 개배편, 파수
	5	서천 봉선리유적	3-II구역 5호 주구	(600)*60*32	(12.3)	단경호, 발형토기, 반형토기, 철준
5	6	서천 오석리유적	95-6호묘	-	-	-
6	7	대전 용계동유적	128호 주거지	463*(363)*44	(7.4)	-
7	8	군산 여방리 남전A	4호 주거지	-	-	-
8	9	익산 간촌리유적	3호 토광묘	328*124*26	18.1	외반구연호
9	10	김제 대목리유적	1호 주거지	610*520*35	(11.0)	심발형토기, 시루, 장란형토기, 호형토기, 파수부 토기, 토제 구슬틀, 어망추 등
10	11	전주 송천동유적 A지구	4호 주거지	600*560*50	(12.5)	발형토기, 천발형토기, 직구호, 단경호, 이중구연호, 주구토기, 대부호, 옹형토기, 두형토기, 방추차, 지석 등
11	12	전주 중인동유적	원삼국 5호 주거지	-	8.85	-
12	13	정읍 신면유적	B-5호 옹관묘	239*135*40 (옹관)190*72	(8.0)	호형토기, 옹형토기
13	14	고창 예지리유적	1호 옹관묘	130*90 (대옹)93*84 (소옹)82*70	9.6	-

14	15	영광 군동유적	A-6호 토광묘	(109)*87*15	8.0	단경호, 철겸, 철도자
15	16	담양 태목리유적	56호 주거지	297*265*40	(6.6)	발형토기, 주구토기, 단경호, 호형토기, 옹형토기, 개, 방추차
	17	담양 태목리유적	III-8호 주거지	(320)*296*15	(3.0?)	구연부 등
	18	담양 태목리유적	III-53호 주거지	(534)*424*5~15	(6.3)	호형토기, 장란형토기, 발형토기, 주구토기, 이중구연호 등
	19	담양 태목리유적	III-296호 주거지	(218)*328*(8)	(6.9)	-
	20	담양 태목리유적	IV-65호 주거지	501*442*(17)	11.8	-
16	21	광주 동림동유적	54호 주거지	360*(300)*10	(5.5)	발형토기, 개, 소호, 파수
	22	광주 동림동유적	52호 구	8600*130~240 *40~60	(6.5)	발형토기, 완, 뚜껑, 소호, 어망추, 아궁이틀, 파수 등
17	23	광주 선암동유적	아랫마을 66호 주거지	340*321*(10)	12.3	발형토기, 소형잔 등
18	24	나주 장등유적	주구 수습유물	-	8.0	-
19	25	나주 랑동유적	7호 주거지	941*941*24	(9.3)	발형토기, 소호, 개, 파수, 와형토제배수관, 관옥, 석촉 등
20	26	나주 용호고분군	14-3호 옹관	(대옹)54*44	9.0	양이부호
21	27	나주 영동리 고분	5호 옹관묘	-	9.6	-
22	28	영암 금계리유적	7호 주구토광묘 주구 동쪽	2200*895~1375 *155~310*15~45	(20.1)	(주변유물)호형토기, 이중구연호, 어망추 등
	29	영암 금계리유적	7호 주구토광묘 주구 서쪽	2200*895~1375 *155~310*15~45	(7.8)	-
23	30	해남 군곡리패총	A지구 C2Pit 4층	-	10.5	(A지구 출토품) 무문토기, 경질무문토기 등
	31	해남 군곡리패총	III기층(8층)	-	4.5	무문토기, 경질무문토기 등
24	32	광양 용강리 석정유적	9호 주거지	(280)*(510) *(28~42)	11.7	발형토기, 장란형토기, 단경호, 파수, 파배, 지석, 철겸, 철토자, 용도미상 청동기 등
25	33	박만식 기증품	부여박물관 소장	-	13.2	-

조형토기가 본격적으로 확산되면서 다양한 형태가 확인되는데 영암 금계리 출토품이 그 대표적인 예이다. 세부적인 속성은 제외하고 크기만을 보았을 때 약 2배 정도 차이가 나는 출토품이 7호 주구토광묘 주구 내 옹관 주변에서 2점 확인되었다. 주구 동쪽에서 확인된 조형토기는 호형토기, 이중구연호, 어망추 등과 공반되었으나, 주구 서쪽에서 확인된 조형토기는 공반유물이 없다. 그

러나 비슷한 시기에 사용되었던 것으로 보이며 이는 일정한 형식의 조형토기가 제작된 것이 아님을 보여주는 사례이다. 이처럼 다양한 형태의 조형토기는 3~4기대에 걸쳐 넓은 범위에서 확인된다.

조형토기는 5세기대부터 점차 소멸하는 양상을 보이는데 이 시기에 조형토기는 경질화가 이루어진다. 또한 대부분 생활유적에서 소량 출토되는데 광주 동림동유적 출토품이 대표적이다. 동림동 54호 주거지 및 52호 구 출토품은 발형토기, 개, 완, 소호 등과 공반하여 비슷한 시기 나주 랑동유적 7호 주거지 출토품은 발, 호, 개 등과 공반한다.

조형토기는 다른 토기에 비하여 개체수가 매우 적으며, 온전한 형태를 파악할 수 있는 완형품도 많지 않기 때문에 세부적인 편년이 이루어지지 않았다. 기존에 연구된 편년안을 참고하였을 때, 형태적인 특성이 시간성을 완벽하게 반영한다고 보기는 어렵다. 또한 조형토기는 아직까지 그 기원과 기능에 대하여 다각적인 연구가 부족한 편이나 대부분 제의적 성격으로 사용되었을 것이라고 보고 있다. 그러나 출토상황을 검토하였을 때 분묘유적보다는 주거지, 구 등 생활유적에서 출토비율이 높기 때문에 기능에 대한 면밀한 검토가 이루어져야 한다. 물론 생활유적에서 출토되는 개체수가 많다고는 할 수 없기 때문에 왜 이러한 출토양상을 보이는가에 대한 분석과 해석이 먼저 필요하다.

이러한 점들을 보완하기 위해 선행연구에 포함되지 못한 조형토기 전체를 대상으로 공반유물 및 출토양상 등을 면밀히 검토하여 보다 구체적인 편년안을 작성하는 것을 1차적 과제로 삼고자 한다. 더불어 왜 이러한 모양으로 만들었을까에 대한 형태적 시원을 찾고, 어떠한 기능을 하였을지 구체적인 용도 추정에 관한 연구를 진행하고자 한다.

〈표 2〉 마한·백제권 조형토기 출토 현황 일람

연번	유적명	출토유구	보고서 명칭	높이(cm)	도면 / 사진
1	아산 명암리 밖지므레유적	2-2지점 23호 주구토광묘	계형토기	30.2	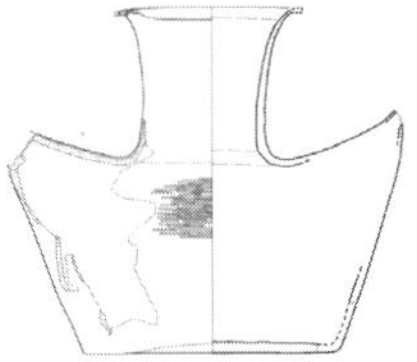
2	서산 남정리유적	백제 분묘 발견품	닭모양토기	19.5	
3	서천 지산리유적	2-11호 주거지	·	9.8	
4	서천 봉선리유적	3-II구역 10호 주거지	계형토기	(16.6)	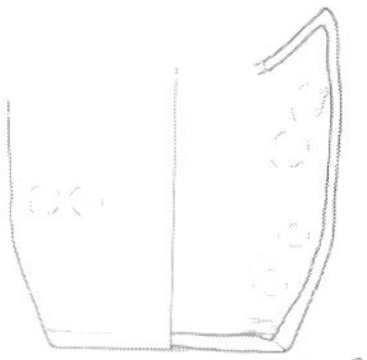
5	서천 봉선리유적	3-II구역 5호 주구	계형토기	(12.3)	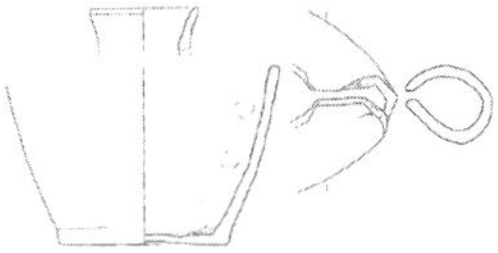
6	서천 오석리유적	95-6호묘	·	·	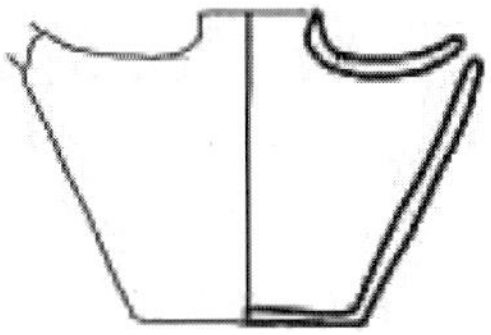

연번	유적명	출토유구	보고서 명칭	높이(cm)	도면 / 사진
7	대전 용계동유적	128호 주거지	·	(7.4)	
8	군산 여방리 남전A	4호 주거지	·	·	·
9	익산 간촌리유적	3호 토광묘	이형토기	18.1	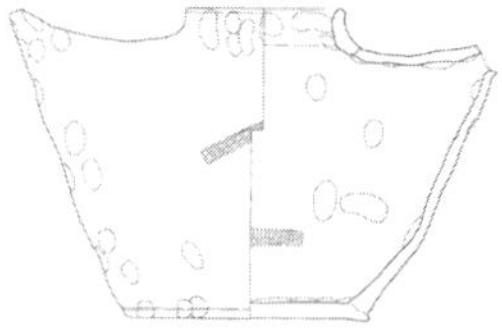
10	김제 대목리유적	1호 주거지	구연부 / 조형토기	(4.4) / (11.0)	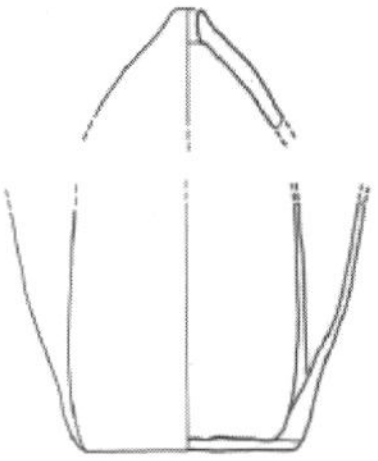
11	전주 송천동유적 A지구	4호 주거지	조형토기	(12.5)	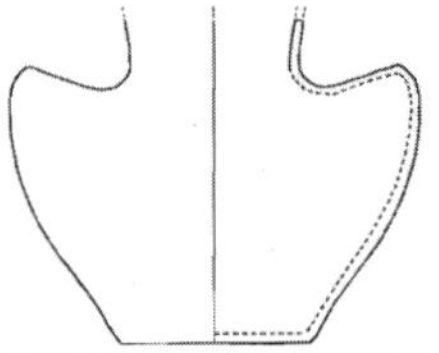
12	전주 중인동유적	원삼국 5호 주거지	조형토기	8.85	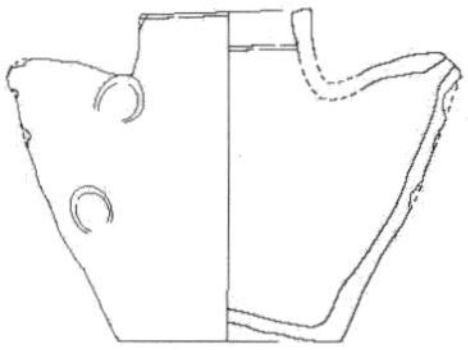
13	정읍 신면유적	B-5호 옹관묘	조형토기	(8.0)	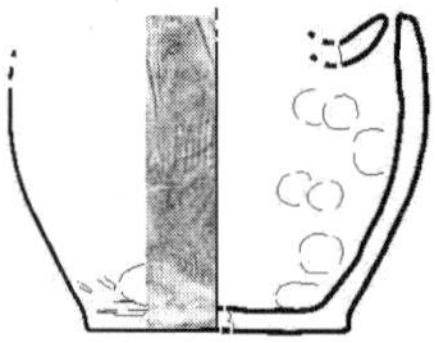

연번	유적명	출토유구	보고서 명칭	높이(cm)	도면 / 사진
14	고창 예지리유적	1호 옹관묘	조형토기	9.6	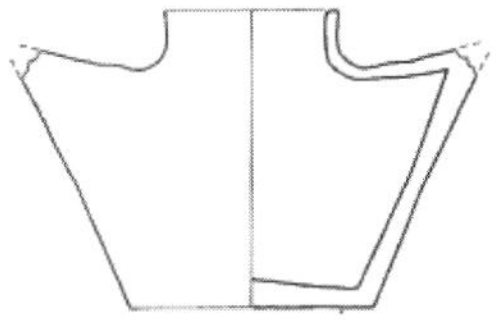
15	영광 군동유적	A-6호 토광묘	조형토기	8.0	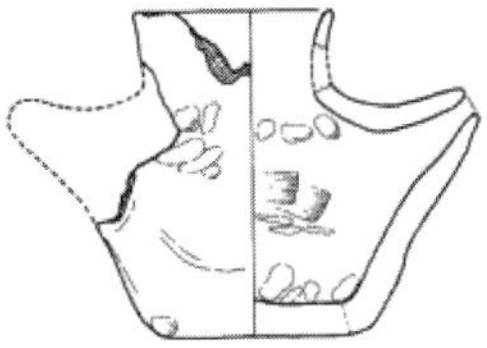
16	담양 태목리유적	56호 주거지	조형토기	(6.6)	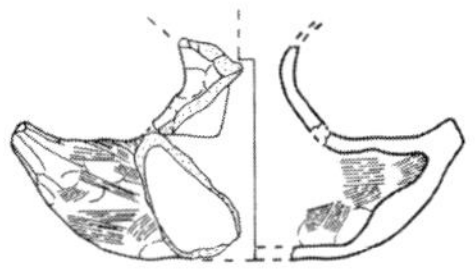
17	담양 태목리유적	III-8호 주거지	조형토기	(3.0?)	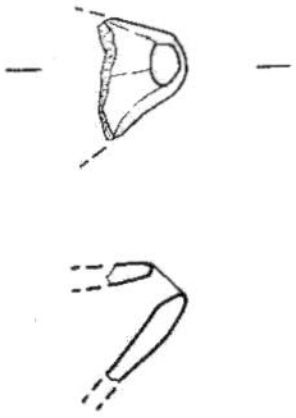
18	담양 태목리유적	III-53호 주거지	조형토기	(6.3)	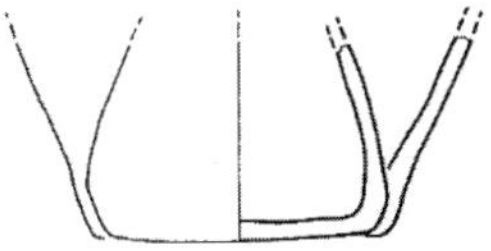
19	담양 태목리유적	III-296호 주거지	조형토기	(6.9)	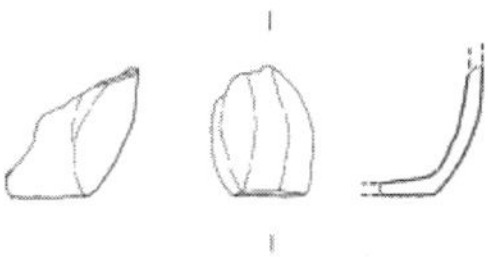

연번	유적명	출토유구	보고서 명칭	높이(cm)	도면 / 사진
20	담양 태목리유적	Ⅳ-65호 주거지	조형토기	11.8	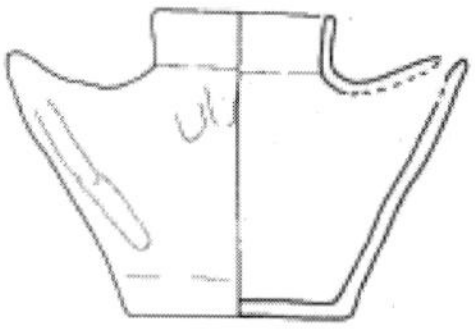
21	광주 동림동유적	54호 주거지	조형토기	(5.5)	
22	광주 동림동유적	52호 구	조형토기	(6.5)	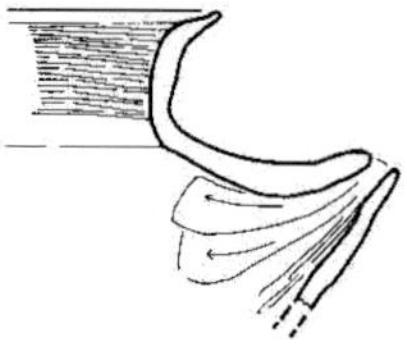
23	광주 선암동유적	아랫마을 66호 주거지	조형토기	12.3	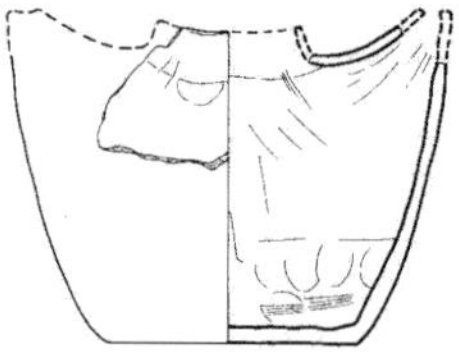
24	나주 장등유적	주구 수습유물	조형토기	8.0	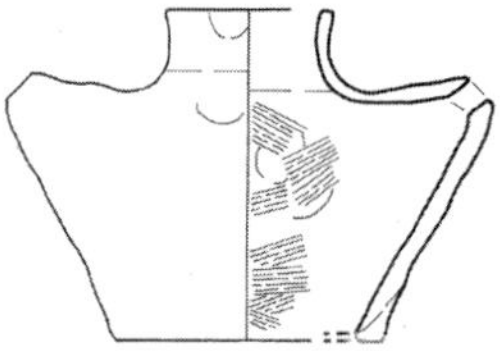
25	나주 랑동유적	7호 주거지	조형토기	(9.3)	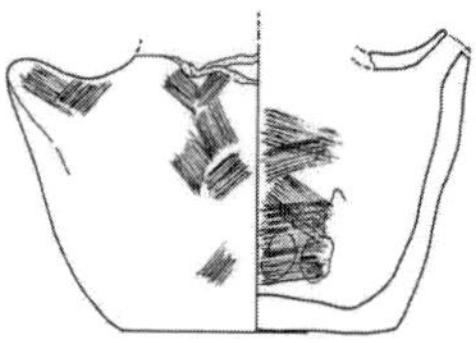

연번	유적명	출토유구	보고서 명칭	높이(cm)	도면 / 사진
26	나주 용호고분군	14-3호 옹관	조형토기	9.0	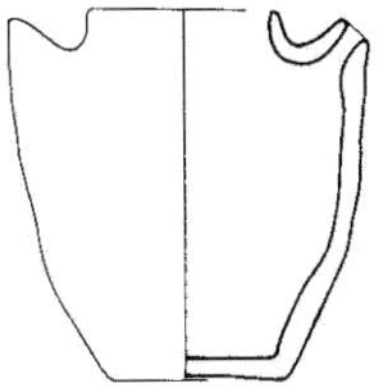
27	나주 영동리 고분	5호 옹관묘	.	9.6	
28	영암 금계리유적	7호 주구토광묘 주구 동쪽	조형토기	(20.1)	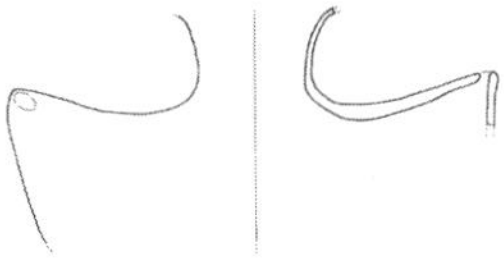
29	영암 금계리유적	7호 주구토광묘 주구 서쪽	조형토기	(7.8)	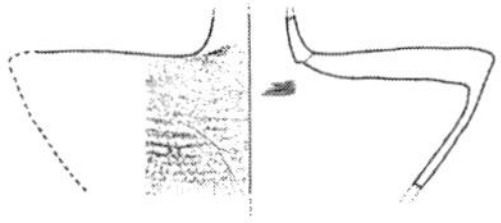
30	해남 군곡리패총	A지구 C2Pit 4층	이형토기	10.5	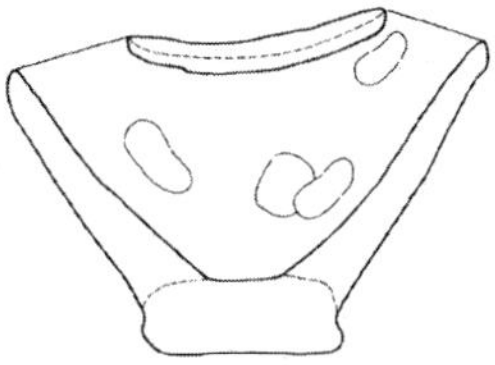
31	해남 군곡리패총	III기층(8층)	유대각배	4.5	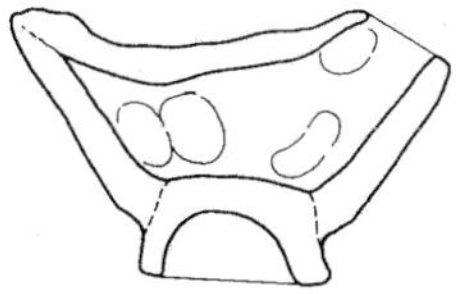

연번	유적명	출토유구	보고서 명칭	높이(cm)	도면 / 사진
32	광양 용강리 석정유적	9호 주거지	조형토기	11.7	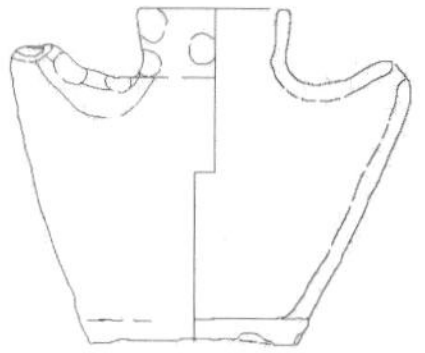
33	박만식 기증품	부여박물관 소장	이형토기	13.2	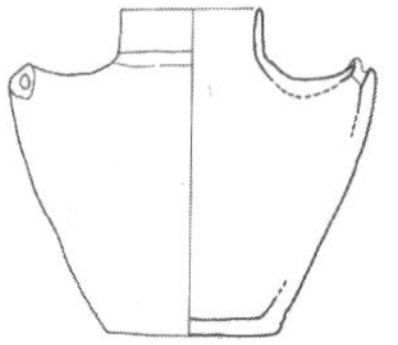

개배와 유공광구호

오동선 국립나주문화재연구소

Ⅰ. 개배

개배는 배 위로 개가 포개지는 기종으로 별도의 손잡이는 부착되어 있지 않다. 영산강식 토기의 대표 기종 중 하나로 마한·백제권 전역에서 확인된다. 한성기에는 주로 배만 확인되는데, 실생활 용기로서 배식기로 사용된 것으로 보인다. 웅진기 이후에는 개와 배의 조합이 정형화되고 주로 매장의례와 관련한 음식물 공헌용으로 사용되면서 매장주체시설이나 주구에 다량 매납된다.

영산강유역의 개배는 5세기 중후엽경부터 대형고분의 매장의례에 사용되면서 크게 성행한다. 6세기 중후엽 이후에는 사비기 석실의 도입, 대형옹관의 소멸 등으로 영산강유역 토착문화가 쇠퇴하는 가운데, 개배가 다시금 하나의 형식으로 통일되어 일시적으로 유행하다가 소멸하는 것으로 확인된다.

따라서 개배는 5~6세기 한강, 금강, 영산강유역에 이르는 백제의 영역변천 과정과 연동되어 당시 백제 중앙과 주변지역간의 관계를 파악해 볼 수 있는 중요 기종이라 할 수 있다. 특히 다양한 문화가 공존하는 영산강유역의 정세를 가늠해 볼 수 있는 자료로도 매우 유용하다.

연구 초기에 개배는 백제 토기 중 하나로서 일본 스에키와의 관련성이 제기

[1]되었고, 영산강유역양식 토기문화의 최종적인 성립을 백제 중앙의 토기 양식인 개배의 등장[2]으로 보기도 했다. 이후 진일보한 연구로서 당시까지 마한·백제권의 전체 개배를 대상으로한 형식 분류가 시도되었고, 유구 종류별 출토 양상과 한강유역에서 영산강유역까지의 지역적인 특징을 밝히는 연구[3]도 진행되었다. 이 과정에서 개배의 연원이 중국 연하도의 전국시대 말기 유적일 가능성도 제기[4]되었다.

복암리 3호분 발굴조사 이후에는 개배 형식간의 층위에 따른 변화과정이 잘 확인되어 영산강유역을 중심으로 많은 연구가 이루어지고 있다. 이와 함께 나주 오량동 옹관요지, 나주 신가리 당가요지, 광주 행암동 유적과 같은 토기 생산 유적이 확인되어 유구간 교차편년은 물론 생산과 유통 문제에도 접근할 수 있게 되었다. 이를 통해 개배의 계기적인 변천과정이 설명되었고, 다양한 개배 형식의 발생과 변천과정에 대한 연구가 진행되었다[5]. 해석의 부분에서는 주요 고분의 편년과 관련하여 공반유물로 분석[6]하거나, 영산강유역 양식 토기의 성립

---

1) 尹武炳, 1979,「連山地方百濟土器硏究」,『百濟硏究』10, 忠南大學校百濟硏究所 ; 成洛俊, 1988,「榮山江流域 古墳出土 土器에 대한 一考察」,『全南文化財』創刊號, 전라남도 ; 酒井清治, 1993,「韓國出土の須惠器類似品」,『古文化談叢』30, 九州古文化硏究會.

2) 박순발, 1998,「4~6세기 영산강유역의 동향」,『第9回 百濟硏究 國際學術大會 百濟史上의 戰爭』, 忠南大學校百濟硏究所.

3) 金鐘萬, 2002,「百濟 蓋坏의 樣相과 變遷」,『考古學誌』13.

4) 金鐘萬, 2002,「百濟 蓋坏의 樣相과 變遷」,『考古學誌』13.

5) 김낙중, 2001,「Ⅶ. 考察(3. 출토유물)」,『羅州 伏岩里 3號墳』, 국립문화재연구소·全南大學校博物館·羅州市 ; 酒井清治, 2004,「5·6세기 토기에서 본 羅州勢力」,『百濟硏究』39, 忠南大學校百濟硏究所 ; 徐賢珠, 2006,「榮山江流域 蓋盃의 展開 樣相과 周邊地域과의 關係」,『先史와 古代』24, 韓國古代學會 ; 徐賢珠, 2012,「湖南西部地域 考古學資料를 통해 본 熊津期의 地方」,『百濟硏究』55, 忠南大學校百濟 硏究所 ; 吳東墠, 2009,「羅州 新村里 9號墳의 築造過程과 年代 再考-羅州 伏岩里 3號墳과의 비교 검토-」,『한국고 고학보』73, 한국고고학회.

6) 李映澈, 2001,『榮山江流域 甕棺古墳社會의 構造 硏究』, 慶北大學校大 學院 碩士學位論文 ; 박천수, 2011,「영산강유역 전방후원분에 대한 연구사 검토와 새로운 조명」,『한반도의 전방후원분』, 대한 문화유산연구센터.

과 당시의 정세가 백제 중앙과 긴밀히 관련되어 있음을 개배의 형태적인 유사성을 통해[7] 설명하기도 했다. 최근에는 특정 형식의 개배 분포를 백제의 확장[8]으로 보거나 토착 세력의 확장[9]으로 보기도 한다. 아울러 영산강유역에서 개배의 유행은 백제와 일본 스에키제작 기술이 당시의 정치적 역학관계와 맞물려 상호 영향을 주고받으면서 발전[10]한 것으로 보기도 한다.

〈표 1〉 개배 연구사

구분	기원, 상호 관련					형식 세분	지역권 설정	편년 자료 참고
	웅진 백제	스에키	한성 백제	중국 전국 시대	영산강 유역 완			
윤무병 1979	■	■						
성낙준 1988	■	■						
주정청치 1993	■	■						
박순발 1998			■					
김종만 2002				■		■		
김낙중 2001	■					■		
이영철 2001								■
주정청치 2004					■		■	
서현주 2006					■	■	■	
오동선 2009	■					■		■
박천수 2011								■
김낙중 2011		■			■	■	■	
오동선 2016		■	■	■		■	■	

7) 박순발, 1998,「4~6세기 영산강유역의 동향」,『第9回 百濟研究 國際學術 大會 百濟史上의 戰爭』, 忠南大學校百濟研究所 ; 朴淳發, 2001,「榮山江流域 前方後圓墳과 埴輪」,『한·일고대인의 흙과 삶』, 국립전주박물관.

8) 徐賢珠, 2006b,「榮山江流域 蓋盃의 展開 樣相과 周邊地域과의 關係」,『先史와 古代』24, 韓國古代學會 ; 徐賢珠, 2014,「마한·백제계 유물 연대론」,『영산강유역 고분 토목기술의 여정과 시간을 찾아서』, 대한문화재연구원.

9) 김낙중, 2012,「토기를 통해 본 고대 영산강유역 사회와 백제의 관계」,『湖南考古學報』42.

10) 김낙중, 2012,「토기를 통해 본 고대 영산강유역 사회와 백제의 관계」,『湖南考古學報』42.

이와 같은 개배연구의 전체적인 연구 경향을 살펴보면 복암리 3호분 발굴조사 이전에는 개배의 배를 대상[11]으로 한강유역에서 금강유역에 이르는 개배의 등장과 변천과정을 큰 틀에서 살피면서 백제를 중심에 두고 당시 정세에 대한 해석의 문제에 접근하고 있다. 이러한 경향은 복암리 3호분 발굴조사 이후부터 변화한다. 영산강유역에서 개배의 출토량이 많아지면서 영산강유역 개배 자체의 특징과 의미에 대한 연구가 진행되고 있다. 개와 배가 셋트로 출토되는 양이 많아지면서 개배를 동시에 다루거나 배 보다는 개에 대한 연구가 좀 더 많은 비중을 차지하고 있다. 나아가 개배의 형식적인 특징과 변천상을 명확히하기 위해 개만을 대상으로한 연구도 진행[12] 되었다.

현재까지 개배와 관련한 연구는 영산강유역 출토품을 대상으로 많은 연구가 이루어졌기 때문에 영산강유역 개배 연구를 자세히 살펴보면, 먼저 김낙중[13]은 나주 복암리 3호분 발굴조사 결과 확인된 층서관계를 바탕으로 개배의 변천상을 제시했다. 개배의 변천 분기는 복암리 3호분 축조순서에 맞춰 방대형 분구 조영 이전의 매장시설 출토품을 선행기, 방대형 분구 조영 과정 중 동시에 축조된 매장시설 출토품을 1기, 방대형 분구 조영 완료 이후 축조된 매장시설 출토품을 2기로 설정했다. 이에 따라 각 시기에 해당하는 개배의 형식은 Ⅰa형, Ⅰb, c, d형, Ⅱa형, Ⅱb형, Ⅲ형으로 구분했다. Ⅰ형은 상대적으로 얇은 기벽, 태토내의 흑색알갱이, 완만한 호형의 신부, 날카로운 드림턱과 홈, 드림부 끝단이 평

11) 연구 초기에는 개배의 시원이 완에 있다는 점에 큰 이견이 없었고, 연속선상에서 개배의 배가 중시되었던 것으로 보인다. 아울러 개배의 변화상을 살피면서 백제 중앙과 주변지역에 대한 비교연구를 진행하기 위해 배에 대한 분석이 주로 이루어졌던 것으로 생각된다.

12) 吳東墠, 2009, 「羅州 新村里 9號墳의 築造過程과 年代 再考-羅州 伏岩里3號墳과의 비교검토-」, 『韓國考古學報』73.

13) 김낙중, 2001, 「Ⅶ. 考察(3.출토유물)」, 『羅州 伏岩里 3號墳』, 국립문화재연구소·全南大學校博物館·羅州市.

면인 기형으로 영산강유역 초기대형 석실의 등장과 함께 나타나는 것으로 보고 있다. 이 형식이 영산강유역에 등장하는 배경은 백제의 지방지배 확대와 함께 기술적 전통이 전해진 것으로 본다. 시기는 5세기 중후엽 ~ 6세기 중엽이다. Ⅱ형은 상대적으로 두터운 기벽, 흑회색이나 회청색의 경질, 신부 평탄면, 선상자국을 특징으로 하며 나주 반남고분군의 개배와 연결되는 재래 형식으로 추정하였다. 시기는 5세기 후엽 ~ 6세기 중엽이다. Ⅲ형은 짧고 내경하는 드림부, 납작한 신부를 특징으로 하며 대부분 사비기 석실에서 확인된다. 시기는 6세기 중후엽이다. 이 견해는 당시까지 보고된 개배 자료와 복암리 3호분 출토품을 중심으로 이루어졌기 때문에 나주 오량동 옹관요지와 신가리 당가요지 자료는 포함되지 않았다. 그러나 김낙중[14]의 개배 Ⅰ, Ⅱ, Ⅲ형식은 이후의 개배 연구에서도 큰 틀에서 유지된다.

酒井清治[15]는 개배의 생산과 유통을 고려하면서 영산강유역 내에 독자적인 세력기반이 존재하고 있었을 가능성을 제시했다. 개별 형식에 치중하지 않고 와질계-나주계, 백제계, 고창계, 스에키계로 나누어 각 계통의 특징과 상호 관계를 설명했다. 특히 나주 신가리 당가요지에서 출토된 개배를 백제계로 설정했다. 이 백제계 토기는 영산강유역 전역에 공급되지만 고창, 광주, 나주지역은 재지의 토기문화가 다른 지역으로 공급되지 않는 경향이 있다고 보고 영산강유역권 내에 독자적인 세력 기반을 상정했다. 이렇게 酒井清治의 연구는 당시까지 이 지역에서 크게 논의 되지 않았던 토기의 생산과 유통 연구를 통해 영산강유역 내에서 세부 권역 설정이 가능하다는 점을 인지시켰기 때문에 그 의미가

14) 김낙중, 2001, 「Ⅶ. 考察(3. 출토유물)」, 『羅州 伏岩里 3號墳』, 국립문화재연구소·全南大學校博物館·羅州市.

15) 酒井清治, 2004, 「5·6세기 토기에서 본 羅州勢力」, 『百濟研究』39.

크다고 할 수 있다[16]. 이후 개배를 비롯한 영산강유역 토기 연구에서 酒井清治의 견해는 상당한 영향을 미친 것으로 보인다.

徐賢珠[17]는 개배를 포함한 영산강유역의 삼국시대 토기를 분석하면서 영산

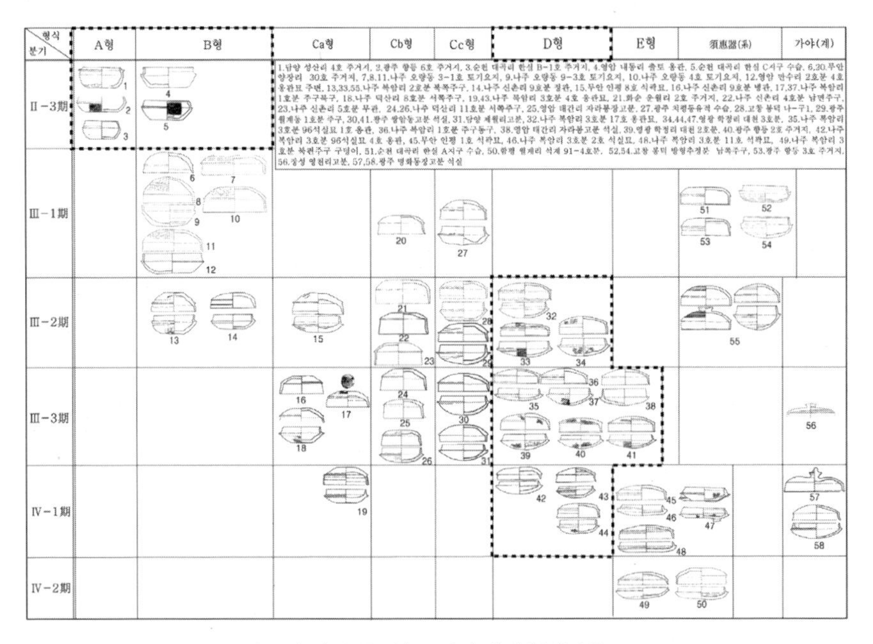

〈그림 1〉 徐賢珠(2014)의 개배 형식변천도

16) 사실 이러한 세부 지역권 설정은 고분의 형태별 분포특징을 통해 이미 제기(林永珍·趙鎭先 2000 : 276~277)되었지만, 토기의 생산과 유통을 통한 지역권 설정은 당시까지 크게 논의되지 못했다.

17) 徐賢珠, 2006a, 「榮山江流域 三國時代 土器 硏究」, 서울大學校 博士學位論文 ; 徐賢珠, 2006b, 「영산강유역 개배의 전개 양상과 주변지역과의 관계」, 『선사와 고대』24 ; 徐賢珠, 2006c, 「考古學 資料로 본 百濟와 榮山江流域-熊津·泗沘期를 中心으로-」, 『百濟硏究』44 ; 徐賢珠, 2012, 「湖南西部地域 考古學資料를 통해 본 熊津期의 地方」, 『百濟硏究』第55輯 ; 徐賢珠, 2014, 「마한·백제계 유물 연대론」, 『영산강유역 고분 토목기술의여정과 시간을 찾아서』, 대한 문화재연구원.

강 동남부, 서북부, 서남해안지역으로 나누어 그 변천상을 분석하였다. 개배 형식은 A형은 완형토기에 가까운 것으로 시기는 5세기 중엽에 해당한다. B형은 오량동 옹관요지에서 주로 출토되며 시기는 5세기 후엽 ~ 6세기 전엽이다. C형은 복암리와 반남고분군 출토품으로 시기는 5세기 후엽 ~ 6세기 중엽이다. D형은 당가요지 출토품을 표지로 하는 백제계로 시기는 5세기 말 ~ 6세기 중엽이다. E형은 복암리고분군에서 주로 확인되는 사비기 이후의 납작한 개배 형식에 해당한다. 시기는 6세기 중후엽이다. 이중 D형 개배는 나주 일대를 중심으로 영산강유역에 폭넓게 분포하고 있으며, 영광·고창일대, 공주, 고성 송학동 등 넓은 지역에 분포한다. 그 배경으로 5세기 후반부터 백제가 나주 복암리 일대를 교두보로 하여 영산강유역권에 진출하였고, 이러한 이유로 6세기 후반 나주 복

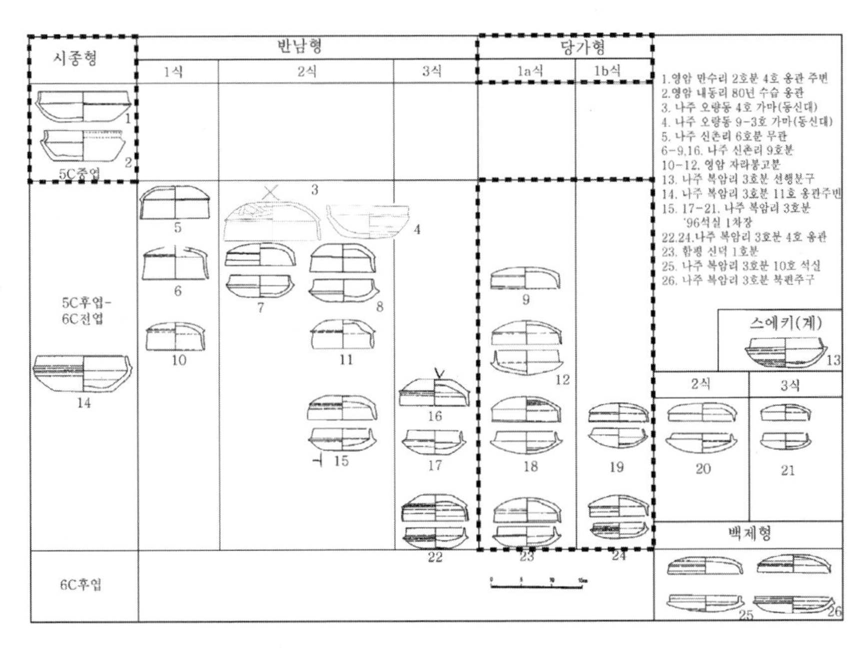

〈그림 2〉 김낙중(2012)의 개배 형식변천도

암리 일대가 백제 지방지배의 거점으로 자리잡은 것으로 설명했다. 또한 개배를 비롯한 토기양상으로 보는 한 군산, 익산, 완주, 나주 다시 일대로 이어지는 백제 중앙과의 관계가 상정되며, 광주 일대는 웅진기 이전부터 백제와 밀접하게 관련된 것으로 보았다.

김낙중[18]은 영산강유역 토기를 시기별로 검토하면서 개배에 대한 기존 견해를 일부 수정하였다. 복암리 3-11호 옹관 옆 소토부 출토품과 영암 만수리 2-4호 옹관주변, 영암 내동리 80년 수습 옹관 출토품을 시종형으로 설정했다. Ⅰ형은 당가(형으로 1a, 1b, 2, 3식이 있다. Ⅱ형은 반남형으로 1, 2, 3식이 있고 Ⅲ형은 백제형이다. 추가로 스에키계를 설정했다. 기존 견해와 가장 큰 차이는 Ⅰ형식을 당가형이라 칭하고, 이 형식이 백제의 지방지배 확대와 함께 기술적 전통이 파급되어 만들어진 것으로 본 점이다. 이 형식은 영산강유역에서 직접 생산·유통되고 있지만 스에키 제작기술의 영향도 받았기 때문에 현지 제작이라는 의미를 강조하고자 당가형으로 지칭한 것이다. 또한 Ⅰa형(당가형 1a) 개배를 미세한 차이지만 반남 일대와 오량동요지 출토품 보다 늦은 시기에 위치시킴으로써 徐賢珠[19]와 거의 동일한 편년안을 제시했다. 당가형 개배의 발생과 관련하여서는 5세기 후반 스에키가 백제왕권지역에 전파되고, 백제 중앙 왕권의 힘이 미친 지역으로 재확산되면서 영산강유역에 하나의 양식

18) 金洛中, 2011, 「장제와 부장품으로 살펴본 영산강유역 전방후원형 고분의 성격」, 『한반도의 전방후원분』, 대한문화유산연구센터 ; 김낙중, 2012, 「토기를 통해 본 고대 영산강유역 사회와 백제의 관계」, 『湖南考古學報』42.

19) 徐賢珠, 2006a, 「榮山江流域 三國時代 土器 硏究」, 서울大學校 博士學位論文 ; 徐賢珠, 2006b, 「영산강유역 개배의 전개 양상과 주변지역과의 관계」, 『선사와 고대』24 ; 徐賢珠, 2006c, 「考古學 資料로 본 百濟와 榮山江流域-熊津·泗沘期를 中心으로-」, 『百濟硏究』44 ; 徐賢珠, 2012, 「湖南西部地域 考古學資料를 통해 본 熊津期의 地方」, 『百濟硏究』55 ; 徐賢珠, 2014, 「마한·백제계 유물 연대론」, 『영산강유역 고분 토목기술의여정과 시간을 찾아서』, 대한문화재연구원.

으로 성립할 수 있었던 것으로 보았다. 또한 나주 복암리 일대는 백제의 교두보적 역할[20]을 했다기보다는 영산강 중류 지역 집단의 세력 범위가 넓어지는 경향이며 동시에 영산강세력이 백제왕권과 주변세력, 왜와 밀접하게 교섭한 결과로 보았다.

오동선[21]은 영산강유역 고분 출토 전체 개배의 개를 대상으로 신부와 드림부 형태속성을 조합하여 형식을 설정하고 크게 백제식, 복암리식, 오량동식, 반남식으로 구분하였다. 가장 이른 것은 복암리 3호분의 층서관계를 기준으로 17호 옹관 상부퇴적토에서 출토된 개배(백제식)로 보고 5세기 후엽으로 설정하였다. 이후 영산강유역 개배의 변천은 백제식 개배의 영향으로 다양한 형식의 개배가 성행하게 되고 사비기 석실 등장 이후인 6세기 중후엽부터 개배형식에 통일이 이루어지면서 쇠퇴하는 것으로 보았다. 궁극적으로는 복암리 3호분과 신촌리 9호분 출토 개배의 교차편년을 통해 신촌리 9호분 하층의 연대를 5세기 후엽으로 늦춰볼 수 있는 연대관을 제시했다.

이처럼 개배는 단일 기종으로서는 적지 않은 연구가 이루어졌다. 현재까지 영산강유역 개배의 형식분류와 변천과정에 대한 선행 연구를 정리하면 〈표 2〉와 같이 크게 두 부류로 나눌 수 있다. 영산강 유역권을 중심으로 했을 때 개배 연구에서 가장 중요한 논점은 연구자마다 각기 다른 명칭이 부여된 백제식, D형, 당가형 개배의 발생배경과 형식 간 상대순서에 있다. 상기한 연구자의 백제식[22],

---

20) 徐賢珠, 2006b, 「영산강유역 개배의 전개 양상과 주변지역과의 관계」, 『선사와 고대』24.

21) 吳東墠, 2009, 「羅州 新村里 9號墳의 築造過程과 年代 再考-羅州 伏岩里3號墳과의 비교검토-」, 『韓國考古學報』73.

22) 吳東墠, 2009, 「羅州 新村里 9號墳의 築造過程과 年代 再考-羅州 伏岩里3號墳과의 비교검토-」, 『韓國考古學報』73 ; 酒井淸治, 2004, 「5·6세기 토기에서 본 羅州勢力」, 『百濟研究』39 ; 徐賢珠, 2006a, 「榮山江流域 三國時代 土器 硏究」, 서울大學校 博士學位論文 ; 徐賢珠, 2006b, 「영산강유역 개배의 전개 양상과 주변지역과의 관계」, 『선사와 고대』24.

D형23), 당가형24), 복암리식25) 개배는 복암리 3호분 출토 개배 중 Ⅰ식에 해당하는 것으로 모두 같은 형식임에도 영산강유역권 전체의 개배 변천과정을 중시(1안)할 것인지, 아니면 나주 복암리 3호분의 층서관계를 중시(2안)할 것인지에 따라 전혀 다른 결과가 도출된다.

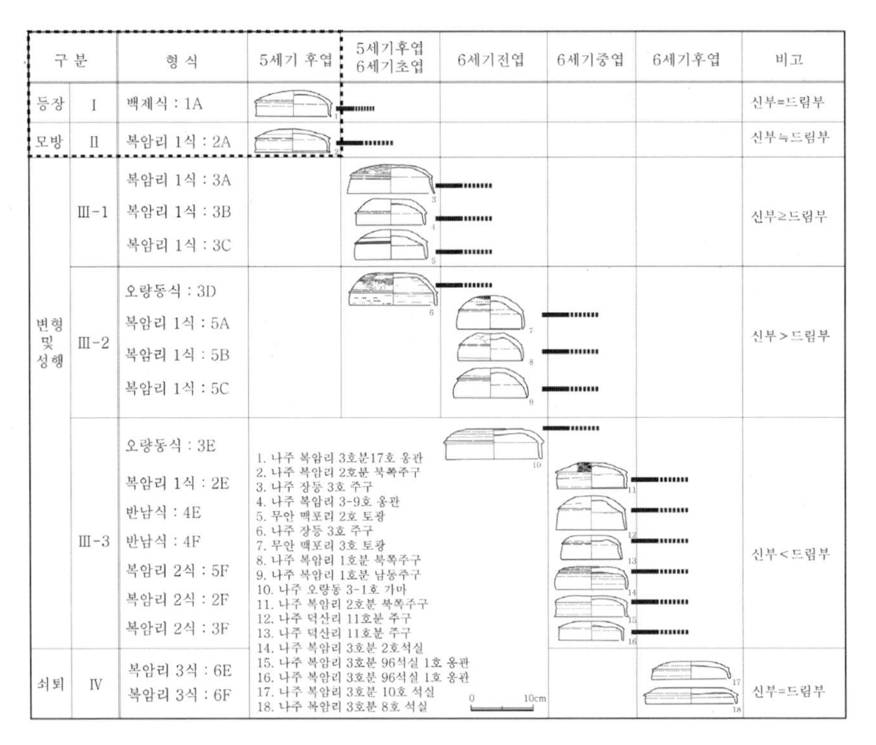

〈그림 3〉 吳東墠(2009)의 개배 형식 변천도

---

23) 金洛中, 2011, 「장제와 부장품으로 살펴본 영산강유역 전방후원형 고분의 성격」, 『한반도의 전방후원분』, 대한문화유산연구센터.

24) 金洛中, 2011, 「장제와 부장품으로 살펴본 영산강유역 전방후원형 고분의 성격」, 『한반도의 전방후원분』, 대한문화유산연구센터.

25) 김낙중(2011)의 형식분류에서는 당가형의 세부 형식인 1a와 1b식이 해당한다.

1안에서는 마한·백제권에서 모두 확인되는 완형 토기가 개배의 시원이며 점차 자체적인 변화·발전을 이루다가 외래적 요소(백제와 왜)가 도입되면서 새로운 형식(D형, 당가형, 백제계)의 개배가 발생하였고, 이후 지속적으로 변화·발전하는 것으로 보고 있다. 개배의 발생과 관련하여 영산강유역으로 범위를 좁히면 영암 시종지역의 완이 변화·발전하여 오랑동식 개배가 되고, 이후 복암리에서 또 다시 새로운 형식이 성립하는 것으로 본다. 구체적으로 언급되어 있지는 않지만 시간의 흐름에 따라 "영암 시종 → 나주 반남 → 나주 복암리" 일대로 세력 중심지의 이동을 상정[26]하고, 이러한 정치적 상황이 개배의 형식변천에 반영되어 있는 것으로 보는 듯하다.

1안에서 보완이 필요하다고 생각되는 부분은 첫째, 개배의 시원으로 지목한 평저 완의 연대와 형태가 개배와 직접적으로 연결될 수 있는지 여부이다. 1안에서는 영암 내동리 출토 옹관과 함께 수습된 완을 5세기 중엽으로 보고 개배의 시원으로 설정했지만 이에 대한 보다 구체적인 근거가 제시될 필요가 있다.

둘 째, D형(당가형, 백제식) 개배의 연대문제이다. D형 개배는 나주 복암리 3호분의 선행기에 해당하는 3-17호 옹관, 복암리 고분군 주변지역, 나주 장등 유적, 광주 평동유적의 제형분 주구에서 다량 출토되고 있다. 1안에서 D형 개배의 연대는 5세기 후엽의 늦은 시기나 5세기말 6세기 초 혹은 석실분 등장 이후가 되지만 영산강유역의 일반적인 편년안을 따를 때 D형 개배가 출토되는 제형분의 하한은 5세기 중후엽이 적절한 연대라고 할 수 있다.

이러한 점들을 종합했을 때 1안은 복암리 3호분의 층서관계와 부합하지 않는 부분이 선결되어야 한다. 형식간 병행관계로 볼 수도 있겠지만, 이에 대한 검증이 이루어진 바 없다. 아울러 D형 개배 중 일부 형식은 제형분 단계에 성행한다

26) 林永珍, 1999,「羅州地域 馬韓文化의 發展」,『伏岩里 古墳群』, 全南大學校博物館·羅州市.

〈표 2〉 영산강유역권 개배의 선행연구 종합

1안(영산강 유역권 전체 개배의 변천)				2안(복암리 3호분의 층서관계)		
상대 순서	徐賢珠 (2006b)	김낙중 (2012)	酒井淸治 (2004)	吳東墠 (2009)	복암리3호분 (김낙중 2001)	상대 순서
	A	시종형	와질계			
	Ba	반남형2식	와질계	오량동식		
	Bb	반남형2식	와질계	오량동식		
	Ca	반남형3식	나주계	복암리1식	1기: Ⅱa식 1~1.5기: Ⅱb식	
	Cb	반남형1식	나주계	반남식		
	Cc1		스에키계			
	Cc2	반남형2식	나주계	복암리2식		
	D	당가형1a식	백제계1	백제식	선행기~1기: Ⅰa식	
		당가형1b식		복암리1식	1.5기: Ⅰa식	
		당가형2식	백제계2	복암리2식	1기: Ⅰb,c,d식	
		당가형3식				
	E	백제형	백제계1	복암리3식	2기: Ⅲ식	
	스에키계	스에키계	스에키계			

는 사실이 밝혀지고 있기 때문에 이 점에 대한 설명도 필요하다.

2안에서는 D형 개배를 가장 이른 시기로 설정했다. 복암리 3-17호 옹관에서 확인된 백제식 개배가 가장 빠르며 이후의 개배는 백제식 개배(D형 개배)를 모방하면서 변화·발전하는 것으로 본다. 그러나 마한·백제권 전체 권역을 대상으로 하는 개배의 변천과정은 어떠했는지, 최초 개배의 등장은 어떠했는지에 대한 설명이 제시되지 못했다.

최근 이와 같은 개배 연구상의 문제점을 보완한 연구가 진행되었다. 오동선[27]은 마한·백제권의 모든 개배를 분석하여 영산강유역권에서 개배의 등장과 변천과정을 밝혔다. 이를 위해 개배의 개를 6가지 형식(A1, A2, B1, B2, C1, C2)으로 분류하고 지역별로 분석했다. 형식간의 선후관계는 먼저 백제가 수도를 한강유역의

27) 吳東墠, 2016,「榮山江流域圈 蓋盃의 登場과 變遷過程」,『韓國考古學報』98.

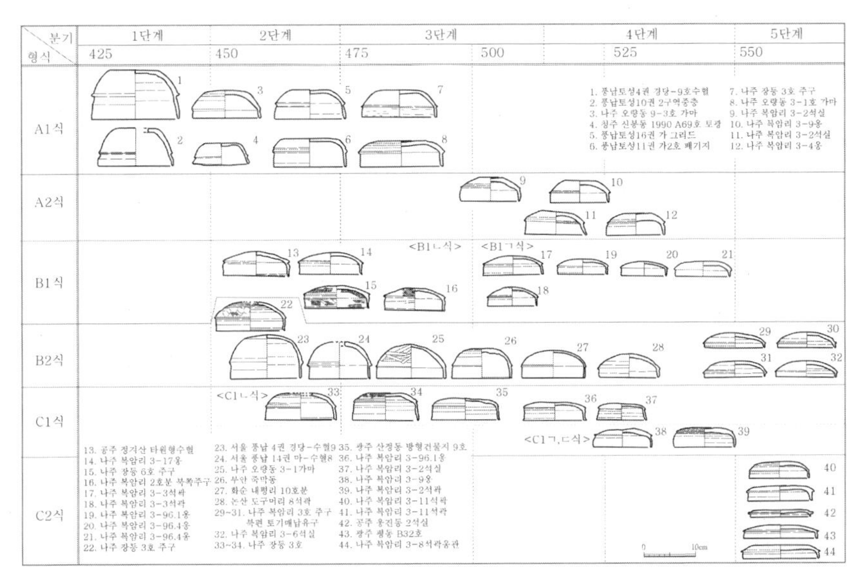

〈그림 4〉 개배 형식 변천도(吳東墠 2016)

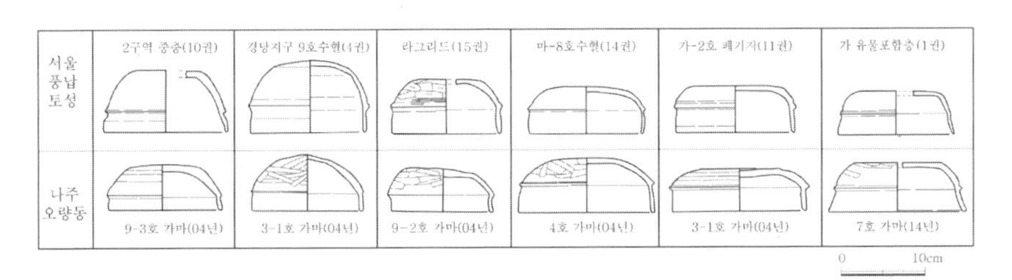

〈그림 5〉 풍납토성 출토 돌대 완과 나주 오량동 출토 개배 비교(吳東墠 2016)

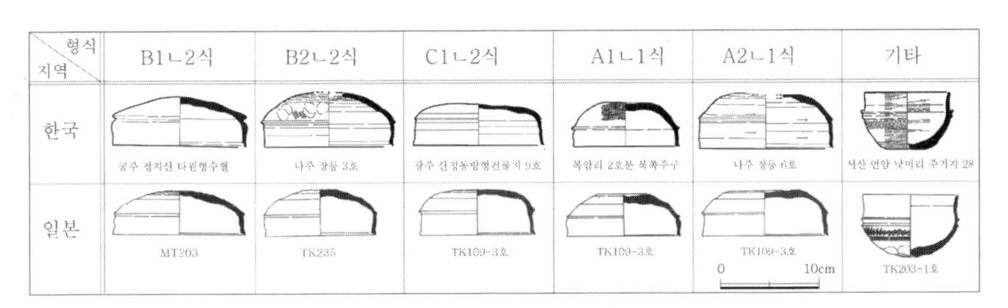

〈그림 6〉 한국 출토 스에키계 개와 일본 스에키 개(吳東墠 2016)

하남 위례성에서 금강유역의 웅진·사비로 천도한다는 역사적 사실을 적용하였다. 이를통해 한강유역에서 출토된 개배의 대부분을 차지하는 A1식을 가장 빠른 형식으로, 사비기 백제 석실묘에서 출토되는 C2식을 가장 늦은 형식으로 설정하였다. 나머지 A1식과 C2식 사이의 형식은 나주 복암리 3호분의 층위에 따른 개배 형식 변화와 형식 간의 공반관계를 토대로 계기적인 변천과정을 제시하였다.

개배의 등장배경과 변천과정에 대해서는 몇 가지 새로운 견해를 제시했다. 첫째, 한강유역의 돌대완과 영산강유역의 나주 오량동 가마에서 출토된 개배가 형태적으로 유사하다고 보고 영산강유역 개배의 시원으로 돌대완을 지목했다. 둘째, 스에키 개배의 영향으로 등장한 B1식 개배의 연대는 제형분의 하한연대를 고려하여 기존 연구보다 이른 5세기 중후엽으로 설정했다. 셋째, 영산강유역은 A1식이 등장하는 5세기 중엽경부터 광주를 중심으로 하는 영산강 상류지역과 나주를 중심으로 하는 영산강 중하류지역이 물질문화상으로 구분된다는 사실을 확인했다. 나아가 5~6세기 영산강유역의 토착세력은 개배, 3식 옹관, 방형분의 분포상황으로 보아 당시의 정세변화에 따른 대응 방식이 지역마다 다른 것으로 보았다.

Ⅱ. 유공광구호

유공광구호는 동체부에 원형의 작은 구멍이 뚫려있는 호형토기로 5세기 대 영산강유역 고분에서 집중적으로 출토된다. 사례가 많지는 않지만 한강, 금강, 만경강, 낙동강유역에도 일부 확인되며 현재까지 총 109개 유적, 378점이 보고되었다[28]. 이중 70%가 영산강유역권에 집중된다는 점이 특징이다.

연구 초기에는 가야권역의 유공호를 중심으로 초출 시기와 지역, 기본적인 형태변화 방향에 대한 연구가 진행되었다. 이후 영산강유역 자료가 축적되면서

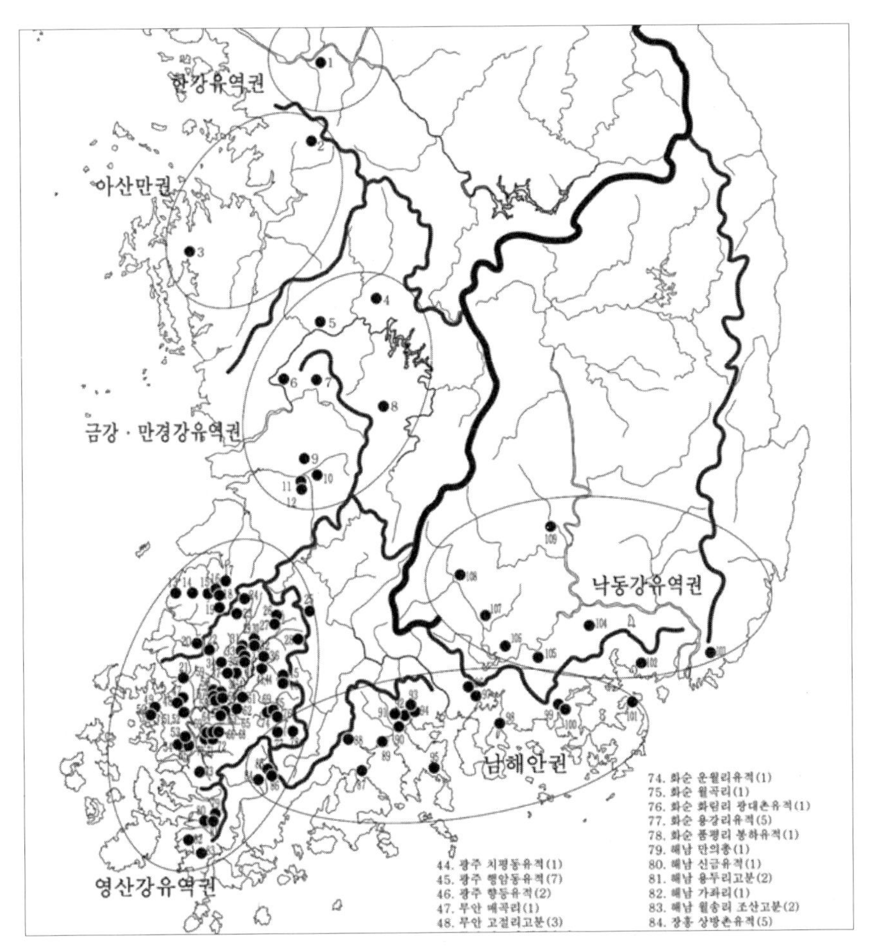

〈그림 7〉 유공광구호의 분포(원해선 2015)

28) 원해선, 2015,「유공광구호의 등장과 발전과정」,『韓國考古學報』94, 韓國考古學會.

초출지역은 가야지역에서 영산강유역권의 영암·광주·고창지역으로, 초현시점은 3, 4세기에서 5세기로 보는 인식이 강화되었다. 그러나 유공광구호의 형태변화가 동체부의 퇴화와 구연부의 발달이라는 인식은 변함이 없다.

유공광구호의 시원은 월주요의 계수호로 보는 견해[29]와 서진대의 타호로 보는 견해[30]가 있다. 기원문제와 관련한 논점은 영산강유역에서 발생하여 가야나 일본에 영향을 주었다는 견해[31]와 일본에서 한국에 영향을 주었다는 견해[32]로 구분된다. 최초형태와 관련한 논점은 구연부가 강조된 반구형의 구연부가 가장 빠르다는 견해[33] 평저소호에 원형 구멍이 뚫린 형태를 빠르게 보는 견해[34]가 제기되었다. 초출지역은 고창[35], 광주[36]로 보는 견해가 있다.

---

29) 小池寬, 1999,「有孔廣口小壺の 造型」,『朝鮮考古研究』1, 朝鮮古代研究刊行會.

30) 서현주, 2011,「백제의 유공광구소호와 장군」,『유공소호』, 국립광주박물관·대한문화유산연구센터.

31) 이유진, 2011,「가야지역 출토 유공광구호의 양상과 성격」,『유공소호』, 국립광주박물관·대한문화유산연구센터.

32) 小池寬, 1999,「有孔廣口小壺の 造型」,『朝鮮考古研究』1, 朝鮮古代研究刊行會 ; 酒井清治, 2004,「5~6세기의 토기에서 본 羅州勢力」,『百濟研究』39, 忠南大學校 百濟研究所.

33) 李殷昌, 1978,「有孔廣口小壺」,『考古美術』136·137, 韓國美術史學研究 ; 愼仁珠, 1998,「新羅 注口附容器에 대한 研究」,『文物研究』2, 東아시아文物研究學術財團 ; 신인주, 2005,「固城 松鶴洞古墳 出土 有孔廣口小壺考」,『石堂論叢』35, 東亞大學校石堂傳統文化研究院 ; 酒井清治, 2004,「5~6세기의 토기에서 본 羅州勢力」,『百濟研究』39, 忠南大學校 百濟研究所 ; 서현주, 2011,「백제의 유공광구소호와 장군」,『유공소호』, 국립광주박물관·대한문화유산연구센터.

34) 박형렬, 2011,「광주·전남지역의 유공광구소호」,『유공소호』, 국립광주박물관·대한문화유산연구센터 ; 원해선, 2015,「유공광구호의 등장과 발전과정」,『韓國考古學報』94, 韓國考古學會.

35) 노미선, 2011,「전북지역의 유공광구소호」,『유공소호』, 국립광주박물관·대한문화유산연구센터.

36) 박형렬, 2011,「광주·전남지역의 유공광구소호」,『유공소호』, 국립광주박물관·대한문화유산연구센터 ; 원해선, 2015,「유공광구호의 등장과 발전과정」,『韓國考古學報』94, 韓國考古學會.

유공광구호는 개배와 마찬가지로 나주 복암리 3호분 발굴조사를 통해 층위에 따른 형태변화가 명확히 확인되었다[37]. <그림 8>에서 확인되는 바와같이

〈표 3〉 유공광구호 연구사

구분	기원			초출지역					초출형태		시기			형태변화											용도	
				마한백제											연속					명목						
	중국	일본	한국	고창	영암	광주	신라	가야	장경호반부호	단경유공	3c	4c	5c전반	소형화	구경·동체	기고·경고	구경·경부	구경외반	동체비	구순	구경	동체	저부	돌선	퇴주기	제사의례
이은창 1978								■	■		■				■	■			■							
신인주 1998								■			■				■	■										
신인주 2005					■							■		■	■	■										
小池寛 1999	■ 월주요계수호	■→□																								
酒井清治 2004		■	→		■																					
서현주 2006 서현주 2011	■ 서진타호	■=■			■				■				■		■	■					■		■	■		■
이유진 2007 이유진 2011		□←■			■	■	→	■ 하동함안	■				■			■	■	■	■	■	■		■		■	
노미선 2004 노미선 2011				■											■	■										
박형렬 2011						■				■			■			■			■		■	■	■			
원해선 2015						■				■					■											

37) 김낙중, 2001, 「Ⅶ. 考察(3. 출토유물)」, 『羅州 伏岩里 3號墳』, 국립문화재연구소·全南大學校博物館·羅州市.

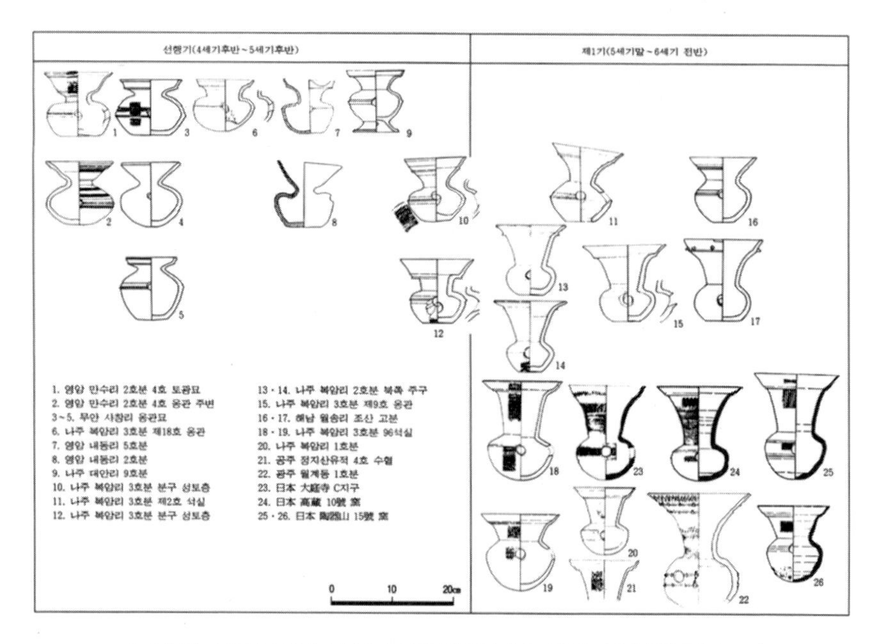

〈그림 8〉 나주 복암리 3호분과 영산강유역 출토 유공광구호(김낙중 2001)

선행분구의 옹관 출토품은 96석실 조영기와 방대형 분구 완성기 이후의 유공광구호는 확연한 차이를 보인다. 구연부의 발달정도에서 가장큰 차이를 보이는데, 구연부와 동체부의 크기가 비슷해지는 시점에 스에키 유공광구호도 확인된다.

酒井清治[38] 개배와 유공광구호 등 주요 토기 기종 분석을 통해 영산강유역 내에 독자적인 세력기반이 존재하고 있었을 가능성을 제시했다. 기형과 소성 분위기를 중점적으로 살피며 와질계-나주계, 백제계, 고창계, 스에키계로 나누

38) 酒井清治, 2004,「5~6세기의 토기에서 본 羅州勢力」,『百濟硏究』39, 忠南大學校 百濟硏究所.

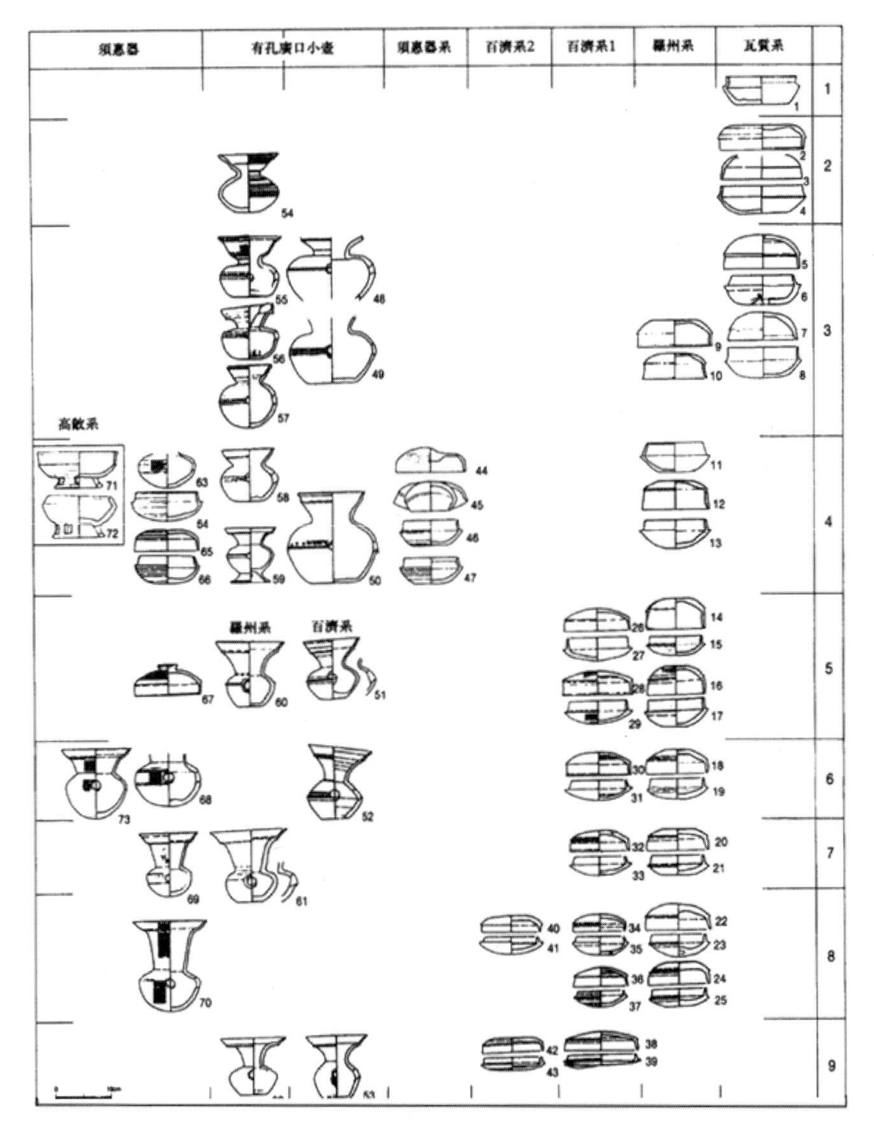

〈그림 9〉 유공광구호의 변천과정(酒井清治 2004)

어 각 계통의 특징과 상호 관계를 설명했다.

酒井淸治의 연구는 당시까지 이 지역에서 크게 논의 되지 않았던 토기의 생산과 유통 연구를 통해 영산강유역 내에서 세부 권역 설정이 가능하다는 점을 인지시켰기 때문에 그 의미가 크다고 할 수 있다[39]. 이후 개배를 비롯한 영산강유역 토기 연구에서 酒井淸治의 견해는 상당한 영향을 미친 것으로 보인다. 영산강유역권을 토기를 이용하여 권역을 구분하면서 개배와 유공광구호를 이용했다. 가장 이른 시기의 유공광구호를 영암 만수리 4호분 옹관에서 출토되는 구

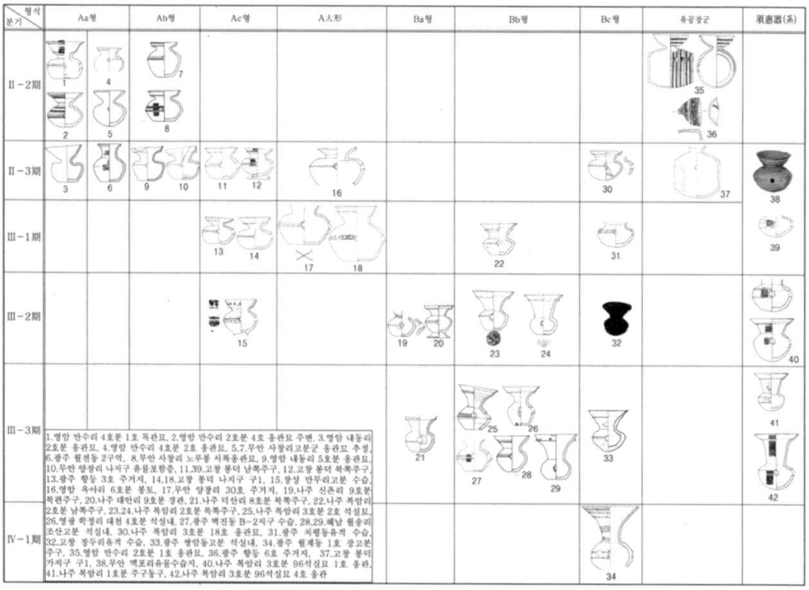

〈그림 10〉 유공광구호의 형식변천(서현주 2006)

39) 사실 이러한 세부 지역권 설정은 고분의 형태별 분포특징을 통해 제기(林永珍·趙鎭先 2000 : 276~277)되었지만, 토기의 생산과 유통을 통해서는 당시까지 크게 논의되지 못했다.

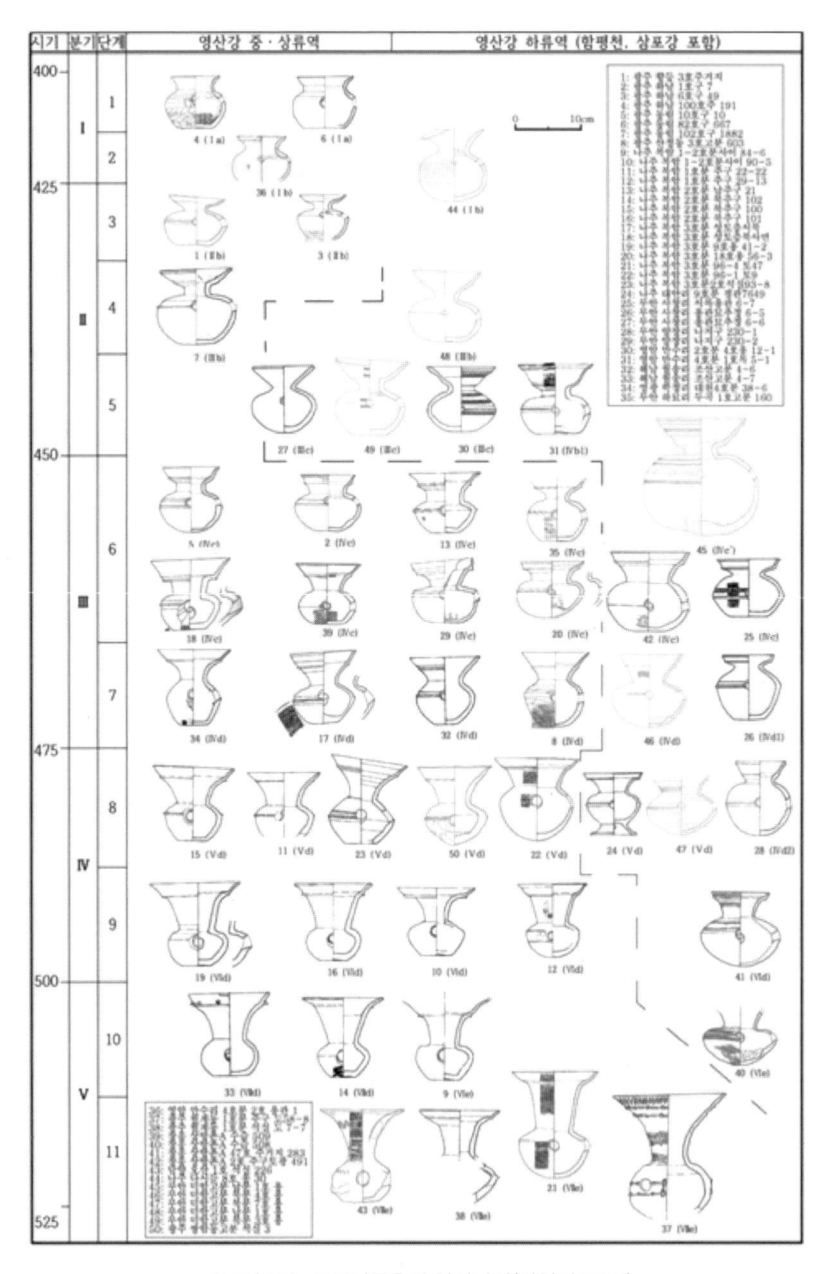

〈그림 11〉 유공광구호의 형식변천(박형렬 2011)

연부가 낮고 크게 바라지는 형태를 가장 이른시기로 보았다. 서현주[40]는 酒井淸治와 큰 틀에서 동일한 견해로 유공광구호의 형태를 세분했다.

신인주[41]는 고성 송학동 고분군 매장시설간의 선후관계를 기준으로 유공광구호의 형태 변화 방향을 제시했다. 나아가 마한·백제권의 유광광구호와 비교하여 연대 설정에 이용했는데, 구연부가 낮고 크게 외반하는 형태를 가장 이른 시기로 설정하고 중심연대를 4세기까지 올려 보고 있다.

박형렬[42]은 다양한 유공광구호의 형태 중 형식학적으로 단경외반하는 유공광구호가 가장 이른시기에 해당하며 연대는 5세기 전엽으로 보고 있다. 아울러 영산강유역 내에서도 지역별로 영산강 상류의 광주, 나주와 영산강 하류의 함평, 무안, 영암이 구분된다는 의견을 제시했다. 특히 영산강 상류지역에서는 유공호의 단계별 변화상이 모두 확인되는 반면, 영산강하류에서는 5세기 중후엽~5세기 말에 해당하는 형식만 확인되고, 동체부가 발달하는 특징이 있는 것으로 보았다.

원해선[43]은 단경외반하는 유공광구호가 생활유구 출토품이며, 형식학적으로 고식으로 보고 가장 이른 시기로 설정했다. 이와 같은 형식 변천은 나주 복암리 3호분의 층에 따른 유공광구호의 변천상과 유공광구호가 출토된 대형옹관의 형식변천을 반영하여 타당성을 확보했다.

이와같은 영산강유역권의 유공광구호는 독특한 기형, 일본과의 관계 부분에

40) 徐賢珠, 2006,「榮山江流域 三國時代 土器 硏究」, 서울大學校 博士學位論文.

41) 신인주, 2005,「固城 松鶴洞古墳 出土 有孔廣口小壺考」,『石堂論叢』35, 東亞大學校石堂傳統文化硏究院.

42) 박형렬, 2011,「광주·전남지역의 유공광구소호」,『유공소호』, 국립광주박물관·대한문화유산연구센터.

43) 원해선, 2015,「유공광구호의 등장과 발전과정」,『韓國考古學報 』94, 韓國考古學會.

있어서 중요한 기종으로 평가 받고 있기 때문에 단일 기종으로 상당히 많은 연구가 진행되었다. 앞서 정리한 바와 같이 유공광구호 연구에 있어서 주요한 논점 중 하나는 가장 이른 시기 유공광구호의 형태를 어떤 것으로 볼 것이냐이다. 구연부가 낮고 넓게 바라지는 유공광구호는 현재까지 석곽이나 석실에서는 확인되지 않고 모두 대형옹관에서만 출토된다.

특히 가장 이른 시기의 유공광구호로 논의되는 영암 만수리 2호분 출토품(그

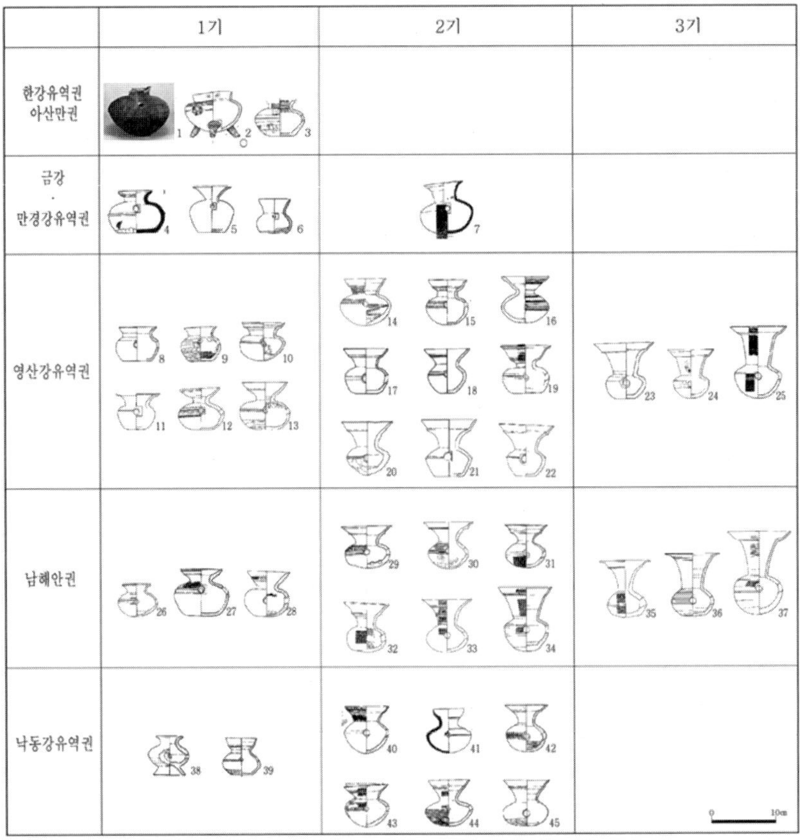

	1기	2기	3기
한강유역권 아산만권	1 2 3		
금강 · 만경강유역권	4 5 6	7	
영산강유역권	8 9 10 11 12 13	14 15 16 17 18 19 20 21 22	23 24 25
남해안권	26 27 28	29 30 31 32 33 34	35 36 37
낙동강유역권	38 39	40 41 42 43 44 45	0 10cm

〈그림 12〉 유공광구호의 형식변천(원해선 2015)

림 11)은 대형옹관의 형태적 특징으로 보건데 5세기 후엽을 상회하기 어렵다.

영암 옥야리 방대형분과 나주 가흥리 신흥고분의 횡구식 석실 출토 유공광구호는 구연부의 발달이 동체부보다 상대적으로 미약한데, 이와 같은 형태는 일본의 도읍요 중 ON231 단계에 해당하는 유공광구호와 형태적으로 유사하다. ON231의 연대는 4세기 말 5세기 초엽으로 영암 옥아리 방대형분보다는 1~2분기 정도 빠르지만 ON231 출토유구가 생활유구라는 점과 세부형태에서 차이가 있다. 따라서 영암 옥야리와 나주 가흥리 신흥고분은 공반유물을 함께 검토했을 때 5세기 2~3분기 정도로 편년할 수 있으며, 영암 만수리 2호분 보다 약간 더 빠를 가능성이 있다고 볼 수 있겠다.

따라서 필자가 보는 한 유공광구호 중 가장 이른 시기의 형태는 단경외반하는 유공광구호를 제외하면, 영암 옥야리 방대형분 출토품이 가장 빠르고 이후 낮고 넓게 외반하는 형태의 유공광구호, 스에키계의 유공광구호로 변화해간다고 판단된다.

〈표 4〉 매장시설 별 유공광구호 출토 현황

유구명	매장시설	단경	중경 돌대	무경 반부	유경 반부	중경돌대 반부	장경 광구	장경 광구 대	장경 광구 반부	비고
영암 옥야리 방대형 104	방형 횡구		2							구연<=동체
나주 가흥리 신흥	장방형 횡구		1							구연<=동체
나주 복암리 3호 96-1옹	방형 문주					1				스에키
나주 정촌 석1 목관3	방형 문주					1				스에키
고창 봉덕 석4	장방형 개구					1				스에키
장성 만무리	?					1				대부
해남 월송리 조산 4-7	원형 문주					1		1		구연>=동체
나주 복암리 3호 석2	방형 개구							1		
담양 성월리	?							3		
영광 학정리 대천 4호 38-6	원형 개구							1		
나주 영동리 1호 석1	?							1		
광주 쌍암동 1호 석실	원형 문주							1		
나주 영동리 석3	?							1		
광주 월계동 1호 석실	장고 문주							1	1	
고창 봉덕 석3	장방형 개구								3	
나주 복암리 3호 96-4옹	방형 문주								1	스에키

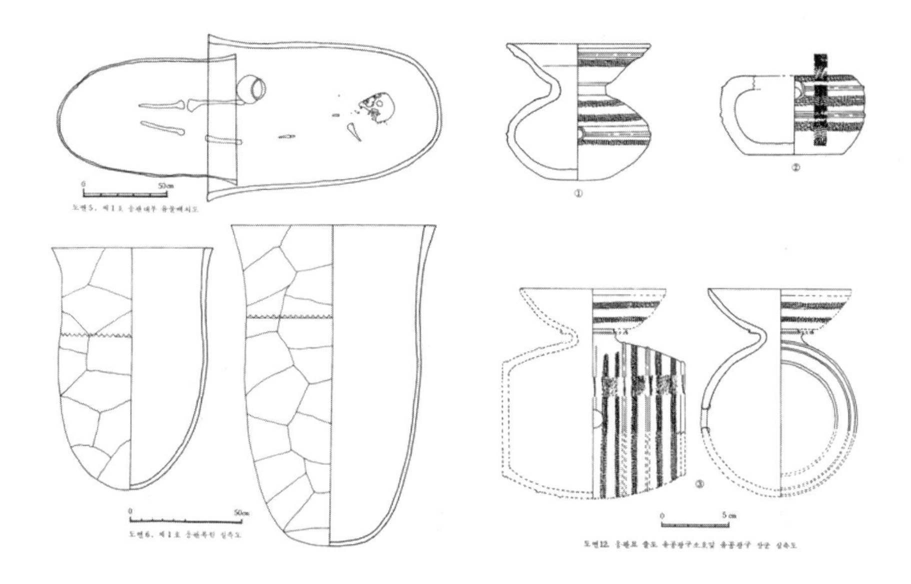

〈그림 13〉 영암 만수리 2호분 대형옹관 출토 유공광구호

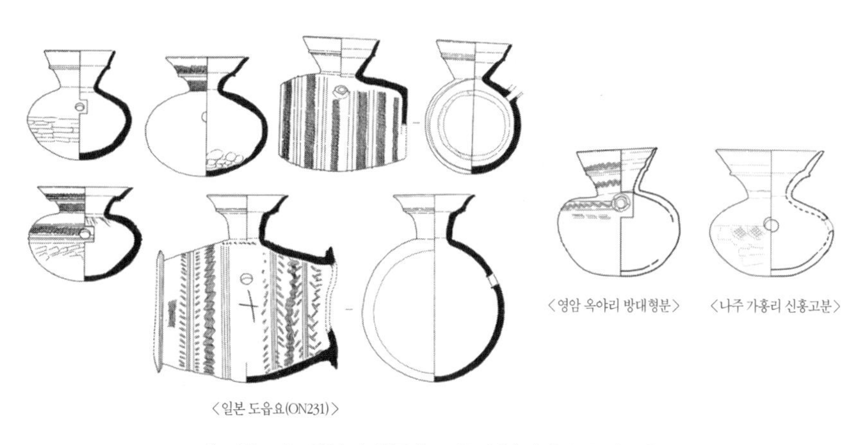

〈그림 14〉 일본과 한국출토 초기 형식의 유공광구호

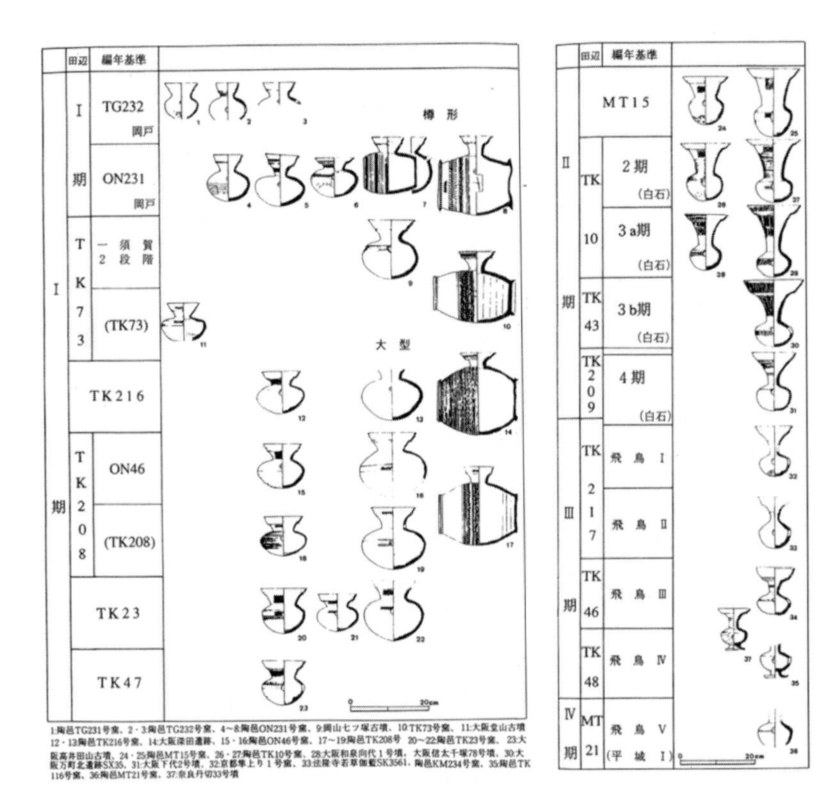

〈그림 15〉 일본 유공광구호의 변천(小池寛 1999)

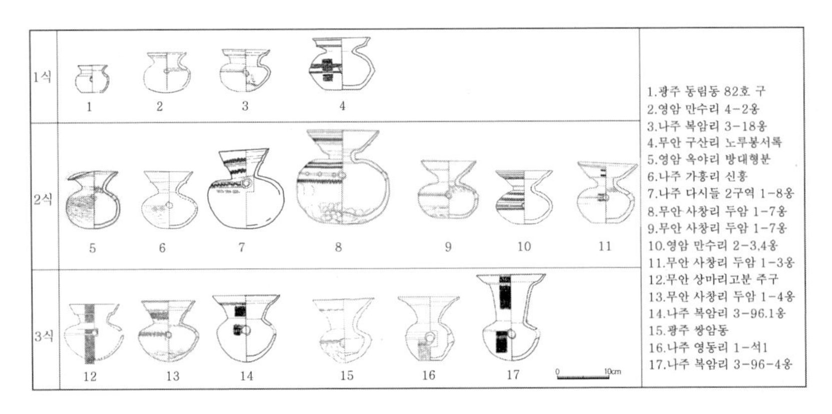

〈그림 16〉 유공광구호의 분류(필자안)

백제 고배와 삼족기의 연구성과와 과제

조은하 고려대학교 고고미술사학과

Ⅰ. 머리말

삼국시대 다른 국가와 비교했을 때 백제만의 뚜렷한 특징을 가진 대표적인 토기로 삼족기와 고배를 꼽을 수 있다. 두 기종은 백제 전시기에 걸쳐 사용되었으며, 그 분포 지역을 백제의 영향이 미쳤던 지역으로 상정할 수 있을 만큼 상징적인 의미를 지니고 있어 과거부터 주목받아 온 연구 대상이다. 또한 두 기종은 用器 바닥에 다리나 대각을 붙여 높이를 부여하였다는 공통점이 있고, 이러한 형태적인 특징으로 인해 실생활뿐만 아니라 의례행위와 관련된 것으로 추정되곤 하였다.

본고에서는 백제 고배와 삼족기에 대한 그간의 연구성과를 중점적으로 살펴보고, 문제점과 더불어 추후 과제에 대해 간략하게 정리해보고자 한다. 먼저 그간의 연구성과를 살펴보도록 하겠다. 고배와 삼족기에 대한 연구는 형식분류와 편년을 중심으로 이루어졌으며, 그밖에 출현 시점과 배경, 용도 등에 대한 고찰이 시도되었다.

Ⅱ. 연구성과

1. 고배

고배에 관한 본격적인 연구는 朴淳發에 의해 시작되었다고 할 수 있다. 박순발 이전 安承周와 尹武炳이 백제토기에 관한 전반적인 연구에서 고배에 대해 간략히 언급한 바 있지만[1], 당시에는 백제 고배의 출토량이 매우 적어 단편적인 양상만 살피는 정도였고 백제 고배에 대한 이해가 부족한 상황에서 신라나 가야의 고배를 백제의 것으로 분류한 경우도 있어 본고에서 제외하였다.

박순발은 백제 초기 한강유역의 토기양상을 파악하는 과정에서 夢村土城 출토 고배에 대한 연구를 진행하였다. 고배를 뚜껑의 유무, 어깨형태를 기준으로 無蓋고배류(A), 有蓋둥근어깨고배류(B), 유개각진어깨고배류(C)로 구분하였다. C를 대상으로 구연·대각의 높이와 토기질이 높은 상관관계를 가지며, '낮은 구연-낮은 대각-연질고배'와 '높은 구연-높은 대각-경질고배'로 결합된다고 보았다. 토기제작기술의 발달과정을 고려하면 회색연질토기가 선행하므로 이와 결합되는 속성들이 상대적으로 이르고, 점차 구연과 대각의 높이가 높아져 경질화되는 것으로 파악하였다. 또한 C 중 대각 끝이 도톰하고 음각선이 있는 것은 공주, 논산 등지에서 확인되며 몽촌토성의 전형적인 것에 비해 대각 높이가 높아 가장 늦은 기형으로 보았다. 한편, A와 B는 주 사용시기가 몽촌토성의 존재시기보다 앞선 것으로 C에 비해 선행하는 기종이며, 그 중 무개고배를 가장 이른 형식으로 파악하였다. 이는 재래 기종을 이어 받은 것으로 흑색마연토기 유

---

1) 安承周, 1979,「百濟土器의 硏究」,『百濟文化』12, 公州師範大學附設 百濟文化硏究所; 尹武炳, 1979,「連山地方 百濟土器의 硏究」,『百濟硏究』10, 忠南大學校 百濟硏究所.

형의 등장과 함께 3세기 중엽 이후에 나타나는 것으로 보았다[2]. 박순발의 연구는 백제고배를 체계적으로 분류한 최초의 연구로, 그가 제시한 형식변화와 출현 시기 등은 후에 많은 연구자들의 백제토기 편년에 기준이 되었다. 하지만 토기질의 변화를 기준으로 삼은 점은 재고의 여지를 남기는데, 한성시기의 늦은 단계까지 연질로 꾸준히 제작되는 일부 기종이 확인되고 있어 토기질의 차이가 시간적 선후의 지표라기보다 오히려 토기의 용도에 따른 차이로 봐야 한다는 주장이 제기되고 있다[3].

林永珍은 백제의 건국과 성장과정을 살피는 과정에서 고배의 변화상에 대해 언급하였다. 石村洞古墳群과 몽촌토성의 출토 정황을 통해 유개고배에 앞서 무개고배가 등장하였고, 연질 무개고배가 점차 경질의 유개고배로 대체된다고 보았다. 특히 유개고배는 뚜껑받이턱이 점차 길어지고 杯身이 얕아지며, 뚜껑받이턱과 배신의 경계가 각이 진 형태에서 둥근 형태로 변화한다고 파악하였다[4].

이한상은 백제 웅진기의 대표적인 유적인 艇止山 출토 고배에 대한 고찰을 수행하였다. 먼저 소성도에 따라 연질과 경질로 나누고, 전자는 대각의 형태와 대각 투공 상태, 기벽의 변화를 기준으로, 후자는 구연의 형태와 대각의 상태, 정면방법 등을 기준으로 형식을 세분하였다. 유구의 편년을 중심으로 그 변화

---

2) 朴淳發, 1989,『漢江流域 百濟土器의 變遷과 夢村土城의 性格에 對한 一考察: 夢村土城 出土品을 中心으로』, 서울大學校 大學院 碩士學位論文, pp. 31~47, 193~194; 同著, 2001,『漢城百濟의 誕生』, 서경문화사, pp. 107~113.

3) 權五榮, 2011,「漢城百濟의 時間的 上限과 下限」,『百濟研究』53, 忠南大學校 百濟研究所, pp. 142~146; 신종국, 2011,「백제 한성지역 출토 유개고배의 분류와 변천양상」,『百濟學報』5, 百濟學會, pp. 38~39; 韓志仙, 2005,「百濟土器 成立期 様相에 대한 再檢討」,『百濟研究』41, 忠南大學校 百濟研究所, p. 16.

4) 林永珍, 1996,「百濟初期 漢城時代 土器研究」,『湖南考古學報』4, 湖南考古學會, pp. 71~77, 107~108.

상을 살핀 결과, 연질은 배신이 얕아지고 대각이 짧아지는 변화를 보이며, 경질의 경우 구연부와 배신 외면, 대각에 장식적인 요소의 변화가 보이는 것으로 파악하였다[5]. 정지산 출토 고배에 대한 고찰은 당시 웅진기 토기의 양상을 이해하는 데 중요한 단서를 제공하였단 점에서 그 의미를 찾을 수 있지만, 형식설정의 기준을 명확히 제시하지 않은 채 필요 이상으로 많은 형식을 분류한 점과 경질 고배로 분류한 것 중 백제 고배로 볼 수 없는 것들을 함께 분석하면서 이에 대해 유사한 자료를 제시했을 뿐 그 성격과 존재 의미에 대한 고찰이 없는 점은 아쉬움으로 남는다.

成正鏞은 마한에서 백제로 전환되는 과정을 살펴보기 위해 한성백제양식토기가 발견된 중서부지역 유적에 대한 고찰을 시도하였고, 그 과정에서 茅村里古墳群 출토 고배의 변천상을 간략히 살펴보았다. 변화를 보이는 속성은 구연의 길이와 배신의 깊이로, 구연이 점차 길고 직립하며 배신이 편평해지는 방향으로의 변화를 확인하였다. 또한 熊浦里古墳群의 고배는 '八자'형으로 벌어지는 낮은 굽에서 구연이 길어지고 대각이 일직선으로 벌어지면서 배신이 점차 얕아진다고 보았다[6].

風納土城 현대연합주택부지 발굴조사팀은 출토된 토기를 고찰하는 과정에서 유개고배에 대한 연구를 진행하였다. 각진 어깨를 일반적인 형태로 파악하여 이를 집중적으로 분석하였는데, 각진 어깨는 뚜껑받이턱의 형태에 따라 세 분되며 어깨형태와 함께 구연 높이와 대각 높이가 토기질과 상관관계를 보이는 것을 확인하였다. 뚜껑받이턱이 돌대처럼 돌출된 Ⅱb는 '연질-낮은 대각-낮은

5) 이한상, 1999, 「艇止山 出土 土器 및 瓦의 檢討」, 『艇止山』, 국립공주박물관, pp. 350~353.
6) 成正鏞, 2000, 『中西部 馬韓地域의 百濟領域化過程 硏究』, 서울大學校 大學院 博士學位論文, pp. 61~64.

구연'과, 뚜껑받이턱의 하부가 배신으로 바로 연결되는 Ⅱa형은 '경질·도질-높은 대각-높은 구연'과 결합되는 것으로 파악하였고, 이러한 변화가 시간성을 반영한다고 보았다. 또한 고배가 3층에서 출현하며 그 시기는 몽촌Ⅰ기와 유사한 3세기 중반에서 4세기 중반으로 보았다[7].

土田純子는 한성기부터 사비기까지 백제 영역에서 확인된 유개고배를 대상으로 통계학적인 분석을 실시하여 시공간적인 변천상을 살피고 편년을 실시하였다. 먼저 계측적인 속성에서 다리분산은 사비기로 갈수록 커지고 배신이 점차 얕아지고 다리가 길어지며, 다리위치가 점차 배신 중심에 모이고 드림비율이 점차 길어지는 양상을 확인하였다. 명목적인 속성 중 어깨형태와 다리형태가 시간에 따라 변화하는데, 어깨형태는 돌대가 있는 것에서 뚜껑받이턱이 각진 형태로, 다리형태는 끝이 뾰족한 것에서 편평한 것으로 이행한다고 파악하였다. 이어 한성기와 웅진기에 속하는 개체를 대상으로 도성지역과 논산, 익산 등 지방을 비교하여 지역적인 특징도 살펴보았는데, 지역별로 다양한 형태가 공존함을 확인하였다. 어깨형태와 다리형태의 결합으로 총 7개의 형식을 설정하였는데, 전반적으로 배신은 얕고 다리가 길어지는 쪽으로 변화하는 것으로 파악하였다[8].

2013년에는 보다 많은 고배를 대상으로 분석을 시도하면서 무개고배도 포함시켰다. 계측적인 속성의 변화는 2004년의 연구와 유사하나 명목적인 속성 중 뚜껑받이턱을 보다 다양한 형식으로 구분하였고, 명목적인 속성의 조합으로 모두 8개의 형식을 설정하였다. 가장 먼저 출현하는 것은 유개고배로 4세기 2/4분기경에 등장하며, 4세기 3/4분기 이후에 무개고배가 등장한다고 설명하였다. 또한 대각

7) 국립문화재연구소, 2001, 『風納土城 Ⅰ: 현대연합주택 및 1지구 재건축 부지』, pp. 567~569.

8) 土田純子, 2004, 『百濟 土器의 編年 研究: 三足器·高杯·뚜껑을 중심으로』, 忠南大學校 大學院 碩士學位論文, pp. 88~127.

에 구멍이 뚫린 기종은 늦어도 5세기 2/4분기에는 금강유역에 출현하였고 서울의 몽촌토성이나 청주 신봉동에는 5세기 3/4분기쯤 유입되었으며, 이것이 웅진기까지 제작된 것으로 보았다. 한편 고배의 기원으로 권오영이 제시한 중국 江西省 洪州窯의 청자 豆[9]에 주목하였다. 豆의 출현시점은 東晉 이후인 4세기 중엽경으로 고배의 출현시점과 부합되며, 豆가 시간의 경과에 따라 배신이 얕아지고 다리가 길어진다는 점을 언급하며 양자의 연관 가능성을 제시하였다[10].

方瑠梨는 설성산성 출토 백제고배에 대한 고찰을 실시하였다. 먼저 뚜껑의 유무에 따라 無蓋式과 有蓋式으로, 유개식은 어깨형태와 대각의 굽형태를 기준으로 세분하였다. 고배의 출토지를 분석한 결과, 토기보관 유구인 1호 토광에서 각종 호·옹과 함께 포개진 고배 5점과 따로 떨어져 1점이 더 출토되어 이를 공반관계가 확실한 유구로 설정하였는데, 여기서 무개식과 유개식의 다양한 형식의 고배가 확인되어 이들이 공존하였던 것으로 보았다. 또한 설성산성 출토 고배는 경질의 비율이 높고 대체로 구연부터 뚜껑받이턱이 길고 수직에 가까우며 각진 어깨가 있는 형태로, 몽촌Ⅱ기에 해당하는 고배와 유사하여 4세기 후반~5세기 중·후반에 속하는 것으로 추정하였다[11].

조은하는 송원리고분군 출토 토기의 성격과 편년을 논하면서 고배에 대해 고찰하였다. 출토된 고배는 모두 유개식으로 먼저 구연부의 높이비율에 따라 A형(높음)과 B형(낮음)으로 구분하였는데, 형태상 A는 전형적인 백제 한성양식이고 B는 금강 이남에서 주로 확인되는 대각에 다수의 원형투공이 있는 소위 논산식 고배이다. A와 B는 배신의 형태가 볼록한 것(1)과 납작한 것(2)으로 세분

---

9) 權五榮, 2011, 앞의 논문, p. 147.

10) 土田純子, 2013,『百濟土器 編年 硏究』, 忠南大學校 大學院 博士學位論文, pp. 154~163.

11) 方瑠梨, 2007,「이천 설성산성 출토 백제 고배 연구」,『文化史學』27, 韓國文化史學會.

되며, 구연부 높이비율이 높을수록 배신이 납작해지는 경향이 있음을 확인하였다. 결과적으로 구연부의 높이가 낮고 배신이 볼록한 것에서 구연부의 높이가 높고 배신이 납작한 형태로 변화한다고 보았다. 또한 A형은 B형에 비해 대각이 짧고 대각부착부가 넓은데 이는 시기상 선행하는 속성으로 A를 선행하는 형식으로 보았으며, A를 모방하여 지방양식인 B가 등장한 것으로 파악하였다[12].

신종국은 한성지역의 대표적인 유적인 풍납토성, 몽촌토성, 석촌동고분군, 渼沙里 유적 출토 유개고배를 대상으로 새로운 분류안을 제시하고 변천상을 파악하였다. 먼저 기능과 큰 관련이 있는 배신형태에 따라 서로 다른 형태적인 속성과 토기질이 집중되는 현상을 지적하면서, 기존 편년의 기준이 되었던 연질에서 경질로의 변화가 시간적인 차이보다는 용도에 의한 것으로 회색-연질의 소성방식을 의도적으로 고수한 것으로 파악하였다. 그 근거로 백제시대 전기간에 걸쳐 연질로 제작되는 특정 기종의 존재를 들었다. 이를 토대로 '회색-연질 평저형 배신'을 갖는 부류와 '회청색-경질 둥근형 배신'을 갖는 고배를 기능이나 용도를 달리하는 별도의 기종으로 보았다. 평저형은 대각비, 뚜껑받이턱의 형태, 배신깊이에 따라 다양한 변화를 보이며, 원저형은 대각비, 배신깊이, 구연높이를 기준으로 형식을 분류하였다. 이를 토대로 전자는 11개, 후자는 10개의 형식으로 세분하였다. 평저형은 대각이 점차 길어지고 어깨형태가 돌대형, 둥근형, 각진형 등으로 다양해지는 변화를 보인다. 원저형 역시 대각이 점차 길어지는 변화와 더불어 구연이 높아지는 경향이 있는 것으로 파악하였다[13]. 이 연구에서 가장 눈에 띄는 점은 토기질의 변화를 시간차의 절대적인 기준이 될 수 없

12) 조은하, 2010, 『송원리고분 출토 백제토기 연구』, 고려대학교 대학원 석사학위논문, pp. 35~37.

13) 신종국, 2011, 앞의 논문.

고 기종에 따라 의도적으로 선택되었음을 확인한 것이다. 그 역시 토기제작의 기술적인 발전에 있어 경질이 나중에 등장한 것은 인정하지만 이것이 토기편년의 절대적인 기준이 될 수는 없다고 보았다.

고배에 관한 연구는 분석 대상의 수가 압도적으로 많은 유개고배를 중심으로 이루어졌으며, 시기적으로나 지역적으로 한성기에 치우쳐왔다. 시간에 따라 변화를 보이는 공통적인 속성으로는 구연과 대각의 높이나 배신의 깊이를 들 수 있고, 연구자에 따라 뚜껑받이턱의 형태나 다리 위치, 대각형태 등에 변화를 보인다고 파악하기도 하였다. 그러나 시간이 흐름에 따라 구연과 대각이 길어지고 배신이 얕아지는 방향으로 변화한다는 데에는 의견을 모으고 있다. 그 기원에 대해서는 연구가 미비한 편인데, 재래 기종에서 유래했다는 설과 중국의 영향을 받아 등장했다는 의견 등이 있는데, 전자의 경우는 초출형식을 무개고배로 상정하였으나 후자는 유개고배로 보았다. 유개고배의 등장시점에 대해서는 백제토기 신기종이 일괄적이 아닌 시간차를 두고 등장했음이 밝혀진 바 있어 4세기 이후를 출현시점으로 보는 견해가 받아들여지고 있다[14].

2. 삼족기

1980년대 중후반까지 진행된 삼족기에 대한 연구는 자료의 부족으로 인해 편년과 기원에 있어 많은 문제점을 안고 있다. 하지만 다수의 연구자들이 일찍부터 백제의 특징적인 토기로서 그 중요성을 인지하여 형식 분류와 용도에 대한 고찰을 시행하였고 나름 의미 있는 연구성과를 거두기도 하였다. 그 중 중요한

14) 김성남, 2004, 「백제 한성양식토기의 형성과 변천에 대하여」, 『고고학』 3-1, 중부고고학회, pp. 39~43; 한지선, 2005, 앞의 논문, pp. 7~15.

몇몇 연구를 간략히 살펴보겠다.

윤무병은 論山 表井里와 新興里 일대에서 발견된 삼족기에 대해 간략히 검토하였다. 그는 개배와 삼족기의 배신이 흡사한 점을 근거로 양자가 동일한 용도로 제작되었으며, 개배에 삼족을 부가함으로써 삼족기가 출현하였다고 지적하였다. 삼족기의 형식은 먼저 유개식과 무개식으로 구분하였고, 배신의 형태에 따라 바닥이 편평한 것과 둥근 것, 足部를 깎아 만든 것과 손으로 빚은 것으로 분류하였다. 바닥이 둥글고 손으로 빚은 다리가 부착된 것→바닥이 편평하고 깎아 만든 다리가 달린 토기로 변화한다고 파악하였다[15].

崔完奎는 익산 일대와 전북 서남지역에서 출토된 백제토기를 검토하는 과정에서 삼족기에 대해 간략히 언급하였다. 삼족기의 형식 설정과 변천에 있어서는 윤무병의 견해에 동의하고 있으며, 추가적으로 삼족의 부착위치를 편년의 기준으로 제시하였다. 이른 시기로 비정되는 풍납토성, 몽촌토성 등의 출토품은 삼족이 중앙에 가깝게 모였지만 전북지방을 포함하여 연대가 내려가는 삼족기는 삼족이 가장자리에 가깝게 부착되어, 삼족이 안으로 모여 부착된 것을 선행하는 요소로 파악하였다[16].

李錫九와 李大行은 삼족기를 독자적으로 다룬 최초의 연구를 진행하였는데, 삼족기의 형식분류와 함께 출토지, 발생연대, 용도, 기원에 대한 고찰을 시도하였다. 삼족기의 형식을 설정한 기준은 앞서 윤무병과 거의 유사하며 그 변화방향 역시 비슷하게 보았다. 용도에 대해서는 저장용적이 매우 적고 주로 고분에 부장되는 점, 祭器에 다리나 대각이 달리는 점 등을 근거로 祭祀用器로 추정하였다[17].

---

15) 尹武炳, 1979, 앞의 논문, pp. 281~284.

16) 崔完奎, 1986, 「全北地方의 百濟土器에 대하여」, 『考古美術』 169·170, 韓國美術史學會, pp. 91, 93, 97.

17) 李錫九·李大行, 1987, 「百濟 三足 土器 硏究」, 『公州師大 論文集』 25, 公州師範大學.

당시까지의 연구는 충남 이남지역의 고분 출토품을 중심으로 진행되어 삼족기가 5세기 말이나 6세기에 중국 南朝의 토기제작 기술의 영향으로 출현하였다고 파악하였다. 이와 같은 잘못된 이해는 1980년대 중반 이후 서울지역을 중심으로 한성기의 중요 유적이 조사되기 시작하면서 점차 해소되었다.

定森秀夫는 몽촌토성과 석촌동고분군 출토품을 중심으로 서울지역의 삼국시대 토기 편년을 실시하였다. 그중 몽촌토성 편년에 기준이 되는 것으로 三足盤과 有蓋三足杯를 꼽아 분석을 시도하였다. 먼저 삼족반을 身部가 얕고 단순한 형태(A系)와 신부가 더 깊고 표면에 돌대 등이 부착된 B계로 구분하고, 다시 B계를 구연과 동체의 형태에 따라 세분하였다. 공반관계를 통해 구연이 외반한 것에서 점차 직립하며, 직립 구연의 하부에 뚜껑받이턱이 있는 것으로, 그러다 동체가 부풀면서 어깨가 생기는 기형으로 변화한다고 파악하였다. 이와 대응하여 변화를 보이는 것이 유개삼족배로, 어깨부분이 굴곡진 형태의 A계와 돌출된 뚜껑받이턱의 B계로 나누고 B계는 다시 뚜껑받이턱의 형태와 구연의 길이 변화를 기준으로 세분하였다. 시간에 따라 뚜껑받이턱이 돌출된 형태에서 돌출부 상부가 각이 지고 하부는 돌출이 없어지는 형태로, 구연은 점차 짧아지는 쪽으로 변화한다고 보았다. 각 유형의 공반관계를 통해 삼족반의 변화를 기준으로 3단계로 분기를 설정하였다. 또한 삼족반B계 I 류(외반 구연)와 集安 禹山下 68號墳 출토 西晉代 靑銅 삼족반의 형태적 유사점을 근거로 백제 삼족반이 중국 청동기 혹은 도자기를 모방하여 5세기 중엽에 등장한 것으로 보았다[18].

박순발은 몽촌토성 출토 토기를 분석하는 과정에서 삼족기에 대한 연구를 진행하였다. 삼족기를 세분할 수 있는 기준으로 뚜껑의 유무(유개식과 무개식),

---

18) 定森秀夫, 1989,「韓国ソウル地域出土三国時代土器について」,『生産と流通の考古学』, 横山浩一先生退官記念事業會, pp. 444~452.

유개삼족기의 경우 어깨의 형태(둥근 어깨와 각진 어깨), 크기의 차이, 토기질의 차이를 제시하였다. 대구경군(盤形)에는 회색연질이, 소구경군(杯形)에는 회청색경질이 많아지는 변화를 감지하였고 이를 시기상의 차이로 파악하였다. 토기 제작기술의 발달상 회색연질토기가 먼저 출현하므로 회색연질과 동반되는 속성이 선행하는 것으로 보았다. 어깨의 형태에서도 각진 어깨가 회색연질과 더 깊은 관련을 보여 둥근 어깨보다 먼저 출현한 것으로 추정하였다. 또한 선행하는 기종은 회색연질로만 소성된 반형삼족기로, 그 출현배경은 집안 七星山 96號墳 출토 서진대 청동 三足洗이며 이를 토기로 번안한 백제의 반형삼족기가 4세기 중엽경에 등장한 것으로 파악하였다[19]. 이후 백제토기 성립에 지표가 되는 흑색마연토기가 3세기 후반~말경에 서진과의 교섭을 통해 古越磁의 영향으로 등장하였으며 이와 더불어 흑색마연토기로 제작된 백제토기 신기종이 함께 출현한 것으로 보았다. 삼족기는 그 출현계기는 다를 수 있으나 비슷한 시기에 등장한 것으로 파악하여 등장시점을 3세기 후반 이후로 수정하였다[20]. 당시 박순발은 백제토기 성립기에 신기종이 모두 등장한 것으로 파악하여 신기종의 출현이 비슷한 시기에 이루어 진 것으로 추정하였으나, 앞서 고배 연구사에서 언급한 바와 같이 삼족기나 유개고배 등이 등장하기 이전에 일부 신기종이 먼저 출현한 시기가 설정될 수 있어 삼족기의 등장시점을 처음의 견해보다 올려볼 수 있을지는 의문이 든다.

성정용은 중서부 해안지역에서 나타나는 백제토기의 양상과 의미를 이해하기 위해 洪城 神衿城 출토품을 고찰하는 과정에서 삼족기에 대한 분석을 진행하

---

19) 朴淳發, 1989, 앞의 논문, pp. 47~55, 194~195.

20) 朴淳發, 1992, 「百濟土器의 形成過程: 한강유역을 중심으로」, 『百濟硏究』 23, 忠南大學校 百濟硏究所, pp. 27~29.

였다. 신금성에서 출토된 삼족기는 모두 배형으로 뚜껑의 유무, 무개의 경우 구연의 형태, 유개는 어깨의 형태를 기준으로 세분하였다. 신금성에서 초기형으로 상정되는 반형삼족기의 부재와 몽촌토성에 비해 연질의 비율이 낮은 점, 유개등근어깨삼족기가 가장 성행하는 점 등을 근거로 신금성이 몽촌토성에 비해 점유시점이 늦은 것으로 파악하였다. 삼족기의 변천상도 몽촌토성의 것을 참고해 무개와 유개각진어깨삼족기가 4세기 전엽~중엽 정도에 출현하고, 유개등근어깨삼족기는 이보다 약간 늦은 4세기 중엽~후엽 사이에 등장한 것으로 보았다[21].

金鍾萬은 보령과 서천지방에서 확인된 백제토기의 지방양식을 밝히는 과정에서 삼족기에 대한 분석을 시도하였다. 뚜껑의 유무, 배신의 형태, 배신의 깊이, 뚜껑의 有·無紐式, 꼭지의 형태 등을 기준으로 형식을 분류하였다. 이 중 해당지역에서 가장 성행한 유개식배형각진어깨형 중 배신 바닥이 편평하고 무뉴식 뚜껑을 갖춘 것을 서해안지방에서 발생한 지방양식으로 파악하였고, 이것이 개배에 삼족을 부가하여 등장한 것으로 추정하였다. 또한 삼족기가 한성시대 이후에는 왕궁지로 추정되는 곳에서 발견예가 없어 웅진시대 이후에는 최상층이 사용하지 않았던 것으로 짐작하였는데, 또 다른 근거는 왕릉급으로 비정되는 고분에서는 백제 전기간에 걸쳐 출토예가 없다는 것이다. 또한 고분에 부장되는 시기도 늦으며, 중심권역을 벗어난 외지의 고분에서 다수 발견되는 것으로 보아 외곽지역에서 중심지로 전파된 토기일 가능성을 제시하였다[22].

尹煥과 姜熙天은 백제 전시기에 속하는 삼족기를 대상으로 변천상을 살폈다. 먼저 삼족반과 三足杯로 구분하고 뚜껑받이턱의 유무에 따라 세분하였다. 무개

---

21) 成正鏞, 1993,『漢城百濟期 中西部地域 百濟土器의 樣相과 그 性格: 洪城 神衿城 出土品을 中心으로』, 서울大學校 大學院 碩士學位論文, pp. 11~14, 60~63.

22) 金鍾萬, 1995,「忠南西海岸地方 百濟土器研究: 保寧·舒川地方을 中心으로」,『百濟研究』 25, 忠南大學校 百濟研究所, pp. 70~75.

삼족반은 구연과 족부의 형태, 동체의 장식화 정도에 변화를 보이며, 유개삼족반은 뚜껑받이턱과 동체 장식형태에 변화를 보이는 것으로 파악하였다. 무개삼족배는 구연의 외반형태, 유개삼족배는 점차 배신의 편평화와 족부의 장대화, 구연이 길어지는 변화상을 파악하였다. 또한 遷都를 기준으로 삼족기의 형식변화를 3단계로 나누어 살펴보았다. 1단계는 한강유역을 중심으로 삼족반과 삼족배가 공존하는 시기로 생활용기로서 다양한 형식이 공존하는 것으로 보았다. 2단계에는 삼족배로 단일화되는 양상을 보이며, 주로 중심지역을 벗어난 고분에서 확인되고 있어 사용주체와 용도에 변화가 일어난 것으로 파악하였다. 3단계는 삼족배가 극소화되면서 제사공헌용으로 서해안지역의 고분에 집중적으로 부장되며, 삼족배의 생산지와 사용지가 뚜렷하게 구분되는 양상을 보여 이에 대한 통제가 이루어졌을 가능성을 제시하였다. 삼족기의 발생배경에 대해서는 중국제 청동기와 陶瓷, 고구려토기, 원삼국시대 삼족기 등 다원적인 원인에 의해 4세기 중엽 이후에 등장하게 된 것으로 보았다[23]. 이 연구에서는 삼족기 구분의 우선적인 기준을 盤과 杯로 삼고 있는 것이 기존 연구와의 차이인데, 삼족반이 한성기에만 보이는 점, 그리고 양자가 용도상 구분되는 점 등을 통해 의미 있는 기준이라고 생각한다. 그러나 삼족기의 용도가 생활용기에서 점차 제사용기로 변한다고 파악하였는데, 한성기에도 추정 제사유구에서 확인되고 있어 이른 시기부터 생활용기와 제사용기로서의 기능을 모두 가졌던 것으로 볼 수 있다.

임영진은 백제의 건국과 성장과정에 대한 연구에서 몽촌토성 출토 삼족기의 변화상에 대해 간략히 언급하였다. 삼족기는 내경하는 구연과 둥글고 긴 다리가 달린 것에서 점차 구연이 직립하고 뚜껑받이턱이 원형으로 돌아가며 짧은 다각형 다리로 변화한다고 보았다. 삼족기의 출현시기는 3세기 중엽에서 4세기 전

23) 尹煥·姜熙天, 1995,「百濟 三足土器의 一硏究」,『古代硏究』4, 古代硏究會.

반으로 추정하였고, 반형삼족기는 보다 늦은 4세기 후반 이후에 등장하는 것으로 보았다. 기존의 장제와는 분명히 구분되는 多葬이 이루어진 점과 석촌동 3호분 동쪽 즙석봉토분에서 출토된 木製 櫓의 존재로 볼 때, 삼족기를 포함한 새로운 유형의 토기는 당시 배를 이용한 對 중국교류의 산물로서 3세기 중엽경 楊子江유역과의 관계에서 등장한 것으로 추정하였다. 또한 웅진·사비기에 이르러 고분 부장품이 되는 양상에 대해, 부장용 토기는 실용기 중 가장 전통성이 강한 일부가 선택되는 것인데 한성기에는 아직 내부적인 전통성을 갖추지 못한 상태였기 때문에 웅진기에 이르러서야 부장품으로 선택된 것으로 이해하였다[24].

이한상은 정지산 출토 삼족기를 구연의 접합방법과 뚜껑받이턱의 형태에 따라 2류로 구분하고, 杯深과 정면기법 차이, 足의 형태에 따라 세분하였다. 배신을 별도로 만든 후 뚜껑받이턱과 구연을 하나로 만들어 붙인 형식이 구연만 따로 붙인 것보다 먼저 등장하며, 배심이 깊은 것에서 얕은 것으로 변화한다고 파악하였다[25].

성정용은 마한에서 백제로의 전환과정을 연구하며 表井里古墳群 출토 삼족기를 대상으로 변화상을 관찰하였다. 삼족기는 깊고 둥근 배신에 구연과 뚜껑받이턱이 짧으며 가늘고 긴 다리가 중앙에 가깝게 붙어 있는 형태에서, 뚜껑받이턱이 넓고 구연이 길어지며 배신 하단이 편평해지는 단계를 거쳐, 배신의 깊이가 거의 없을 정도로 편평해지며 길고 두꺼운 다리가 붙는 형태로 변화한다고 파악하였다[26].

姜元杓는 삼족기에 관한 비교적 자세하고 포괄적인 연구를 진행하였다. 우선

---

24) 林永珍, 1996, 앞의 논문, pp. 75, 102~103, 108, 111~112.
25) 이한상, 1999, 앞의 논문, pp. 353~355.
26) 成正鏞, 2000, 앞의 논문, p. 59.

뚜껑의 유무에 따라 유개식과 무개식, 구경을 기준으로 대구경군인 반형과 소구경군인 배형으로 구분하여 무개식 반형삼족기, 유개식 반형삼족기, 무개식 배형삼족기, 유개식 배형삼족기로 나누고, 구연부의 형태, 어깨의 형태, 배신의 심도와 구연부의 높이를 기준으로 형식을 설정하였다. 기준이 되는 유적에서의 출토양상을 바탕으로 그 변화양상을 살피고 삼족기의 확산과 소멸과정을 3단계로 구분하여 살펴보았다. Ⅰ기(3세기 중반~5세기 중반)는 삼족기가 출현하는 시기로 주로 생활유적에서 유·무개식 반형과 배형삼족기가 확인된다. 이때에 토기질이 회색 연질에서 회청색 경질로 급격히 변화함을 지적하고 있다. Ⅱ기(5세기 중엽~6세기 초엽)는 지방에서 삼족기가 부장되기 시작하여 백제 전 영역으로 확산되는 시기로, 다양한 형식의 삼족기가 점차 배형으로 단순화된다고 보았다. 삼족기가 전국적으로 확산되는 원인으로 지방통치방식의 변화를 들었다. Ⅲ기(6세기 초·중반~7세기 중반)에는 중심지역에서 삼족기의 사용이 현저하게 줄어드는 반면 서해안지역의 고분에서 그 출토예가 증가하다 고분에서도 삼족기가 점차 소멸하는 것으로 파악하였다. 한편 삼족기를 백제 고유 신앙의 제사의례 용기로 보아 그 소멸원인으로 불교의 확산으로 인한 종교상의 변화를 제시하였다. 또한 그 용도에 대해서는 출현 당시부터 제기로서의 성격을 지녔던 것으로 보았는데, 그 이유는 한성기 중앙의 추정 제사유구에서 주로 확인되는 점과 이른 시기부터 늦은 시기까지 의도적으로 파손한 행위가 관찰되기 때문이다[27].

풍납토성 현대연합주택부지 발굴조사팀은 출토된 삼족기에 대한 연구를 진행하였는데, 삼족기를 하나의 기종으로 분류하지 않고 반류와 배류의 일부 기종으로서 무개삼족반, 유개삼족반과 (유개)삼족배로 구분하였다. 이 중 유개삼

27) 姜元杓, 2001, 『百濟 三足土器의 擴散과 消滅過程 硏究』, 高麗大學校 大學院 碩士學位論文.

족반은 구연이 직립에서 내경으로, 얕고 넓은 간격의 동체 홈이 깊고 연접하는 홈으로 변화하며 경질화되는 양상을 보인다고 파악하였다. 삼족배는 어깨형태를 기준으로 구분하였고, 각 어깨형태가 토기질과 높은 상관성을 보임을 지적하였다. 층위상으로도 3층에서 대부분 연질과 결합되는 어깨형태가, 4층에서는 경·도질과 결합되는 어깨형태가 높은 비율을 차지하며, 토기질에서도 이와 같은 변화가 보여 점차 경질이나 도질로 소성된 토기의 양이 증가하는 것으로 파악하였다. 한편 풍납토성에서 삼족기는 3층에서 처음으로 확인되며 그 시기를 몽촌 I 기와 유사한 3세기 중반에서 4세기 중반으로 편년하였다[28].

박순발은 웅진·사비기의 대표적인 기종인 직구단경호와 함께 삼족기의 변천을 살펴보았다. 분석대상은 한성기에서 사비기까지 지속되는 유개배형삼족기로, 어깨의 형태에 따라 圓肩과 角肩으로 나누고 시간에 따른 변화가 관찰되는 속성으로 배신심도와 삼족분산도를 제시하였다. 배신심도는 사비기로 갈수록 줄어들고 삼족분산도는 점차 커지는 경향을 보여, 배신이 점차 얕아지고 삼족이 중심부근에서 배신 외곽부로 그 부착지점이 변화함을 확인하였다[29].

土田純子는 한성기부터 사비기에 속하는 유개삼족기를 대상으로 통계학적인 분석을 실시하여 시공간적인 변천상을 살피고 편년을 실시하였다. 먼저 계측적인 속성의 변화를 살핀 결과, 다리분산은 사비기로 갈수록 작아지고 점차 배신이 얕고 다리가 길어지는 쪽으로 변하며, 다리위치는 사비기로 갈수록 최대경에 가까워지고 다리굵기는 점차 굵어지는 양상을 확인하였다. 명목적인 속성 중 어깨형태는 돌대가 있는 것에서 뚜껑받이턱이 둥근 형태로, 다리형태는

28) 국립문화재연구소, 2001, 앞의 보고서, pp. 563~566, 569~570, 591~592.

29) 朴淳發, 2003, 「熊津·泗沘期 百濟土器 編年에 대하여: 三足器와 直口短頸壺를 中心으로」, 『百濟研究』 37, 忠南大學校 百濟研究所, pp. 58~65.

끝이 편평한 것에서 뾰족한 것으로 변한다고 파악하였다. 다음으로 출토지를 도성지역과 지방으로 구분하여 지역적인 특징을 살펴보았는데, 시기에 따라 지역별로 다양한 형태가 공존함을 확인하였다. 어깨형태와 다리형태의 결합으로 총 7개의 형식을 설정하였고, 시간이 흐름에 따라 배신이 얕아지고 길어진 다리가 동최대경에 가깝게 부착되는 방향으로 변화하는 것으로 파악하였다[30].

2013년의 연구에서는 보다 많은 대상으로 분석을 진행하면서 개체 수가 적어 따로 형식을 설정하지 않았지만 대형반형, 소형반형, 壺形 삼족기의 변천상도 함께 살핀 결과, 반형이 배형에 비해 출현이 늦었으며 대형반형, 소형반형, 호형 삼족기는 한성기에만 유행하였던 것으로 파악하였다. 계측적 속성의 변천을 근거로 삼족기의 가장 이른 형태는 배형삼족기이며 그 연대는 4세기 3/4분기로 보았다. 반형삼족기는 이보다 늦은 4세기 4/4분기에 등장하는데, 그 이유는 중국과 고구려 출토 銅洗의 변천을 검토하여 비교한 결과, 반형 중 가장 이른 형식으로 설정한 몽촌토성 85-2호 토광묘 출토 반형삼족기가 동진 초 이후로 편년되며, 4세기 4/4분기로 편년한 몽촌토성 85-2호 토광묘 출토 배형삼족기와 동일한 제작자에 의해 제작된 것으로 보았기 때문이다. 한편, 그간 삼족기의 조형으로 언급되던 우산하 68호분 출토품은 4세기 4/4분기 이후에 속하며, 병행하는 것으로 보았던 칠성산 96호분의 연대는 출토품 중 고구려 장경호가 5세기로 편년되고 있어 대략 5세기 1/4~2/4로 비정하였다[31]. 이 연구의 가장 큰 성과는 중국과 고구려 출토 삼족기의 변천을 적극적으로 검토하여 백제 반형삼족기의 조형문제와 그 시간적 위치를 보다 명확하게 파악하려고 시도한 것이다. 하지만 배형삼족기와 반형삼족기의 선후관계는 배형삼족기의 계측적인 속성의 변천만을 증거

---

30) 土田純子, 2004, 앞의 논문, pp. 24~87.
31) 土田純子, 2013, 앞의 논문, pp. 163~176.

로 들고 있어 기존의 가설에 대한 반박으로는 부족하다고 생각한다.

이명엽은 백제토기 신기종의 출현을 중국자기 소유에 대한 욕구충족의 일환으로 중국자기를 모방하면서 이루어진 것으로 이해하였고, 하나의 예로 삼족기를 들며 삼족기 중에서도 洗形과 반형삼족기가 중국 도자기를 모방하여 제작된 것으로 보았다. 세형삼족기는 모두 무개식으로 동체부의 요철 유무에 따라 구분되며, 반형삼족기는 유개식과 무개식, 그리고 요철 유무에 따라 세분된다고 보았다. 각 형식에서 보이는 형태적 특징을 토대로 중국 兩晉代 도자기에서 그 기원을 찾았는데, 세형삼족기는 青磁洗를, 무개형 반형삼족기는 청자 삼족반을, 유개형 반형삼족기는 도자기로 구운 벼루를 모방하여 만든 것으로 추정하였다[32].

김일규는 기존에 제시된 백제토기 편년에 대한 수정안을 제시하기 위해 백제토기의 대표적인 기종에 대한 형식분류와 편년을 시도하면서 삼족반을 대상으로 분석을 행하였다. 먼저 삼족반을 구연부의 형태와 뚜껑받이턱을 기준으로 外折口緣삼족반과 直立口緣삼족반으로 구분하였다. 외절구연삼족반의 구연은 점차 짧아지고 외경하는 형태로 변하였고 동체부는 깊이가 얕아지고 곡선기가 사라지며 소형화되는 경향을 보이며, 돌대는 구연 하단에서 동체 중위로 이동하면서 수가 감소하고 점차 흔적상의 형태로 변한다고 보았다. 직립구연삼족반은 돌대에 있어 외절구연삼족반과 동일한 변화를 보이며, 구연은 직립에서 내경으로, 동체는 중위에서 직립하여 구연으로 이어지던 것이 점차 동체가 굴곡져 구연으로 연결되는 형태로 변화한다고 파악하였다. 삼족반의 조형으로 집안 우산하 68호분과 칠성산 96호분 출토 청동 삼족세를 들고 있는데, 칠성산 96호

---

32) 이명엽, 2006, 「百濟土器 新器種의 出現과 中國陶磁器의 影向」, 『古文化』 67, 韓國大學博物館協會, pp. 46~48, 51~53.

분에 공반된 금속유물의 편년과 두 유적 출토 청동세와 같은 淺洗에 다리가 부착된 것은 東晉代 이후라는 점을 근거로 칠성산 96호분의 연대를 5세기 1/4분기로 비정하였다. 따라서 삼족반의 출현시점은 그 이후이며 6세기 전반까지 사용되었던 것으로 추정하였다[33]. 김일규는 대부분의 연구자가 삼족반이 한성기 이후 사라진다고 보는 것과 달리 6세기 전반까지 지속되었다고 주장하였는데, 이는 단순히 삼족반의 연대뿐만 아니라 475년 이후 백제토기가 서울지역에서 생산될 수 있었느냐의 문제와 연결된다. 475년은 서울지역에 있어 정치적으로 큰 변화를 몰고 온 시기로 그에 따른 물질문화의 변동이 있었을 것으로 많은 학자들이 추측하고 있다. 특히나 고급기종으로 분류되는 삼족반의 제작이 가능했다고 보기는 어려우며, 475년 이후 한성지역의 토기, 기와 등의 생산기반이 완전히 붕괴된 것으로 볼 수 있기 때문에[34] 이 주장은 재고의 여지가 있다.

조은하는 송원리고분군 출토 삼족배에 대해 고찰하였다. 분석대상은 모두 유개식으로, 배신의 형태에 따라 원저(A형)와 평저(B형)로 구분하였다. A형은 어깨의 형태에 따라 세분되며, 각 형식의 선후관계는 구연부 높이와 삼족분산도의 변화를 통해 파악하였다. 시간이 지날수록 구연부가 높아지고 삼족분산도가 커지는 방향으로 변화함을 근거로 돌대 형태의 견부가 선행하고 견부 하부가 배신으로 연결되고 끝이 날렵해지는 형태를 늦은 것으로 보았다[35].

朴普鉉은 삼족반의 기원으로 언급되는 집안 우산하 68호분 출토 삼족반의 연대에 대해 재검토하였다. 우산하 68호분 출토 삼족반은 湖北 蔡甸 1호 西晉墓 출토 銅洗와의 유사성을 근거로 4세기 초기~중기로 비정되었는데, 필자는 두 유물이

33) 김일규, 2007, 「漢城期 百濟土器 編年再考」, 『先史와 古代』 27, 韓國古代學會, pp. 119~122, 126.

34) 權五榮, 2011, 앞의 논문, pp. 148~150.

35) 조은하, 2010, 앞의 논문, pp. 37~39.

脚이 붙는 자리에 덧붙인 座板에 獸面 부착여부와 구연의 형태 등에서 전혀 다른 특징을 보이고 있어 이를 근거로 한 연대비정의 문제점을 지적하고, 그 계보를 서진이 아닌 고구려로 보았다. 또한 삼족반의 상한연대를 우산하 68호분에 공반된 黃釉陶器와 三室塚 출토품을 참고해 5세기 중엽에서 후반으로 추정하였다[36].

辛閨政은 백제토기 중에서 고급용기에 해당하는 盒과 洗의 형식 분류와 시공간적 양상을 검토한 연구에서 삼족이 부착된 형태인 三足大盒과 삼족세에 관한 고찰을 시도하였다. 삼족대합은 모두 직립구연에 연질로, 견부-동체부와 족부의 형태에 따라 세분하였다. 삼족세는 따로 구분 없이 세에 포함시켜 살폈는데, 모두 외반 구연에 연질이고 역시 견부-동체부 형태에 따라 세분하였다. 삼족대합과 세는 견부·동체부의 장식성이 강해지는 방향으로 발전하며, 삼족대합은 족부의 형태가 원뿔형에서 獸足형으로 변화한다고 보았다. 두 기종은 4세기 중반 이후에 등장하여 한성 말기까지 지속되었던 것으로 추정하였다. 공간적인 측면에서 양자 모두 백제 왕성 일대에서만 확인되며 흑색마연된 경우가 많고, 동체부에 장식대 가미 등 다른 토기에 비해 기술과 노력이 요구되는 기종인 점과 제의 행위가 이루어졌던 것으로 추정되는 수혈에서 확인 빈도가 높은 점 등을 통해 제사용기로 추정하였다. 또한 삼족세의 출현시점을 4세기 중엽 이후로 보았는데, 그 이유는 삼족세의 기원으로 여겨지는 청동 삼족세의 출토유구인 우산하 68호분과 칠성산 96호분의 연대가 함께 부장된 금속유물의 형태나 무덤의 형식으로 보아 4세기 중엽 이후이며, 두 무덤의 출토품과 같이 천세의 형태를 지닌 삼족세가 동진 때까지는 나타나지 않는 점을 지적하였다. 또한 이른 시기에 속하는 백제토기의 다른 기종에서 요철이나 돌대 장식이 보이지 않는 점

36) 朴普鉉, 2011,「三足盤의 年代와 性格」,『科技考古硏究』17, 아주대학교 박물관.

을 통해서도 신기종의 출현과 세의 등장시기에 차이가 있는 것으로 보았다[37]. 기존에 삼족대합과 세는 삼족기의 형식 중 하나로 분류되었는데 신윤정은 이를 합과 세로서 연구하였다. 삼족이 부착되었다는 공통점이 있긴 하지만, 삼족반과 삼족배는 기능뿐만 아니라 그 출토 지역이나 사용기간에서도 큰 차이를 보이기 때문에 별도의 기종으로 분리하여 보는 것이 타당하다고 생각한다.

삼족기는 주로 반형이나 배형 동체에 세 개의 다리가 부착된 기종을 아울러 연구된 경향이 강했으나 최근 백제토기를 분류하는 데 있어 새로운 방향이 제시됨에 따라 분리된 연구가 실시되기도 하였다. 그간의 연구를 살펴보면 한성기에는 반형과 배형이 공존하다 점차 배형으로 단일화되어 사비기까지 지속되고 있다. 변화양상을 살펴보면 반형은 동체의 장식속성이 강해지는 방향으로, 배형은 구연이 길어지고 배신의 심도가 얕아지며 삼족의 부착위치가 점차 외곽으로 집중되는 변화를 보이는 것으로 정리할 수 있다. 그 기원에 대해서는 일찍부터 다양한 의견이 제기되고 있는데, 주로 중국 청동기나 도자기를 그 조형으로 상정하고 있다. 그러나 그 기원으로 삼는 유물의 편년에 있어 연구자에 따라 심하게는 1세기 이상까지 시간차가 있어 등장시점에 대한 문제는 해결해야 할 과제로 남아있다.

Ⅲ. 연구과제

먼저 고배의 경우 초출형식에 대해 재검토할 필요가 있다. 이른 시기의 연구에서는 뚜껑이 없는 무개고배가 먼저 등장하였고 그 시점을 주로 3세기 중반 이

37) 辛閏政, 2012,『漢城百濟期 盒·洗類의 硏究』, 成均館大學校 大學院 碩士學位論文.

후로 보았다[38]. 대상이 되는 유구는 석촌동고분군 A지구 즙석봉토분[39]으로 여기서 출토된 무개고배를 초출형식으로 보는 것이다. 그리고 그 기원은 재래기종을 이어 받은 것으로 파악하기도 하였다[40]. 그러나 최근 고배에 대한 연구를 진행한 土田純子는 고배의 초출형식은 유개고배로, 중국 강서성 홍주요 출토 청자 豆의 영향으로 동진 이후에 등장한 것으로 본 권오영의 견해를 수용하였다[41]. 土田純子가 유개고배를 가장 빠른 형식으로 설정한 것은 연대가 비교적 뚜렷한 개체를 기준으로 다리비율을 역산하였기 때문이고, 무개고배의 다리비율이 비교적 높아 후행한다고 보았다. 또한 고배의 기원으로 본 양자강 유역의 청자 豆가 유개고배와 형태상 매우 유사하기도 하여 유개고배를 이른 형식으로 파악했던 것으로 보인다. 그러나 백제토기 성립기에 유개고배에 앞서 무개고배만 존재한 시기가 있어[42] 유개고배를 초출형식 볼 수 있을지 의문이 든다. 그가 고배의 가장 이른 형식으로 설정한 개체는 풍납토성 197번지 가-54호-2호 수혈 출토품[43]으로 4세기 2/4분기에 등장한다고 보았다. 그러나 풍납토성의 보고자는 이를 4세기 말 이후로 편년하였으며, 신종국은 해당 유구 출토품을 유개고배의 형식변천에 있어 2단계에 속한다고 파악하였다. 또한 土田純子는 석촌동 즙석봉토분 출토품을 4세기 4/4분기 이후로 편년하고 있어 기존 연구자들의 견해와 차이를 보인다. 여기서 필자는 초출형식을 판단하는 데 무개고배와 유개고배의 구분 기준이 되는 뚜껑받이턱의 존재에 주목할 필요가 있다고 생각한

38) 朴淳發, 2001, 앞의 책; 林永珍, 1996, 앞의 논문.
39) 金元龍·林永珍, 1986, 『石村洞3號墳東쪽古墳群整理調査報告』.
40) 朴淳發, 2001, 앞의 책, p. 113.
41) 土田純子, 2013, 앞의 논문, p. 161.
42) 김성남, 2004, 앞의 논문, pp. 39~43; 한지선, 2005, 앞의 논문, pp. 7~15.
43) 국립문화재연구소, 2013, 『風納土城 XV』.

다. 유개고배는 언뜻 보기에도 제작에 있어 더 많은 공정을 필요로 하는 형태이며, 뚜껑을 덮을 수 있는 기능이 추가된 발전된 형식으로 볼 수 있다. 더욱이 비교적 이른 시기에 등장하는 형식은 뚜껑받이턱이 돌대형으로 부착된 유개고배로, 이는 무개고배의 구연 하부에 돌대를 부착한 듯한 형태이다. 이러한 정황상 고배의 초출형식은 무개고배로 보는 것이 타당하며 후에 다른 요인으로 발전된 형태의 유개고배가 등장하였던 것으로 정리할 수 있다. 추후 고배의 기원을 논하는 데 있어 이러한 차이점을 인식하여 살펴보는 것이 좋을 듯하다.

다음으로 삼족기는 초출형식과 출현시점, 기원 등에 있어 다양한 논의가 이어져 왔다. 삼족기의 초출형식에 대해서는 몽촌토성 85-2호 토광묘에서 출토된 반형삼족기로 보는 견해[44]와 배형삼족기가 먼저 등장하고 반형삼족기가 늦게 출현하였다[45]는 의견으로 나뉜다. 또한 초출형식에 대한 견해는 제시하지 않았지만 삼족기의 편년에 있어 85-2호 토광묘의 성격과 연대를 근거로 엇갈린 의견이 제기되고 있다. 이러한 이유로 해당 유구에서 출토된 삼족기를 4세기 전반에서 5세기 후반까지 다소 광범위하게 편년하고 있어 이에 대한 검토가 필요하다. 85-2호 토광묘는 구릉 경사면에 조성된 길이 3.3~3.4m, 너비 1.7~1.8m, 깊이 0.55(동)~0.75(서)m의 장방형 유구로, 보고자는 이를 2인 合葬墓로 보았다. 바닥에 약 5㎝ 두께로 적갈색 점질토가 확인되고, 중앙에 반형삼족기 2점이 포개어 엎어져 있고 그 측면에 대부유개소호가 역시 포개져 눕힌 채 출토되었다. 그 위를 채운 충적토에서는 일부러 깨뜨려 넣은 삼족기와 파수가 부착된 다양한 기종의 토기편이 수습되었다(그림 1). 보고자는 대부분의 유물 경도가 공주나 부여지방

44) 定森秀夫, 1989, 앞의 논문; 朴淳發, 1989, 앞의 논문; 同著, 2001, 앞의 책; 姜元杓, 2001, 앞의 논문.

45) 林永珍, 1996, 앞의 논문; 權五榮, 2011, 앞의 논문; 土田純子, 2013, 앞의 논문.

의 토기들과 통하고 있어 조성연대를 5세기 후반경으로 추정하였다[46]. 연구자들 중 보고자의 견해대로 이를 토광묘로 인정하는 입장은 삼족기가 한성기 중앙에서 부장품으로 사용되지 않았고 도성 내에 묘제가 축조되는 것은 성의 기능이 상실된 이후에나 가능하기 때문이라는 것으로, 그 연대를 보고자와 동일하게 5세기 후반으로 보고 있다[47]. 하지만 유구의 성격에 대한 이견이 제기되었다. 보통 시신이 안치되는 공간에 토기가 놓인 점과 인위적으로 파손해 넣은 토기편, 한성기 중앙에서 삼족기가 무덤에 부장되지 않는 점 등을 근거로 이를 제사유구로 볼 수 있으며, 연대도 보고자의 견해보다 빠를 가능성이 있단 의견[48]도 있다.

앞서 언급하였듯이 연구자에 따라 여기에 부장된 반형삼족기를 가장 이른 형식으로 설정하기도 하고, 반대로 발전된 형식으로 보기도 하며 그 연대도 1세기 이상 차이를 보인다. 따라서 함께 부장된 유물의 검토를 통해 보다 정확한 연대

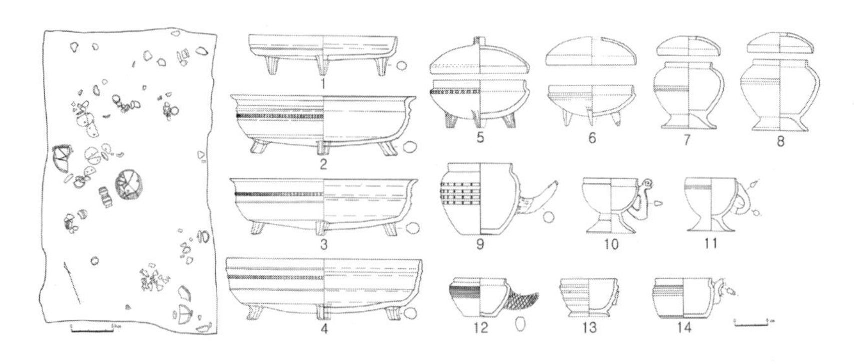

〈그림 1〉 몽촌토성 85-2호 토광묘 유물출토 상황 및 출토유물

46) 夢村土城發掘調查團, 1985,『夢村土城發掘調查報告』, pp. 64~67, 164.

47) 林永珍, 1995,『百濟漢城時代古墳硏究』, 서울大學校 大學院 博士學位論文, p. 85; 尹煥·姜熙天, 1995, 앞의 논문, pp. 66~67.

48) 朴淳發, 2001, 앞의 책, p. 123.

를 파악해 보고자한다. 함께 부장된 유물 중 우각형 파수가 부착된 직구파수부 소호(그림 1-9)를 살펴보도록 하겠다. 이 토기의 동체 중상부 돌대에 도구를 이용해 타원형에 가까운 문양을 시문하였는데, 반형삼족기(그림 1-2~4)에도 동일한 문양이 관찰된다. 일반적으로 문양을 시문하지 않는 기종인데다 여러 점에서 동시에 확인되는 것으로 보아 서로 연관성이 있으며 제작시점이 크게 차이나지 않을 가능성이 높다고 생각한다[49]. 파수가 부착된 기종을 모아 변천상을 살핀 박순발의 연구를 참고하면 몽촌토성 85-2호 유구 출토품은 4세기 말에 속하며[50], 이는 함께 부장된 문양이 있는 배형삼족기(그림 1-5)의 연대[51]와도 유사하여 해당 유구를 5세기대까지 내려 보기에는 무리가 있다고 본다.

또한 대부분의 연구자가 반형삼족기의 조형이 중국 청동세임에 동의하고 있으나, 그 기원으로 보는 집안지역 고분 출토 삼족세의 연대에 있어 견해차를 보인다. 박순발은 칠성산 96호분 출토 청동 삼족세를 서진대로 보아 이를 모방한 반형삼족기가 4세기 중엽 이전에 등장했다고 보았다[52]. 土田純子는 중국과 고구려 출토 동세의 변천을 살폈는데, 시간에 따라 구연에서 동체로 내려가는 각도가 직각에서 예각으로 변화하고 저부에 부착된 단이 동체부와 저부의 경계보다 안쪽에 설치된 것에서 점차 경계에 가까워지고, 다리가 부착된 동세의 경우 기고가 점차 낮아지는 것을 확인하였다. 이에 따라 우산하 68호분 출토품은 4세기 4/4분기 이후이며, 칠성산 96호분은 공반된 고구려 장경호가 5세기로 편

49) 土田純子는 해당 유구에서 출토된 배형삼족기에 시문된 문양을 반형삼족기의 것과 동일하게 보고 이를 같은 제작자의 제품으로 보았다. 土田純子, 2013, 앞의 논문, p. 175.

50) 박순발, 2006, 『백제토기 탐구』, 주류성, p. 199.

51) 土田純子, 2013, 앞의 논문, p. 175.

52) 朴淳發, 1992, 앞의 논문, p. 33.

년되고 있어 대략 5세기 1/4~2/4로 연대를 비정하였다[53]. 그러나 김일규는 칠성산 96호분에 공반된 금속유물의 편년과 두 유적 출토 청동세와 같은 천세에 다리가 부착된 것은 동진 이후라는 점을 근거로 칠성산 96호분을 5세기 1/4분기로 편년하였다[54]. 定森秀夫은 우산하 68호분의 연대를 병행하는 것으로 알려진 칠성산 96호분의 연대를 참고해 5세기 중엽에 해당하는 것으로 보았다[55]. 박보현은 우산하 68호분 출토 삼족세를 공반된 黃釉陶器와 三室塚 출토품을 참고해 5세기 중엽에서 후반으로 비정하였다[56]. 이렇듯 다양한 논의가 진행된 바 있는데, 금속제품은 토기에 비해 수량도 적고 세밀한 분기설정이 어려워 편년을 재확인하는 보충 자료로서는 적합하지만 연대결정자료의 기준은 될 수 없으며[57], 晉代 청동제 유물이 고국원왕 13년(343년) 晉에 사신을 보내며 이루어진 문물교환의 산물일 가능성이 높아 4세기 중엽 경에 유입된 것으로 볼 수 있다는 견해[58]를 참고해 4세기 중엽 이후가 비교적 합리적인 안이라 생각한다.

마지막으로 그간의 연구는 삼족이라는 공통적인 속성 때문에 서로 다른 기종을 삼족기로 아울러 분석한 경우가 많았다. 하지만 이제까지 확인된 삼족이 부착된 토기는 반형, 배형, 호형 등으로 용도가 명확히 구분되는 각기 다른 기종이다. 다행히 최근 백제토기 분류체계가 다시 정립되어 기종에 대한 새로운 인식이 자리 잡아가면서 이를 분리시킨 연구가 진행되고 있다. 앞으로의 연구에 이러한 변화가 더욱 적극적으로 수용되어 삼족기를 이해하는 데 보다 발전된 연

---

53) 土田純子, 2013, 앞의 논문, pp. 174~175.
54) 김일규, 2007, 앞의 논문, pp. 119~122.
55) 定森秀夫, 1989, 앞의 논문, pp. 447~448.
56) 朴普鉉, 2011, 앞의 논문, pp. 12~13.
57) 土田純子, 2013, 앞의 논문, p. 13.
58) 강현숙, 2000, 『高句麗 古墳 硏究』, 서울대학교 대학원 박사학위논문(辛閏政, 2012, 앞의 논문, p. 51에서 재인용).

구성과가 축적되길 바란다. 이와 연관하여 삼족기의 기원에 대해 재고할 필요가 있는데, 현재까지 기원을 추정하는 데 대상이 된 것은 반형삼족기이다. 그러나 앞서 언급했듯이 배형삼족기는 형태와 용도에 있어 반형과 뚜렷한 차이가 있어 그 기원을 하나로 보기는 어렵다고 생각한다. 따라서 배형삼족기의 등장 배경에 대한 별도의 검토가 필요하다.

Ⅳ. 맺음말

본고에서는 백제토기의 대표적인 기종인 고배와 삼족기에 대한 연구성과와 앞으로 해결해야 할 과제에 대해 간략하게 살펴보았다. 고배와 삼족기는 백제토기의 신기종으로서 백제토기의 등장에 관한 연구와 더불어 그 기원과 등장시점에 대한 검토가 여러 차례 이루어진 바 있지만, 아직까지 의견의 일치를 보지 못해 해결해야 할 과제가 많은 상황이다. 그나마 다른 기종에 비해 개별적인 연구가 상당히 진행된 편이긴 하지만, 형식 분류와 편년에 치우친 연구가 주를 이룬다. 두 기종 모두 백제 전시기에 걸쳐 광역적으로 사용된 만큼 전체적인 양상뿐만 아니라 지역적인 양상에 대한 연구나 용도의 변화 등에 대한 보다 다양한 고찰을 통해 백제사회의 변화상을 이해하는 데 한걸음 더 다가갈 수 있는 기회를 제공하길 기대한다.

기대

이건용 국립나주문화재연구소

Ⅰ. 연구현황

마한·백제권 기대에 대한 본격적인 연구는 1980년대 서성훈[1]에 의해 공주·부여일대의 지표수습된 유물과 개인 수집품을 대상으로 시작되었다. 1984년 조사된 몽촌토성 발굴조사에서 통형기대가 다량으로 출토되어 구체적으로 정리된[2] 이후 마한·백제권의 통형기대에 대한 관심이 갖기 시작하였다. 1988년 보고된 몽촌토성에서 출토된 발형기대 1점[3] 또한 논산 신흥리·표정리 일대에서 출토된 토기와의 연관성에 대해서도 주목을 받았다.

당시 몽촌토성에서 출토된 통형기대를 특수한 원통형토기로 파악한 황용운[4]은 그 용도가 토목공사 축조물의 강화를 위한 탈수장치라는 견해를 제시하였

1) 徐聲勳, 1980,「百濟器台의 研究」,『百濟研究』11, 충남대학교박물관.

2) 金元龍 ·任孝宰·朴淳發 ·崔鍾澤, 1989,『夢村土城-西南地區發掘調査報告書-』, 서울大學校博物館, p.121 ; 국립문화재연구소, 2001,『風納土城 I』, p.574.

3) 서울대학교 박물관, 1988,『몽촌토성 동남지구 발굴조사보고』.

4) 黃龍渾, 1987,「圓筒形土器 機能에 對한 考察」,『天寛宇先生還曆記念韓國史論叢』I.

다. 하지만 임영진[5]은 원통형토기의 출토정황과 정교한 형태·정선된 태토로 미루어 보아 건축물과 관계가 없고, 대각을 비롯한 다른 부위의 파편에 대한 분석을 근거로 공주·부여일대에서 보고된 통형기대와 동일한 기종으로 재고하였다. 이후 기대 연구는 추가적인 발견이 다른 토기에 비해 적고, 출토정황에서 그 기능과 용도에 대한 판단을 내릴 수 있는 단서가 적어 다른 기종에 비해 주요 주제로 다루어지지 않았다.

발굴의 증가로 통형·발형기대 출토 사례가 늘어나고, 부안 죽막동 제사유적과 풍납토성 경당지구와 같이 뚜렷하게 제사에 사용된 폐기물과 공반되는 정황들이 증가하자, 마한·백제권의 통형·발형기대는 제사용 토기로 인식되었다[6]. 최근 나혜림[7]에 의해서 발형·통형기대의 기형과 장식, 그리고 기능과 용도가 재조명되고, 풍납토성 미래마을 나지구[8]에서 상당히 많은 수량과 기본 형태를 유지하고 있는 통형기대가 조사되어 보다 구체적인 분석이 이루어졌다[9]. 지속적인 발굴로 인하여 새로운 형태의 기대가 발견되고, 이에 대한 연구성과가 발표됨으로서 기존의 연구성과들은 보완되거나 재고되고 있다. 그러나 여전히 현 시점에도 시기별 모든 형태의 기대는 확인되지 않았다고 생각된다.

마한·백제권 기대에 관한 기왕의 연구는 발형·통형기대를 대상으로 형식 변천과정과 제작방법, 용도·기능에 관해 이루어진 바 있다. 그러나 대부분 한성기, 웅진기, 사비기 가운데 어느 한 시기 혹은 일부 지역에 국한시켜 연구가 진행되어 오고 있다. 또한 아직까지는 새로운 형태의 사례가 늘어가고 있어, 기대

5) 林永珍, 1988,「高句麗·百濟」,『韓國考古學會』21輯, 韓國考古學會.
6) 權五榮, 2004,『風納土城Ⅳ』, 한신大學校博物館.
7) 나혜림, 2010,「百濟 器臺의 變遷과 機能」, 한신대학교 碩士學位論文.
8) 국립문화재연구소. 2012,『風納土城ＸⅢ』, pp.540~548.
9) 국립문화재연구소, 2011,『한성지역 백제토기 분류표준화 방안연구』, pp.265~268.

에 대한 인식이 확대되고 있는 과정이라고 생각된다.

윤무병[10]은 백제고분인 표정리·신흥리 고분과 그 주변에서 수습한 발형기대의 형태가 고배와 유사함을 지적하고, 대각의 삼각형 투창을 가야계 요소로 규정하여 가야는 물론 신라와의 관계여부에 초점을 두었다. 또한 발형기대가 출토되는 이 일대에서는 부여에서 수습된 통형기대가 출토되지 않는 점을 주목하였다.

〈표 1〉 마한·백제권 기대 연구성과 정리

연구자	발표 연도	기대 종류		연구성과(경향)	
		발형기대	통형기대	형식·변천	용도·기능
윤무병	1979	●		●	
서성훈	1980	●	●	●	
임영진	1987	●	●	●	
박순발	1992	●	●	●	
방유리	2003		●	●	
이문형	2003	●		●	
한준영	2003		●		●
김종만	2003	●	●	●	
서영일	2005		●		●
서현주	2006	●	●	●	
나혜림	2010	●	●	●	●
김낙중	2012	●	●		●
한지선·이명희	2012	●	●	●	●
이건용	2014		●	●	

10) 尹武炳, 1979,「連山地方 百濟土器의 硏究」,『百濟硏究』10, 忠南大學校 百濟硏究所.

서성훈[11]은 개인 수집물 및 지표 수습된 자료를 토대로 백제기대의 형식을 고배형기대(발형기대)와 원통형기대로 구분하여 소개하였다. 그중 원통형기대는 대각 형태에 중점을 두어 반장고형기대와 원주형기대로 분류하였다. 기대가 대개 백제 왕실과 밀접한 관련이 있는 서울·부여·공주 지방에서 출토된 사실을 주목하고, 기대가 각 시대와 지역에 따라 특색을 달리함을 밝혀냈다. 백제기대는 부장품으로 출토되는 신라·가야 기대와 달리 폐사지 등지에서 출토되는 사실과 백제 고유 독창적인 형태라는 점을 인식하였다.

임영진[12]은 백제 한성기 몽촌토성 출토 통형기대를 부여·공주 일대에서 출토된 통형기대와 연관성을 밝혀내었다. 통형기대의 시간 변화에 따른 형태의 변화 과정을 경질화, 돌대(덧띠) 길이의 축소, 바닥 쪽이 벌어지는 변화로 파악하였다. 이러한 몽촌토성 출토 기대를 공주와 부여에서 출토되는 정형화된 백제기대의 선행단계로 파악하였다.

박순발[13]은 한성기 통형기대를 경질 여부, 돌대 단면형태, 투창형태 등의 기준으로 세 가지 형식으로 분류하였다. 첫 번째 형식은 토기질이 회색연질, 돌대 단면이 장방형이며, 원형 또는 삼각형 투창이 있는 것이다. 두 번째 형식은 회청색 경질로 돌대 단면이 삼각형이며 삼각형 투창과 장방형 투창을 교대로 뚫은 것이다. 세 번째 형식은 고사리형 돌대가 부착되고 저부가 장고형인 것이다. 각 형식들은 시기적인 선후관계가 있으며 첫 번째 형식에서 두 번째, 세 번째로 변화한다고 판단하였다. 한편 발형기대는 몽촌토성에 비해 논산 표정리 고분군에서 출토량이 많은 것으로 보아 한성기 이후에 성행하였을 것으로 추측하였다.

---

11) 徐聲勳, 1980, 앞의 논문, 충남대학교박물관.

12) 林永珍, 1987, 「夢村土城의 年代와 性格」, 『百濟 初期文化의 考古學的 再照明』, 韓國考古學會 ; 林永珍, 1988, 앞의 논문, 韓國考古學會.

13) 朴淳發, 1992, 「百濟土器의 形成過程」, 『百濟研究』23, 충남대학교 백제연구소.

방유리[14]는 이천 설성산성에서 출토된 완형 통형기대의 제작기법·형태·장식을 분석하였다. 특히 횡방향으로 부착하는 돌대와 원형·장방형·삼각형의 투창을 뚫는 장식은 3세기 후반부터 출현하여 4세기 중엽 이후 가장 많이 나타나는 것으로 보았고, 5세기 이후 장식은 더욱 다양해진다고 판단하였다. 다만 통형기대의 출현시점을 풍납토성 현대연합주택 나-7호 주거지 출토 흑색마연 기대를 근거[15]로 하고 있지만 일부 편에 불과하고, 기대제작에 있어서는 흑색마연기법은 실용화되지 못한 특수한 사례[16]이다. 따라서 지금까지 출토품으로는 백제 기대의 출현시점과 직접적으로 연관 짓기에는 무리가 있어 추후 보완할 자료가 출토되어야 상정 가능 할 것으로 생각된다.

이문형[17]은 금강유역의 공주·논산·익산지역 수혈식석곽묘에서 출토된 토기 기종에 대한 분석 중 발형기대에 대해 언급하였다. 발형기대는 세 지역 중 논산에서 집중되고, 한강유역에서 출토된 기대와 비교하여 이 지역만의 독특한 기종으로 판단하였다. 또한 금강유역의 발형기대는 5세기 초·중반 이후 수혈식석곽묘에서 부장되고, 6세기 후반 등장한 횡혈식석실에서는 부장품의 박장화로 인하여 다른 토기와 마찬가지로 부장되지 않는다고 판단하였다.

한준영[18]은 서울·경기지역 삼국시대 성곽 중 풍납토성과 몽촌토성에서만 고급기종인 기대가 집중 분포 된 점에 주목하였다. 서영일[19]은 풍납토성과 몽촌

---

14) 方瑠梨, 2003, 「利川 雪城山城 出土 百濟 土器 硏究」, 『文化史學』19, 한국문화사학회.

15) 崔聖愛, 2002, 「풍납토성 토기의 제작류형과 변화에 대한 일고찰」, 한양대학교 석사학위논문, p.75.

16) 나혜림, 2010, 앞의 논문, 한신대학교 碩士學位論文, p.50.

17) 이문형, 2003, 「錦江流域 石築墓 出土 熊津·泗沘期의 百濟土器」, 『湖西考古學』제9집, 湖西考古學會.

18) 한준영, 2003, 「百濟 漢城期의 城郭出土 土器 硏究」, 『선사와 고대』18, 韓國古代學會.

19) 徐榮一, 2005, 「漢城 百濟時代 山城과 地方統治」, 『文化史學 』, 한국문화사학회.

토성 이외 통형기대가 출토되는 이천 설성산성, 포천 자작리 유적 등은 지역을 통치하기 위한 거점으로 이해하였고, 거점지역에서 출토되는 기대를 중앙에서 파견된 고위계층을 위한 하사품으로 보았다. 그러나 최근 보고된 백제 도성인 풍납토성 출토품 형태와 비교했을 때 설성산성과 자작리 유적 출토품은 기고와 형태면에서 이질적인 요소를 보이고 있어 하사품으로 보기에는 어렵다고 판단된다. 오히려 지역 토착세력 일부가 통형기대 양식을 모방하여 자체적으로 제작하였을 것[20]으로 생각된다.

김종만[21]은 웅진·사비기의 공주·부여에서 발형기대와 통형기대가 모두 확인되고, 추정왕궁지와 사찰 등지에서 출토된 점을 주목하였다. 특히 7세기경 백제 지역에서는 (반)장고형 대각의 통형기대만 확인되고 발형기대가 출토되지 않은 점에 주목하고, (반)장고형 대각의 통형기대가 옹관으로 재사용된 사례를 소개하였다.

서현주[22]는 영산강유역 고분에서 출토된 다양한 토기에 대한 분석 중 통형기대와 발형기대 형식을 분류하고 변천상을 살펴보았다. 통형기대는 고분과 주거지에서 모두 확인되고, 형태에 따라 백제 정지산 유적과 유사한 것들과 나주 덕산리 8호분 주구 출토품으로 분류하였다. 발형기대는 발부의 구연부 형태, 발부와 대각부의 단 구획선, 대각부의 단수, 문양으로 5가지 형식으로 분류하고, 나주와 광주지역 출토품들 간의 형태적인 차이에 주목하였다. 영산강유역의 고총

---

20) 이건용, 2014,『마한·백제권 통형기대 고찰』, 전남대학교 석사학위논문. p.72.

21) 김종만, 2003,「泗沘時代 百濟土器와 社會相」,『百濟硏究』37, 忠南大學校 百濟硏究所 ; 김종만, 2005,「7世紀 夫餘·益山地方의 百濟土器」,『百濟文化』34, 공주대학교 백제문화연구소 ; 김종만, 2004,『사비시대 백제토기연구』, 서경문화사 ; 김종만, 2007,『백제토기의 신연구』, 서경문화사.

22) 서현주, 2006,『榮山江流域 古墳 土器 硏究』, 學硏文化社. p.142 ; 서현주, 2012,「영산강유역권의 가야계 토기와 교류문제」,『湖南考古學報』42輯, 湖南考古學會.

고분과 석실묘가 등장하고 개배·고배·유공광구소호가 정형화되는 5세기 후엽에 발형·통형기대가 발전한다고 판단하였다. 몇몇 발형기대는 5세기 중엽 경 출현할 가능성을 상정하였다. 기대는 이 지역에서 6세기 전엽 이후까지 존속하다고 보았다.

한편 영산강유역에서 출토되는 발형기대의 경우 5세기 초엽부터 형태와 문양에서 가야·신라토기 양식의 요소를 발견하고 그 연관성을 지적하였다. 그리고 광주 쌍암동 고분에서 출토된 발형기대의 높은 대각은 일본열도 須惠器의 발형토기와 연관되는 요소로 판단하였다.

나혜림[23]은 통형기대와 발형기대의 변천상에 대하여 논하였다. 통형기대는 호형부(壺形部)의 생성과 변화에 중점을 두고 형식분류를 하였다. 통형기대를 수발부·통형부·대각, 호형부·통형부·대각의 구성을 가진 기대로 분류하였다. 호형부의 등장을, 호를 받치는 기대의 형상이 의례용기로서 점차 일반화 되는 과정 속에 호와 수발부가 일체화 시켜진 마치 광구소호와 같은 형태로 제작되었다고 판단하였다. 그러나 호형부를 웅진기 이후에 등장하는 것으로 추정하였지만 한성기 유적인 풍납토성에서도 호형부(수부와 호통부)[24]편 출토되어 호형부 제작 시점에 있어 재고되고 있다. 다만 웅진기에 호형부 형상화가 완숙해진다는 점은 상정 가능하다고 생각된다. 그밖에 전체 형태는 사비기에 이르러 장식이 간소화되고, 형태면에 있어 원통형 기벽이 대각에 이르러 반장고형으로 변화되는 곡률 변화를 특징으로 보았다. 발형기대는 대각의 높이가 발부 높이에 비해 길어지는 변천상을 제시하였지만, 지역적인 차이로 상정되고 동일한

---

23) 나혜림, 2010, 앞의 논문, 한신대학교 碩士學位論文.

24) 연구자에 따라서 통형기대의 수부를 수발부(受鉢部), 통부를 통형부(筒形部), 호통부(壺筒部)를 호형부로 부르기도 한다. 수발부는 발형기대의 발부에서 유래한 용어로 생각되고, 통형기대 그릇을 받치는 수부는 발형기대의 발부형태와 무관하고 생각한다.

토기문화 속에 제작되었다고 보기어렵다고 판단되기 때문에 재고의 여지가 있을 것으로 생각된다. 변천상과 더불어 통형기대와 발형기대가 출토되는 유구를 분석하여 기대가 산정(山頂)의례, 수혈식 유구에서의 매납 및 훼기의례, 수변의례, 상장의례에 수반되어 활용되었을 가능성을 제기하였다.

김낙중[25]은 영산강 유역 출토 토기를 관찰하여 백제와 관계에 대해 논하면서 간략하게 통형기대를 언급하였다. 통형기대의 경우 전형적인 웅진기 백제기대인 정지산 유적 출토품과의 형태적 관련성을 동의[26]하고, 장식에 있어 백제계 요소인 고사리형 수직돌대(垂直突大)를 비롯하여 그밖에 대롱으로 찍은 원문, 어골형 침선문, 투공 등이 확인된 점에 주목하였다. 그리고 일부 분구·주구에서 출토되는 양상을 보아 제의적 성격이 강한 기종으로 추정하고, 광주 행암동 가마유적에서 통형기대가 제작된 점은 현지에서 생산되어 주변에 공급했을 근거로 상정하였다. 이를 토대로 백제계 토기 양식이 반영된 토기는 영상강 유역에 거주하는 현지인들의 의해 주도하여 생산·분배되는 과정을 가정하고, 통형기대 역시 동일한 과정 속에서 제작되었다고 추측하였다. 이러한 관점을 확대 적용하여 백제 웅진기 영산강지역과 백제 중앙의 비교뿐만 아니라 백제 변경 및 지방과 같은 다른 지역 역시 검토가 필요하다고 생각된다.

한지선·이명희[27]는 풍납토성 197번지(舊 미래마을) 발굴조사 출토품 중 그동안 알려지지 않은 형태의 통형기대를 소개하고, 한성백제 유적에서 통형기대가 출토된 사례를 분석하여 연구하였다. 백제 한성기 기대를 발형기대, 원통형

---

25) 김낙중, 2012, 「토기를 통해 본 고대 영산강유역 사회와 백제의 관계」, 『湖南考古學報』42輯, 湖南考古學會.

26) 서현주, 2006, 앞의 책, 學硏文化社. p.142.

27) 국립문화재연구소, 2011, 『한성지역 백제토기 분류표준화 방안연구』; 한지선·이명희, 2012, 「한성백제기 기대연구」, 『考古學誌』第18輯, 국립중앙박물관.

기대, 상협하광형기대 세 가지 형식으로 분류하고 통형기대의 출현과 변천과정을 공반유물 분석을 통하여 3시기로 구분하였다. 4세기 중반 원통형기대가 등장하는 시기를 1기, 상협하광형기대가 등장하는 5세기 전반을 2기, 상협하광형기대로 일원화되는 한성 백제 말기를 3기로 비정하였다. 지금까지 호형부는 백제 웅진기 이후 등장하는 것으로 보았으나 한성기에도 등장함을 밝혔다. 풍납토성에서 출토되는 기대는 개인의 영역(주거지)에서는 거의 사용되지 않았으며, 국가적 행사와 같은 '공동의 영역'내에서 사용된 것으로 보았다. 제사 이후 통형기대는 의도적으로 훼손시킨 후 수혈에 폐기한 것으로 추정하였다. 다만 통형기대가 공주 수촌리·고창 봉덕리·천안 두정동·서산 부장리, 익산 입점리 고분 등 분묘에서 부장 되는 시점부터 개인 사유화로 추정하였지만, 이들 출토품이 발형기대가 대부분이고 통형기대와 발형기대를 동일한 발전선상에서 이해하는 것은 무리일 것으로 생각된다[28].

이건용[29]은 마한·백제권에서 출토된 통형기대의 형식분류하고 시기별·지역별 분포와 변천과정을 논하였다. 통형기대의 구성을 기존의 수발부나 호형부·통형부·대각이 아닌 수부·통부·대각으로 구분하였는데, 이는 최초의 호형부를 호통부로서 통부의 장식수법에서 발전하였다고 생각하였기 때문이다. 형식분류 속성으로 통부 형태와 통부에 부착되는 돌대 장식의 시간적 변화를 주목하였다. 명목형 속성으로 통부의 3개 형태(원통형, 원뿔대형, 플라스크형)와 수직돌대가 부착되는 4개의 양상(무부착, 고사리형 돌대의 돌출형태와 평면형태, 수

28) 마한·백제권 발형기대는 통형기대와 같이 비록 동일한 그릇받침으로 인정받고 있지만, 백제 도성을 중심 출토하는 사례가 많지 않다. 오히려 변경이라고 불리는 지역에 출토하고 있고 지역에 따른 형태적 차이가 관찰되는 것으로 보아 전형적인 백제 도성을 중심으로 출토되는 통형기대와는 다른 발전상을 보일 것으로 추측된다.

29) 이건용, 2014, 앞의 논문, 전남대학교석사학위논문.

직돌대를 늘어뜨려 부착하는 경우)과 수평돌대 길이의 연속형 분포로 인한 구별을 결합한 결과, 11개 형식으로 구분하였다. 통형기대의 형식별 공반관계와 공반된 유물 중 고배, 배형 삼족기, 자배기와 같은 토기들이 정리된 편년안[30]을 참고하여 마한·백제권 통형기대를 크게 3개의 분기로 나누어 살펴보았다. 통형기대는 1기 4세기 3/4분기에서 한성백제가 함몰되는 475년까지로 주로 한성백제 도성인 풍납토성과 몽촌토성에서 사용되고, 2기는 475년 이후 6세기 2/4분기까지로 웅진백제 도성인 공산성과 그 주변뿐만 아니라 지방 토착세력에 의해 제작되어 사용되고, 3기는 6세기 3/4분기에서 백제가 멸망하는 660년까지로 사비백제 도성 주변인 부여일대에 집중되고, 일부 다른 지역에서도 분포한다. 마한·백제권에서 통형기대는 4세기 중엽에 등장하여 660년까지 백제 도성에서 사용된 제사용 토기로 인식하고 지속적인 발전을 통해 신라, 가야와 다른 백제 고유의 양식을 이룩하였다고 보았다. 한편 지방 토착세력은 백제의 통형기대를 모방 제작하여 제사용 토기로 사용하였으나, 6세기 후엽 이후에는 더 이상 주체적으로 제작하지 않는 것으로 확인하였다.

Ⅱ. 변천과 편년

기존의 연구사례를 참고하여 발형기대와 통형기대를 대상으로 <그림 1>과 같은 편년표를 작성하였다.

30) 土田純子, 2013,『百濟土器 編年硏究』, 忠南大學校 博士學位論文.

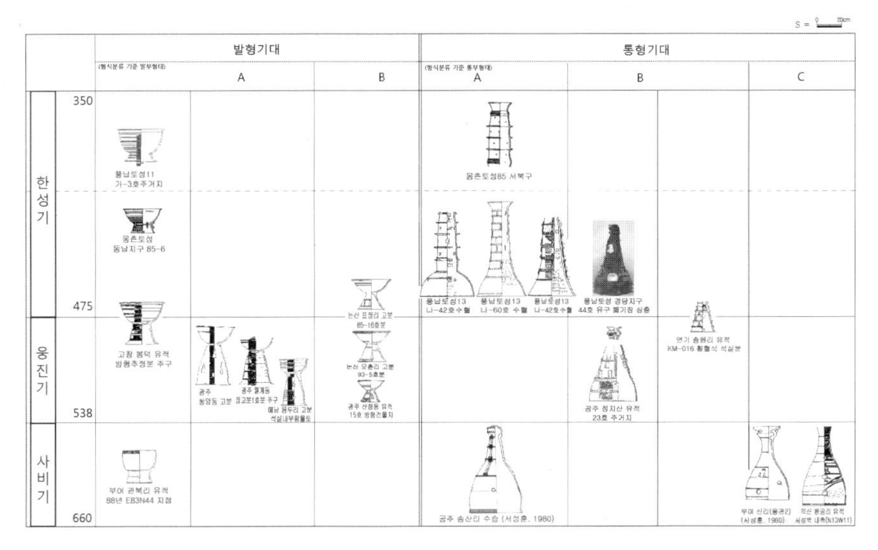

〈그림 1〉 기대의 편년표

1. 발형기대

발형기대는 형태가 다양한 편이다. 이러한 다양성은 지역적 특징으로 생각된다. 형태는 발부과 대각으로 구성되어 있다. 발부의 경우 발 혹은 접시와 유사한 형태적 유사성을 보이고 있고, 그에 반해 대각은 매우 다양한 형태와 장식 요소를 가지고 있다.

비교적 이른 시기의 발형기대는 풍납토성과 몽촌토성에 출토되었다. 형태에 있어서는 대부발 혹은 유대발이라고 부르는 기종과 유사하다. 출현 시기는 4세기 중반 이후이며 발부와 대각에 부착된 고사리형 돌대를 기준으로 기종의 선후를 판별 할 수 있을 것으로 추정된다. 이 기종은 현재까지는 백제 한성기 유적에서만 확인된다.

다수의 발형기대는 5세기 후반 이후부터 한성기 백제 도성과 그 일대가 아닌 백제의 변경지역과 영산강유역에서 확인되고 있다. 편년을 알 수 있는 자료는 고창 봉덕유적 추정방대형분 주구 출토품으로 공반된 유물 중 須惠器 배가 확인되었는데 TK47형식으로 그 연대를 5세기 후반으로 비정하고 있다[31]. 그 외 광주 월계동 고분 1호분 주구에서 공반된 분주토기(통B형)는 6세기 1/4~2/4분기 사이[32], 광주 쌍암동 고분에서 공반된 찰갑 중 'Ω'형 거찰은 6세기 이후[33], 해남 용두리 고분 출토된 전문도기는 6세기 중엽으로 비정되고 있다[34]. 다수의 발형기대는 5세기 후반에서 6세기 중엽 금강유역권과 영산강유역권에서 제작된 것으로 보인다.

사비기 이후부터 발형기대의 제작 수량은 급감하는 것으로 판단된다. 그리고 부여의 관북리 유적 출토품의 경우 그 형태에 있어 이전 시기에 제작된 것과는 다른 형태를 보이고 있다. 이러한 형태에 대하여 사찰의 제기를 모방하여 제작한 것으로 보는 견해가 있다[35].

2. 통형기대

통형기대는 대체로 백제의 도성과 그 주변에 밀집되어 분포되어 있고, 한성기·웅진기·사비기로 이어지는 변화가 뚜렷한 편이다. 한성기 통형기대 형태는

31) 土田純子, 2013,『百濟土器 編年 硏究』, 忠南大學校 考古學科 考古學博士學位論文.

32) 임영진, 2015,「한국 분주토기의 발생과정과 확산배경」,『湖南考古學報』49輯, 湖南考古學會, p.205.

33) 김혁중, 2011,「한반도 출토 왜계갑주(倭係 甲胄)의 분포와 의미」,『중앙고고연구』제8호, 중앙문화재연구원, p.65.

34) 임영진, 2013,「중국 육조자기의 백제 도입배경」,『韓國考古學報』第83輯,『韓國考古學會』, p.28.

35) 충남대학교박물관, 1999,『부여관북리 백제유적 발굴보고(Ⅱ)』, p.70.

원통형 통부·반구형 대각, 원뿔대형의 통부·대각의 구성이 관찰되고, 웅진기에는 원뿔대형의 통부, 사비기에는 플라스크형 통부·반장고형 대각으로 발전한다[36].

한성기 통형기대는 4세기 중반 이후 등장한 것으로 추정된다. 그리고 통부에 다양한 호통부의 형태가 부가된 편들이 확인되나, 대개 파편상으로 확인될 뿐이다. 이 시기의 통형기대는 몽촌토성 서북구지역 출토품과 같은 형식을 제외하고는 낱낱의 형태에 대해 알려진 바가 없다. 한성기 통형기대는 5세기 중반[37] 이후, 형태에 있어 정형성을 보이고 통부 수평돌대는 짧은 돌대로 대체되고 수평돌대 사이에는 고사리형 수직돌대가 부착되기도 한다.

전형적인 웅진기 통형기대는 공주 정지산 유적 23호 주거지 출토품이다. 형태는 원뿔대형 통부와 그 상부에는 정형화된 호통부가 부가되어 있다. 통부에는 고사리형 수직돌대가 부가되어 있으며, 호통부에는 축약된 고사리형 돌대가 부착되어 있는 것으로 보인다. 이 유물의 연대는 공주 정지산 유적의 중심시기와 무관하지 않는 것으로 판단된다. 공주 정지산 유적의 중심시기는 6세기 전반으로 사격자전문, 연화문화당으로 미루어 보아 520년 전후로 추정하고 있다[38]. 한편 연기 송원리 유적 KM-016 횡혈식 석실의 통형기대는 매우 독특한 형태이다. 이 기종의 연대는 공반된 고배와 삼족기가 한성기·웅진기에 사용했던 기종임을 감안 할 시 그 연대는 5세기 후엽으로 추정 된다[39].

사비기 통형기대는 부여와 익산에 주로 밀집되어 분포하고 있다. 부여와 익산 일대에서 출토되는 통형기대는 대체로 사비기에 등장하는 연가, 등잔, 벼루

36) 이건용, 2014, 앞의 논문, 전남대학교석사학위논문.
37) 한지선·이명희, 2012, 앞의 논문, 『考古學誌』第18輯, 국립중앙박물관, p.91.
38) 국립공주박물관, 1999, 『공주 정지산 유적』, p.218.
39) 土田純子, 2013, 『百濟土器 編年 硏究』, 忠南大學校 考古學科 考古學博士學位論文, p.159.

등의 기물과 공반되는 양상을 보이고 있고, 백제가 멸망하는 시기까지 제작되었던 것으로 추정된다.

Ⅲ. 지역적 특징

마한·백제권 발형기대와 통형기대의 가장 큰 지역적 특징은 백제 도성을 비롯한 중심지역과 변경 지역 혹은 비 백제지역 간의 형태적 차이를 들 수 있다.

발형기대는 대개 5세기 중반에서 538년까지 제작되어 왔다. 그 분포는 연기·논산지역과 영산강유역권과 같이 도성이 아닌 지역에 비교적 많은 수량이 출토되고 있는 것으로 보인다. 그리고 영산강유역은 다른 지역에 비해 다양한 형태를 확인 할 수 있다. 이러한 다양한 형태의 발형기대는 가야·신라토기와 그리고 일본열도 須惠器의 영향을 받은 것으로, 그 영향을 바탕으로 지방 토착세력에 의해 주도적으로 제작된 것으로 생각된다[40]. 이후 백제가 사비로 천도한 이후에는 각 지역에서 제작하는 발형기대의 수는 급격히 줄어들고 있다.

통형기대는 4세기 중반이후 백제가 멸망하는 660년까지 제작되어 왔다. 발형기대와 달리 백제 수도인 서울·부여·공주 지역을 중심으로 제작되었으며 비교적 다양한 형태를 확인할 수 있다. 통형기대는 발형기대에 비하여 백제 중앙정부의 주도하에 제작되었다고 생각된다. 일부 포천 자작리 유적 2호 주거지, 이천 설성산성 나-C확-3트렌치 7호 토광, 연기 송원리 유적 KM-052호 등 출토품은 지방 토착세력에 의해 백제 도성지역의 통형기대를 모방하거나 혹은 이를

40) 서현주, 2012, 앞의 논문, 『湖南考古學報』42輯, 湖南考古學會, pp.171~172.

변형시켜 제작한 것으로 추정된다[41]. 이러한 경향은 부안 죽막동 유적, 완주 배매산성, 광주 월계동 고분, 해남 용두리 고분 등에서 소수 확인되고 있다. 백제가 사비로 천도하는 538년 이후에는 통형기대의 형태에 있어 지역적 차이는 감소하는 것으로 보인다.

이로 미루어 보아 발형기대와 통형기대는 5세기 중반에서 538년 동안에 가장 다양한 형태로 제작한 것으로 생각된다.

Ⅳ. 향후과제

지금까지 마한·백제권 발형·통형기대는 부장품보다는 제사용 토기로 그 특수성을 인정받았지만, 완형의 출토사례가 적기 때문에 비중 있게 연구되지 못하고 있다. 특히 통형기대는 소수의 개체를 제외하고는 형태에 대해 알려진 것이 없기 때문에 연구에 활용되지 않는 것으로 생각된다. 최근에 완형의 통형기대 출토사례가 늘어 지금까지 알려지지 않은 형태 변화를 어느 정도 밝혀질 수 있었다. 그럼에도 불구하고 여전히 기대의 형태적 발전과 분포가 마한·백제권에서 어떠한 의미를 가진 것인지에 대해서는 본격적인 연구가 이루어지지 못하고 있다. 예를 들면 백제 중심지역과 지방 및 변경지역간의 토기양식의 교류는 있지만, 기대의 용도에 대한 인식에 있어서 차이를 보이고 있는 점에 대한 해명은 연구되지 않고 있다[42].

41) 이건용, 2014, 앞의 논문, 전남대학교석사학위논문, p.72.
42) 마한·백제권 발형·통형기대는 백제 웅진기 도성과 그 주변지역에서는 주로 수혈과 주거

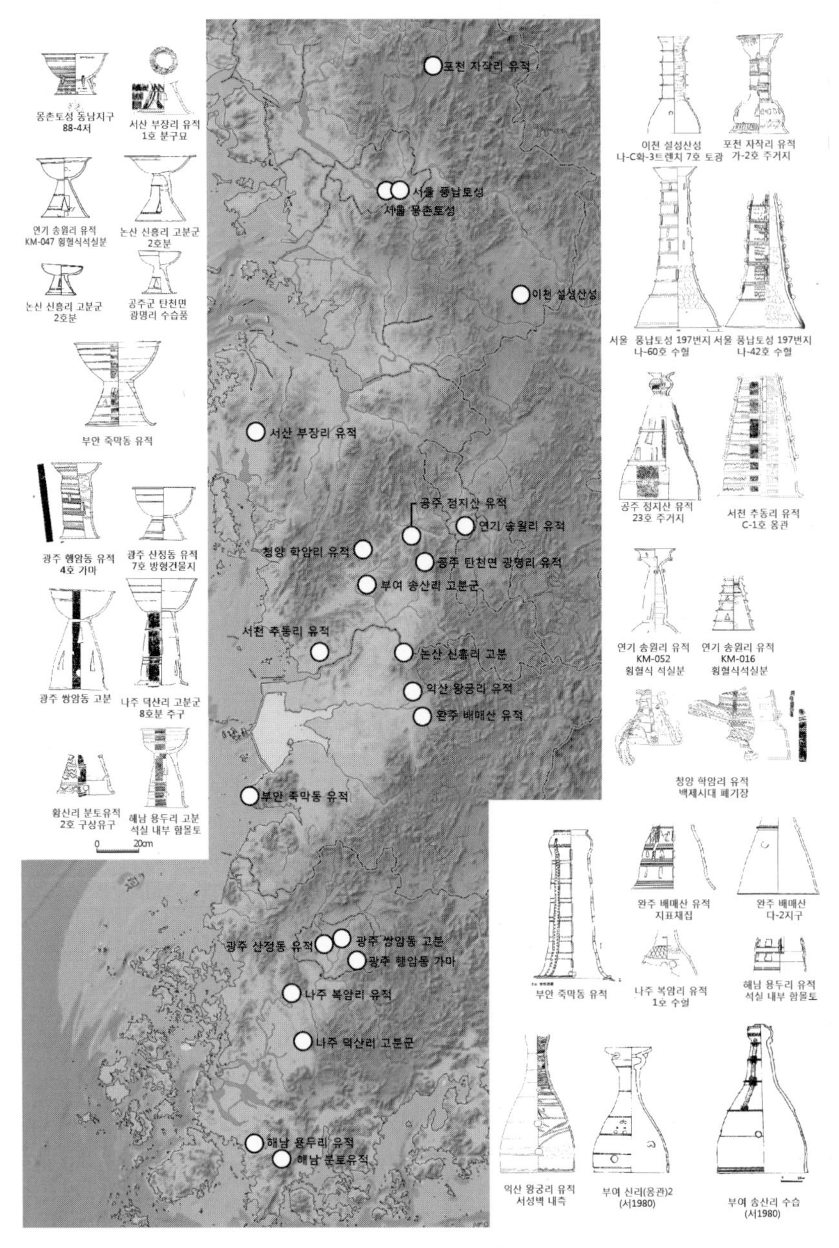

<그림 2> 기대의 지역적 양상

기대 연구는 비단 마한·백제권 내부 보다는 동시대에 발전하고 있는 신라·가야 기대 연구와 더불어 실시하여 기종의 시간적 변화 및 지역적 차이에 대한 의미와 상호간 토기에 미치는 영향에 대해 구체화 시킬 필요가 있다고 생각된다. 이 문제는 서로 같은 용도로 인정되는 통형기대와 발형기대를 동일한 발전과정만으로 상정할 것이 아니라, 서로간의 관계성에 대한 심도 있는 연구를 진행해야 할 필요가 있다고 생각한다.

지와 같은 생활유적에서 출토되는 반면 지방과 변경지역에서는 매장유적에서 주로 출토되고 있다. 이건용, 2014, 앞의 논문, 전남대학교석사학위논문, p.84.

토제연통

이지은 해녀박물관

Ⅰ. 머리말

토제연통은 취사, 난방 등으로 인해 생겨난 실내의 연기를 실외로 배출하기 위한 토제품을 말한다. 마한·백제의 토제연통은 크게 마한(계)[1] 토제연통과 백제 사비기 토제연통으로 나누어 볼 수 있다.[2] 마한(계) 토제연통은 3~4세기를 중심으로 주로 충청·전라지역에서 출토되고 있다. 백제 사비기 토제연통은 백제 사비기 부여, 익산 등 백제 중앙과 밀접한 관계에 있는 지역에서 주로 출토되고 있다.

---

1) 이 자료는 주로 3~4세기대를 중심으로 마한지역에서 확인되고 있지만, 군산 남전·둔전유적, 함평 중랑유적 등 5세기대로 편년되는 유적과 강릉 안인리유적 등 영동 지역의 유적에서도 확인되고 있으므로 '마한(계)'라는 용어를 사용하도록 하겠다.

2) 백제의 토제연통 자료는 사비기에 집중되어 확인되고 있다. 한성~웅진기에 해당하는 자료로 풍납토성에서 '연통형토기'로 보고된 유물이 있지만 형태를 알 수 없는 작은 파편인데다가 내면에서 그을음도 확인되지 않아 확실하게 토제연통으로 말할 수 있는 자료가 없다. 다만 최근 몽촌토성 서북지구 2구역 백제주거지에서 연가로 추정되는 유물이 1점 확인된 바 있는데, 이 유물은 사비기 이전에도 백제지역에서 토제연통이 사용되었을 가능성을 열어주는 자료라 할 수 있다.

토제연통은 기능과 형태에 따라 크게 두 부분으로 구분된다. 취사·난방시설과 연결되어 연기를 받는 부분과 연기를 직접 배출하는 부분이다. 이에 대한 세부 명칭은 다양한데, 본고에서는 장단점을 고려하여 각각 원통과 연가로 칭하도록 하겠다.3)

토제연통은 식생활 및 주생활과 밀접한 관련을 가지고 있다. 그러나 실외에 지면과 교차되는 방향으로 설치되어 파괴되기 쉽기 때문에, 다른 유물에 비해 완형으로 확인되는 유물이 거의 없고 보고되는 개체도 많지 않다. 또 토제연통은 지표나 퇴적층에서 수습되는 경우가 많아 공반유물을 통한 세밀한 편년이나 유구를 통한 출토맥락 파악이 쉽지 않다. 이 때문에 토제연통에 대한 연구성과는 많지 않은 편이다. 본고에서는 토제연통과 관련된 연구성과를 주제별로 정리하고 좀 더 연구가 필요한 부분을 지적하는 한편, 편년에 대한 견해를 밝히고자 한다.

---

3) 토제연통은 취사·난방시설과 연결되어 연기를 배출하는 부분과 연기를 좀 더 높고 멀리 보내기 위한 부분으로 구분된다. 그에 대한 세부 명칭은 연통-연가(정양모 외 2 1997), 원통토기-연가(김용민 2002), 몸체-뚜껑(金圭東 2002), 1단부-2단부(崔榮柱 2009)로 다양하다. 먼저 '연통-연가' 혹은 '연통토기-연가'이다. 연가라는 명칭은 조선왕조실록에서도 사용된 바 있으며, 건축사, 미술사 등 여러 분야에서 폭넓게 쓰이는 명칭이다. 한편 '연통'이나 '연통토기'는 굴뚝 전체를 가리키는 연통과 오인될 수 있어 다소 문제가 있다. '몸체-뚜껑'은 전자의 위에 후자가 올라가는 결합방법은 잘 드러내고 있지만 전자가 주된 것이고, 후자는 부가적인 것이라는 어감이 강하며 후자의 기능을 드러내지 못한다는 한계가 있다. 또한 '1단부-2단부'의 명칭은 각 부분의 기능을 제대로 전달하지 못할 뿐만 아니라, 3단 이상으로 조합되는 경우 2단이 1단과 같은 기능 및 형태를 갖게 되기 때문에 오인될 가능성이 다분하다.

Ⅱ. 연구성과와 과제

1. 연구성과

1) 기원과 계통

마한(계) 토제연통은 2세기 후반 강릉 안인리유적에서 초출하여 계승되어 온 것으로 추정되었다[4]. 이는 강릉 안인리 출토 토제연통이 출토된 Ⅱ기층이 2세기 후반에 해당한다는 전통적인 편년관에 의한 것이었다. 그러나 최근 안인리유적에 대한 편년관이 재검토되면서 유적의 존속시기가 2세기경부터 이르게는 4세기[5], 늦게는 5세기까지로 편년되고 있다[6]. 이러한 점을 참고한다면 강릉 안인리 출토품은 마한(계) 토제연통의 초출품이라기보다는 3~4세기에 영동지역과 마한지역간의 관계를 반영하는 유물로 이해해야 할 것이다. 한편 마한(계) 토제연통은 야요이시대 종말기에 서일본 山陰지방에서 등장하는 일명 '山陰형 시루'와 계통을 같이 하는 것으로 지적된 바 있다[7].

백제 사비기 토제연통의 기원에 대해서는 별다른 이견이 없다. 연가의 형태

---

4) 崔榮柱, 2009,「三國時代 土製煙筒 硏究 - 韓半島와 日本列島를 中心으로 -」,『湖南考古學報』31, p.56.

5) 심재연, 2012,「강릉 안인리유적의 취락양상」,『강릉 안인리유적 발굴 20주년 기념 학술대회 자료집 -강릉 안인리유적을 통해 본 강원 영동지역 철기시대 문화양상-』, 강원원주대학교박물관·강원고고문화연구원.

6) 이성주, 2012,「강릉 안인리유적의 중도식무문토기」,『강릉 안인리유적 발굴 20주년 기념 학술대회 자료집 -강릉 안인리유적을 통해 본 강원 영동지역 철기시대 문화양상-』, 강원원주대학교박물관·강원고고문화연구원.

7) 長友朋子, 2008,「弥生時代終末期における丸底土器の成立とその歴史的意味」,『吾々の考古学』, 和田晴吾先生還暦記念論集刊行會 ; 崔榮柱, 2009,「三國時代 土製煙筒 硏究 - 韓半島와 日本列島를 中心으로 -」,『湖南考古學報』31.

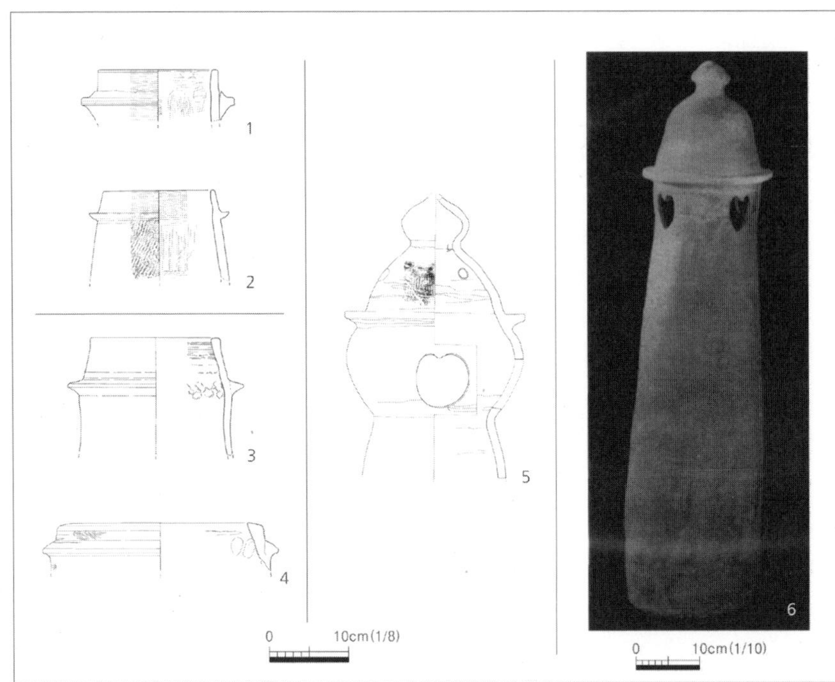

1·2. 부여 쌍북리 북포유적(忠清文化財研究院 2009a: 283, 292) 3·4. 청원 남성골유적(忠北大學校 博物館 2004: 224; 中原文化財研究院 2008: 191) 5. 부여 화지산유적(國立扶餘文化財研究所 2002a: 31) 6. 集安 禹山墓區 M2325(耿鐵華·林至德 1984: 64)

〈그림 1〉 백제와 고구려의 토제연통

가 고구려 集安 禹山墓區 M2325에서 확인되는 창과 유사한 점, 남한지역의 고구려 보루에서도 연가와 조합될만한 원통이 확인되는 점, 조합되는 사비기의 구들시설 역시 고구려에서 기원하였다는 점 등을 들어 고구려에서 찾고 있다[8].

고구려의 영향을 받은 백제 사비기 토제연통은 일본의 토제연통에 다시 영향

8) 김용민, 2002,「백제 煙家에 대하여」,『文化財』35 ; 金圭東, 2002,「百濟 土製 煙筒 試論」,『科技考古研究』8 ; 崔榮柱, 2009,「三國時代 土製煙筒 研究 - 韓半島와 日本列島를 中心으로 -」,『湖南考古學報』31.

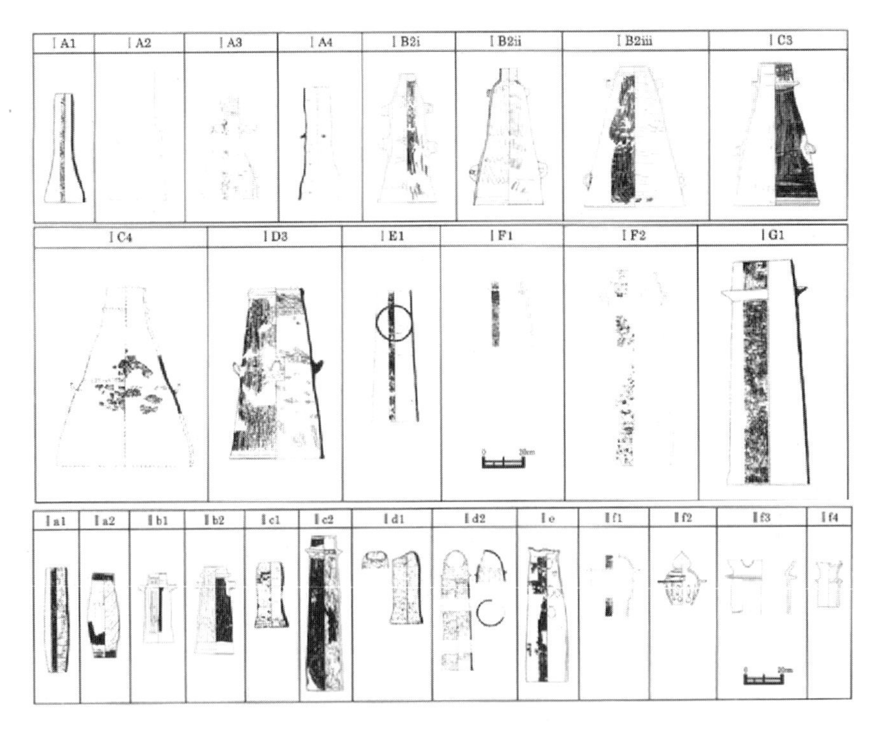

〈그림 2〉 고대 한반도와 일본열도의 토제연통 형식분류안(최영주 2009)

을 주는 것으로 알려져 있다. 일본에서 '벽주건물+구들+토제연통'의 결합관계가 주로 한반도계 도래인 집단의 주거 유적에서 확인된다는 언급이 있기도 했다[9]. 또한 이르면 5세기 후반부터 大和지역을 중심으로 토제연통으로 볼 수 있는 유물이 확인되고 있으며, 유적에서 벽주건물과 구들시설, 한반도계 토기가 확인되므로 토제연통이 大和지역과 한반도의 관계를 설명할 수 있는 자료라는 지적이 있었다[10].

9) 權五榮·李亨源, 2006, 「삼국시대 壁柱建物 연구」, 『韓國考古學報』60.
10) 木下 亘, 2006, 「大和地域 出土 煙筒土器에 대하여」, 『釜大史學』31.

2) 형식분류 및 변천양상

마한(계) 토제연통은 비교적 형태가 단순해 형식분류에 대한 연구는 미비한 편이다. 관련해서 고대 한반도와 일본열도의 토제연통의 형식분류를 다룬 연구가 있다[11]. 이 연구에서 '1단부'(원통)의 삼각 플라스크형(ⅠA형)과 '2단부'(연가)의 단순원통형(Ⅱa1형)이 마한(계) 토제연통에 해당된다(그림 2). 마한(계) 토제연통은 앞서 언급했듯이 3세기 중·후엽에 초출한 것으로 추정된다. 이후 4세기 2/4분기에 이르러 단순원통형이 등장하면서 종전까지 1단으로 사용되던 것이 2단 이상으로 조합되어 사용되기 시작했으며 경기 및 충청 지역으로 확산되었다. 그러다가 6세기 2/4분기 이후로 소멸된 것으로 추정되었다[12].

백제 사비기 토제연통의 형식분류는 김규동에 의해 처음 시도되었다. 토제연통을 '뚜껑'(연가)과 '몸체'(원통)로 나누어 뚜껑은 전의 부착위치, 중공부 하부의 원통 모양에 따라 4가지 유형으로, 몸체는 상부의 형태, 이(耳)의 형태에 따라 3가지 유형으로 구분했다(그림 3). 그리고 형태상 조합될 수 있는 원통과 연가를 추론해 모두 7가지 조합을 추출하였다[13]. 이후 발표된 연구들 역시 원통의 상부 형태나 연가 전의 위치 등을 큰 기준으로 하는 데에 동의하고 있지만 2차 기준이나 세부형식 설정에 있어서 차이가 있다. 또한 자료가 축적되면서 연가의 배연공이 세부 분류기준으로 채택되거나(그림 2[14]) 원통 상부에 전이 달린 형식이 새로 추가되었다. 원통과 연가의 조합에 대해서는 동일 유구 및 유적에서 출

---

11) 崔榮柱, 2009, 「三國時代 土製煙筒 硏究 - 韓半島와 日本列島를 中心으로 -」, 『湖南考古學報』31.

12) 崔榮柱, 2009, 「三國時代 土製煙筒 硏究 - 韓半島와 日本列島를 中心으로 -」, 『湖南考古學報』31.

13) 金圭東, 2002, 「百濟 土製 煙筒 試論」, 『科技考古硏究』8.

14) 崔榮柱, 2009, 「三國時代 土製煙筒 硏究 - 韓半島와 日本列島를 中心으로 -」, 『湖南考古學報』31.

<연가>

I	II	III	IV

I : 中空球 中央部에 전이 부착되고, 下部 圓筒이 上狹下廣인 것

II: 中空球 전이 부착되고, 下部 圓筒이 上下一直線인 것

III: 中空球 아래에 전이 부착되고, 下部 圓筒이 上下一直線인 것

IV: 中空球 아래 원통에 부착된 것으로, 下部 圓筒이 上下一直線인 것

<원통>

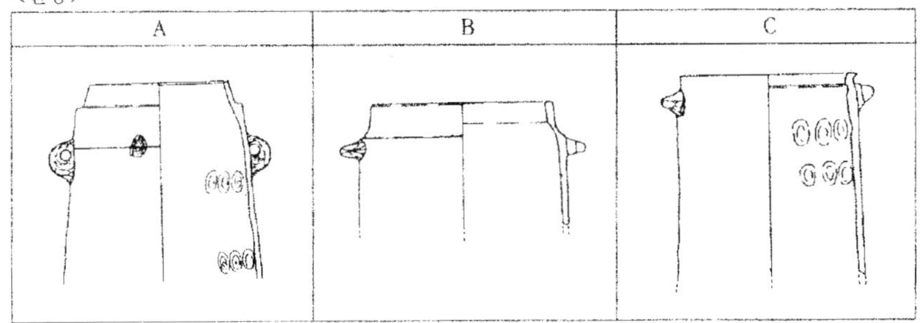

A : 원통이 上狹下廣이고, 上端에 수키와의 비구처럼 턱이 있으며, 半圓形 耳가 縱방향으로 부착된 것

B : 원통이 上下一直線이고, 상단에 수키와의 비구처럼 턱이 있으며, 半圓形 耳가 橫방향으로 부착된 것

C : 원통이 上下一直線이고, 상단은 턱이 없이 直立하며, 半圓形 耳가 橫방향으로 부착된 것

〈그림 3〉 백제 사비기 토제연통 형식분류 김규동안(김규동 2002)

토된 자료들을 검토해 5가지 조합이 추출된 바 있다(그림 4[15]).

15) 이지은, 2015, 「백제 사비기 토제연통의 연구」, 충남대학교 석사학위 논문.

사비기 토제연통의 변천양상에 대한 연구는 많지 않은 편이다. 연가에서 전의 부착위치가 상부에서 하부로 변화하고[16], 원통 하부에 전이 부착되거나, 연가의 배연공의 크기가 커지고 형태가 정형화되는[17] 등의 연구성과가 있다.

3) 사용문제

토제연통이 수혈주거지나 벽주건물지에서 사용되었을 것이라는 언급은 꾸준히 있어왔다. 특히 백제 사비기 토제연통의 경우 벽주건물과 결합되어 확인되고 있다는 것이 학계의 주된 인식이었다[18]. 이와 관련해 토제연통이 수혈주거지나 지상건물지에서 직접적으로 출토된 사례, 사용된 주거지나 건물지를 간접적으로 추정할 수 있는 사례를 검토해 토제연통이 사용된 건물을 추정하고자 하는 시도가 있었다. 이에 따르면 토제연통이 특정 구조의 건물과 연관되어 사용되기보다는 굴립주건물지를 제외한 대부분의 건물 구조에서 사용되었다[19].

토제연통이 어떻게 설치되었는지에 대해서는 두 가지 견해가 있다. 비스듬하게 설치되었을 것이라는 의견[20]과 수직으로 설치되었을 것이라는 의견[21]이다. 전자의 의견은 고구려 벽화에서 연통들이 비스듬하게 그려져 있고(그림 6), 수직으로 설치될 경우 연통이 침수되거나 지붕이 그을리는 문제가 있으므로 비스듬하게 설치되었을 것이라는 의견이다. 후자는 비스듬하게 설치된다면 하중이

---

16) 金圭東, 2002,「百濟 土製 煙筒 試論」,『科技考古研究』8.

17) 이지은, 2015,「백제 사비기 토제연통의 연구」, 충남대학교 석사학위 논문.

18) 權五榮·李亨源, 2006,「삼국시대 壁柱建物 연구」,『韓國考古學報』60 ; 木下 亘, 2006,「大和地域 出土 煙筒土器에 대하여」,『釜大史學』31 ; 崔榮柱, 2009,「三國時代 土製煙筒 研究 - 韓半島와 日本列島를 中心으로 -」,『湖南考古學報』31.

19) 이지은, 2015,「백제 사비기 토제연통의 연구」, 충남대학교 석사학위 논문.

20) 김용민, 2002,「백제 煙家에 대하여」,『文化財』35.

21) 이지은, 2015,「백제 사비기 토제연통의 연구」, 충남대학교 석사학위 논문.

한쪽으로 쏠려 불안정해지는데 연통의 하중을 견뎌주는 시설도 확인되지 않으며, 7세기에 원통 하부에 취사·난방시설과 결합을 용이하게 하기 위한 전이 부착되는데 이 역시 수평으로 부착되고 있기 때문에 수직으로 설치되었을 것이라는 의견이다.

토제연통 상단 높이에 대해서는 지붕보다 높거나 지붕과 비슷한 수준이었을 것으로 보인다. 부여 능산리사지 공방지 I, 동남리유적(역사문화원)의 백제시대 건물지 등에서 기와지붕이 그대로 내려앉은 것으로 추정되는 와적층이 확인되었으며, 토제연통이 그 상부 혹은 기와와 뒤섞여서 확인되고 있기 때문이다[22].

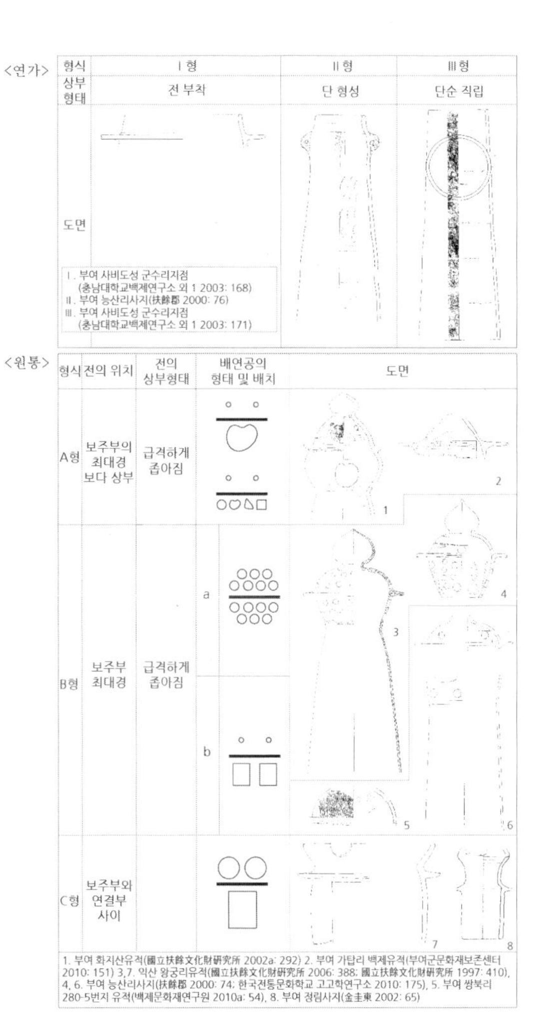

〈그림 4〉 백제 사비기 토제연통 형식분류
이지은안(이지은 2015)

---

22) 이지은, 2015, 「백제 사비기 토제연통의 연구」, 충남대학교 석사학위 논문.

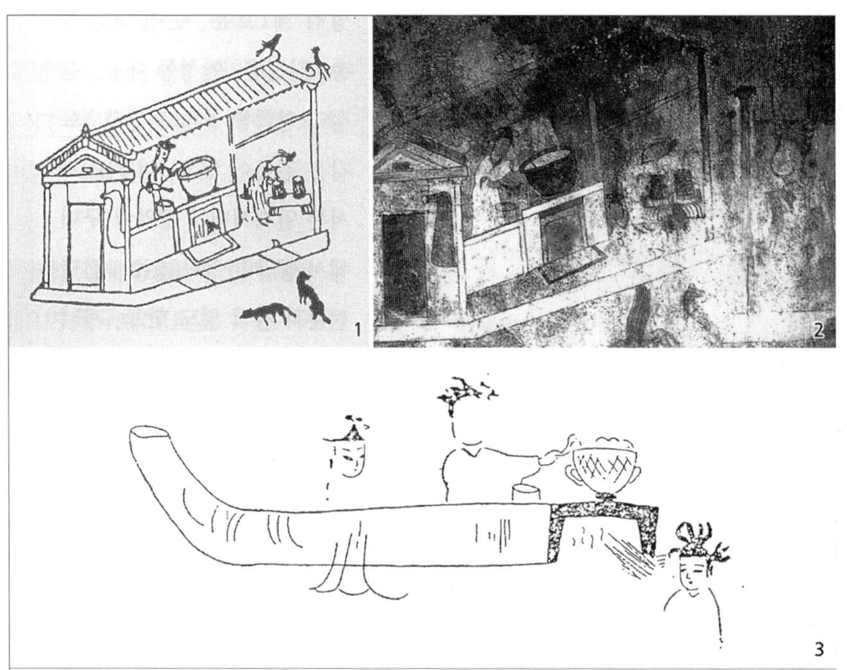

1. 안악3호분 부엌벽화 모사도(金瑢俊 2001: 138), 2. 안악3호분 부엌벽화(ICOMOS 한국위원회 · 문화재청 2004: 10), 3. 약수리벽화분 벽화 모사도(주영헌 1963: 149)

〈그림 5〉 고구려 고분벽화 속 토제연통 모습(이지은 2015)

2. 과제

1) 정확한 형태 인식과 제작기법

토제연통은 파편으로 확인되는 경우 기본적인 인식조차 어려운 경우가 있다. 원통인지 아니면 연가인지, 원통 혹은 연가라면 어느 부분의 파편인지를 인식하기 어려운 것이다. 실제로 토제연통의 상하가 바뀌어 보고되는 경우도 꽤 있다. 예를 들어 전이 달린 파편이라면 연가인지 원통인지도 파악하기도 어렵고, 원통으로 판단하더라도 전이 부착된 원통 상부인지, 7세기 이후 취사·난방시설과의 용이한 결합을 위해 전이 부가된 원통 하부인지 알기 어렵다.

이럴 때 제작기법에 대해 정확히 인식하는 것이 도움이 될 것으로 생각된다. 앞에서 예로 든 전의 경우, 끝의 모양(뾰족하게 끝나는지, 단부가 형성되었는지, 돌대가 있는지), 끝의 방향(상향인지 하향인지)을 관찰하면 어느 정도 경향이 확인된다. 연가 보주부 상부에 부착된 전의 경우 끝이 뾰족해지거나 돌대가 형성된 경우가 많고, 보주부와 연결부의 사이에 부착된 전의 경우 하향된 경우가 많다. 원통 상부에 부착된 전은 상향된 경우가 많고, 원통 하부에 부착되는 전은 두께가 두껍고 끝이 하향 되는 경우가 많다. 이러한 형태들은 토기를 만들 때 정립기법을 사용했는지 도립기법을 사용했는지 등 제작기법에 따라 결정되는 것이다.

또한 제작기법은 제작집단이나 사용집단과 연관되므로 좀 더 적극적인 검토가 필요하다. 예를 들어 고구려의 토제연통은 토기의 저부를 깎아내 만든 것으로 추정된다. 백제 사비기 토제연통에 같은 제작기법으로 만들어진 형태가 있다면 제작에 고구려계 집단이 관여한 것으로 추정할 수 있다. 백제 사비기 토제연통 중 상부에 단이 형성된 원통의 경우 단을 붙여서 만든 것도 있고 손으로 찝어 단을 만든 것도 있는 것으로 보인다. 단편적으로 볼 때, 전자가 후자에 비해 비교적 위계가 높은 유적에서 출토되는 것으로 추정되는데 좀 더 면밀한 검토가 필요하다.

한편 마한·백제의 토제연통은 점토띠를 말아 올려 만들었으며, 파수는 마한(계)의 경우 내부에서 삽입했으며 백제 사비기의 경우 밖에서 부착했다. 외면은 격자문, 승문, 평행선문 등을 타날했으며 격자문과 승문은 대체로 6세기 전엽까지, 평행선문은 6세기 중엽이후에 확인된다. 평행선문은 수직방향과 사방향이 모두 확인된다. 내면에서는 내박자, 물손질흔, 윤적흔, 지두흔 등이 확인된다. 토제연통은 주로 연질계로만 인식되지만 회청색 경질의 단단한 것도 적지 않게 확인된다.

2) 사용

백제 사비기 토제연통은 원통 상부에 단이 형성되어 있거나 전이 붙어 있어서 연가와 안정적으로 조합되는 것으로 알려져 있다. 반면 마한(계) 토제연통은 원통 상부에 단이나 전이 없어서 1·2단부가 서로 어떻게 조합되었는지 알려진 바가 없다. 원통 상부에 단이나 전 없으면 연가가 걸리는 부분이 없기 때문에 안정적이기 어려울 것으로 생각된다. 게다가 걸리는 부분이 없이 서로 조합되려면 점토로 틈을 메우는 보완작업은 물론, 미리 1·2단부의 결합을 염두에 두고 원통의 상단 직경과 연가의 하단 직경이 어느 정도 들어맞게 만들어져야 한다. 일부 유물들에서 상부나 하부에서 갑자기 직경이 좁아지는 부분이 관찰되는데(그림 7), 1단부 혹은 2단부와의 결합을 위해 끼워지는 부분일 가능성이 있다.

〈그림 6〉 상부나 하부의 직경이 작아지는 마한(계) 토제연통

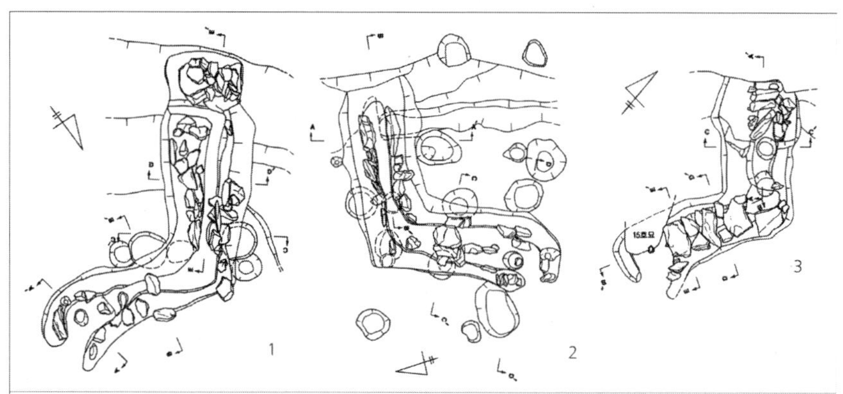

1. 1호 건물지 구들(忠淸文化財硏究院 2005: 34), 2. 3호 건물지 구들(忠淸文化財硏究院 2005: 34), 3. 4호 건물지 구들

〈그림 7〉 부여 정동리유적의 구들시설

마한(계) 토제연통은 대체로 수혈주거지에서 부뚜막과 조합되어 사용되었다. 토제연통은 부뚜막의 배연구 위에 올려지거나 끼워져서 사용되었을 것으로 생각되는데, 토제연통으로 연기가 들어가기 위해서는 토제연통의 하단이 부뚜막 바닥보다 높아야할 것으로 생각된다. 그러면 이 때 토제연통을 바닥보다 띄우기 위해 사용한 장치는 어떠한 것인가 하는 의문점이 생긴다. 이 장치는 토제연통의 무게도 버틸 수도 있어야 한다.

3) 위계

토제연통은 취사·난방시설이 있는 주거지나 건물지에서 모두 확인되는 것이 아니다. 비슷한 시기나 비슷한 규모의 유적들 간에도 토제연통이 확인되는 유적과 아닌 유적이 있다. 부여 정동리 유적의 경우 비교적 완존한 구들을 갖춘 사비기 벽주건물지가 비교적 잘 남아있다. 하지만 토제연통은 확인되지 않는 양상이다. 배연시설을 살펴보면 4호 건물지(그림 8)에서는 배연할 수 있는 구멍을 남기고 판석형 할석으로 덮은 것(개석)이 확인되는데, 보고자는 토제연통이 이 구멍에 위치하는 것으로 보았다(忠淸文化財硏究院 2005). 그러나 이 구멍은 직경 20㎝ 내외에 불과해 토제연통을 사용한다면 오히려 배연에 불리할 것으로 생각된다. 개석까지 남아있지 않은 1·3호 건물지의 경우에도 토제연통이 확인된 다른 유적의 건물지에 비해 연통 하부시설의 규모가 작아 토제연통은 사용되지 않았을 것으로 생각된다[23].

이는 비슷한 시기의 사비도성 내부 유적과는 다른 양상이다. 또 공주 안영리 유적은 정동리유적과 같이 사비도성 외부에 위치했지만 유적에서 토제연통이 확인되는 양상이다. 이는 당시 배연시설이 위계에 따라 다양한 구조로 존재했음이 단편적으로 드러나는 것이라고 생각된다. 좀 더 면밀한 검토를 통해 유물상에서 정말로 위계가 나타나는지 확인해볼 필요성이 있다고 생각된다.

Ⅲ. 편년

앞서 언급한 바 있지만 토제연통은 특정 유구에서 확인되기보다는 지표나 퇴적층에서 수습되고 있으며 존속 시기가 긴 유적에서 확인되는 경우가 많아, 유구 형태나 구조, 공반 유물 등을 통한 세부적 편년이 어렵다. 하지만 출토 유적의 존속시기, 수습양상이나 고구려 토제연통과의 관계, 기능 변화 등을 토대로 대략적인 변화 흐름을 파악할 수 있다. 한편 마한(계) 토제연통은 형태가 매우 단순하다. 단순원통형의 연가와 상부원통형+하부반구형의 원통이 조합되는 양상이다. 원통의 반구형의 배부른 정도, 반구형이 시작되는 높이 등의 차이가 있

23) 이지은, 2015, 「백제 사비기 토제연통의 연구」, 충남대학교 석사학위 논문.

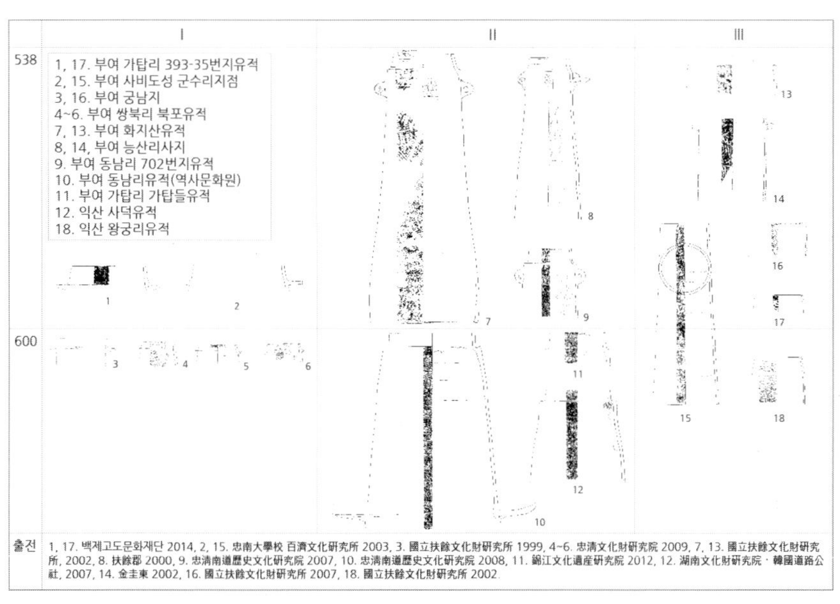

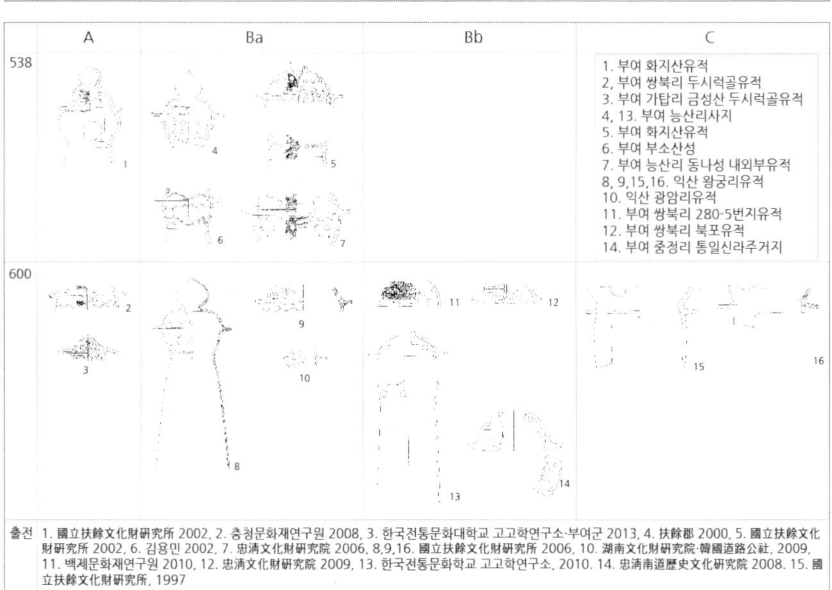

〈그림 8〉 백제 사비기 토제연통 편년표(이지은 2015)

을 것으로 생각된다. 하지만 시간에 따른 경향성이 확인될 만큼 자료가 축적되지 않은 상태로 생각된다. 그러므로 본 장에서는 비교적 형태가 다양하고 상대적으로 편년이 가능하다고 생각되는 백제 사비기를 중심으로 편년 및 변천양상에 대해 언급하고자 한다.

먼저 원통이다. 원통은 비교적 시간 흐름에 둔감한 모습이다. 고구려 토제연통과 유사한 형식이 가장 먼저 등장하고 이 후 큰 시기 차이 없이 다른 형식의 원통들이 등장한 것으로 추정된다. 원통 상부에 단이 형성된 형식이 가장 오랫동안 존속해 백제를 대표하는 형식이라 할 수 있다. 비교적 시기가 이른 유적에서는 원통에 귀가 확인되는 반면 시기가 늦은 유적에서는 귀가 확인되지 않는 양상이다. 또 7세기 이후로 편년되는 유적에서는 하부에 넓은 전에 돌아가는 원통이 확인되는데 이는 토제연통과 연통 하부시설의 결합을 용이하게 하기 위한 것으로 추정된다.

다음으로 연가의 변천양상이다. 연가는 원통에 비해 다양하며 시간 흐름에 좀 더 민감했을 것으로 생각된다. 원통과 마찬가지로 고구려와 유사한 A형이 가장 먼저 등장했을 것으로 추정되며 5c후반에는 등장했을 것으로 생각된다. 이후 큰 시기 차이 없이 Ba형이 등장해 사비기 전 시기에 걸쳐 사용되었으며 Ba형은 시기가 늦을수록 보주부가 구형에서 편구형으로 변화한다. 7세기에 이르면 Ba형의 사용량이 줄어드는 한편 보주부의 형태(편구형), 배연공의 크기, 배열 등이 정형화된다. 이러한 변화와 맞물려 Bb형과 C형이 새롭게 등장하는데, Bb형은 부여 중정리유적과 같이 통일신라시대의 백제계 주거지에서도 출토되고 있어 약간 늦은 시기까지도 존속했던 것으로 보인다.

연가는 7세기 이후 지역과 위계에 따라 사용되는 연가형식이 차이나는 것으로 보인다. C형은 부여 관북리유적, 익산 왕궁리유적 등 백제 중앙과 연관된 유적에서 출토되고 있어 비교적 위계가 높은 건물에서 사용되었을 것으로 추정된다. 반면 부여에서는 Bb형, 익산과 그 외 지방에서는 Ba형이 상대적으로 위계가 낮은 건물에 사용되었던 것으로 추정된다[24].

Ⅳ. 맺음말

마한(계) 및 백제 사비기 토제연통에 관한 주요 연구성과를 주제별로 살펴보고, 좀 더 연구가 필요한 부분을 지적하는 한편 편년과 변천양상에 대해서 살펴보았다. 주요 연구성과로는 기원과 계통, 형식분류와 변천, 백제 사비기 토제연통의 사용문제가 있었다. 좀 더 연구가 필요한 과제로는 형태 인식법 및 제작기법, 마한(계) 토제연통의 사용문제, 토제연통의 위계 등이 있었다.

편년과 변천양상에 대해서는 상대적으로 민감하다고 생각되는 백제 사비기를 중심으로 살펴보았다. 사비기 토제연통은 연가가 원통보다 형태가 다양하고 시간적 흐름에 민감한 모습이었다. 원통은 시간이 흐름에 따라 원통 하부에 전이 부착되었는데, 배연시설과 결합을 용이하게 하기 위한 것으로 추정된다. 연가는 전의 부착위치가 하부로 내려가는 흐름을 보였으며 점차 보주부와 배연공이 정형화되었다. 7세기에 이르면 지역과 위계에 따라 사용되는 연가 형식이 차이가 있었다.

토제연통은 유적에서 출토되는 빈도가 높지 않기 때문에 관련된 연구나 기초적인 인식조차 아직까지 부족한 상황이다. 이로 인해 이형토기, 기대로 보고되는 일이 흔하며 토제연통으로 보고되더라도 유물의 상하가 바뀌기도 하고 형

24) 이지은, 2015,「백제 사비기 토제연통의 연구」, 충남대학교 석사학위 논문.

태·기능면에서 중요한 전이나 배연공에 대한 기술이 누락되기도 한다. 앞으로 출토맥락이 확실하고 완형인 유물이 추가되어 토제연통 연구에 획기가 마련되기를 기대해본다.

완(盌)과 병(甁)

한지선 국립중원문화재연구소

Ⅰ. 머리말

완은 기능상 밥이나 국, 반찬 등을 담는 배식기로, 음식문화의 발달과 아울러 개인 식기를 활발히 사용하는 문화를 대표하는 기종이라고 할 수 있다[1]. 배식기의 종류는 배류(삼족 또는 대각포함), 완류, 접시류 등이 있지만 여기서는 배류와 접시류로 분류할 수 있는 것을 제외한 기종을 완으로 분류하여 지칭한다. 또한 재질상 토제, 목제, 금속제 등이 있지만 본고에서는 土製에 한정하여 살펴보았다. 평저 혹은 말각 평저로 제작되며, 낮은 기고와 저경 대비 넓은 구연부를 갖는 것을 특징으로 한다. 용량은 대개 0.3ℓ미만인 경우가 다수인데[2], 원삼국시대부터 본격적으로 출현하기 시작하여 백제 한성기에도 이어지고 특히 웅진기부터 대부완이 등장하면서 사비기에 크게 유행한다[3]. 완은 그 형태가 다양하지만 기능적으로 세분화된 명칭으로 발달하지 못했다. 기능상으로는 현대

---

1) 국립문화재연구소, 2011, 『한성지역 백제토기 분류표준화 방안연구』.
2) 한지선, 2011, 「한성백제기의 완의 제작기법과 그 변천」, 『문화재』44-4, 국립문화재연구소.
3) 박순발, 2006, 『백제토기 탐구』, 주류성.

에도 쓰이고 있는 밥그릇, 국그릇, 반찬그릇이나 종지, 잔, 접시 등이 있지만 이 중에서 접시를 제외하고는 고대에는 모두 완으로 분류하여 통칭되고 있는 것이다. 이에 기능상의 구분을 시도한 연구[4]도 있으나 아직까지도 분류의 모호성이 존재한다. 본격적인 완의 발달은 백제가 중국의 문물을 수입하기 시작하면서 이루어진다. 특히 청자 완의 유입 내용에 따라 백제 완의 기형변화도 함께 이루어지기도 하며, 백제의 영역확대와 아울러 완이 전파되기도 한다. 이후 대부완과 개배의 발달로 인해 점차 소멸하지만 완은 백제 전시기에 걸쳐 음식문화의 발달과 함께 괘를 같이 하게 된다. 본고에서는 기존 연구에서 검토된 내용을 중심으로 살펴보고 종합적으로 지역별, 시기별 양상을 검토해 보고자 한다.

병은 액체상의 내용물을 담기 위한 전용 용기로 주로 평저이면서 경부를 매우 협소하게 제작하기 때문에 내용물이 쉽게 흘러나오지 않고 동체부는 주머니처럼 부풀어 있어 손을 잡고 따르기 적합하게 제작되는 특징을 갖는다. 병의 종류는 단경병, 장경형, 횡병, 淨甁, 자라병 등으로 형태에 따라 다양하게 분류된다. 호류와 구분하기 위해 병의 기형적 특징을 수치로 환산하면, 경부경의 2배 길이가 동최대경보다 작고, 구경의 1.5배 길이가 기고보다 작은 경우 병으로 분류할 수 있다[5]. 백제 병은 대체로 4세기 중반경 백제토기 신기종의 일종으로 출현하게 되고[6] 사비기까지 장시간 제작·사용되는 기종으로 처음에는 생활유구에서의 출토빈도가 높다가 점차 고분 부장품으로 사용되는 사례가 증가한다.

---

4) 김성남, 2004, 「백제 한성양식토기의 형성과 변천에 대하여」, 『고고학』3권 제1호, 서울경기고고학회 ; 한지선, 2011, 「한성백제기의 완의 제작기법과 그 변천」, 『문화재』44-4, 국립문화재연구소.

5) 국립문화재연구소, 2011, 『한성지역 백제토기 분류표준화 방안연구』.

6) 박순발, 1989, 「漢江流域 原三國時代의 土器의 樣相과 變遷」, 『韓國考古學報』23, 韓國考古學會.

그간 병은 백제 한성기에서 사비기에 걸친 기간 동안 기형 변화가 비교적 뚜렷하여 통시적 변화를 관찰하기 좋은 기종[7]으로 본고에서는 선행연구에 대한 검토와 더불어 병의 기형적 특징과 공반유물을 통한 특징을 살펴보고자 한다. 본고에서는 병 중에서 다수를 점하고 있는 단경병을 중심으로 살펴보았다.

Ⅱ. 완

1. 연구사 검토

완에 대한 연구는 지역별로 상세하게 다루어진 바 있다. 백제 한성기 중앙양식 완의 제작기법을 규명하고 형식별·용도별로 완을 검토한 연구[8], 한강 및 금강유역권을 중심으로 원삼국시대부터 백제 웅진기까지의 변천을 다룬 연구[9], 영산강유역권 완의 토기상을 밝히고 백제와의 관련성을 추적한 연구[10] 등이 그것이다. 또한 백제 사비기 대부완을 중심으로 한 다각적 연구[11]도 진행되어 왔다. 이외에도 완의 정의와 기능성에 대한 검토[12], 백제의 식사문화와 결부시켜

7) 변희섭,「금강유역 백제 단경병의 시공간적 전개양상」,『한국상고사학보』제87호, 한국상고사학회.

8) 한지선 2011, 앞의 논문.

9) 박순발·이형원, 2010,「원삼국~백제 웅진기의 변천양상 및 편년-한강 및 금강유역을 중심으로」,『백제연구』제53집, 충남대학교 백제연구소.

10) 서현주, 2010,「완형토기로 본 영산강유역과 백제」,『호남고고학보』4, 호남고고학회.

11) 김종만, 2007,『백제토기 신연구』, 서경문화사 ; 김용주, 2016,「백제 대부완의 변화와 변인」,『백제사의 제문제』, 제22회 백제학회 정기학술회의.

12) 김성남 2004, 한지선 2011 앞의 논문.

배식기의 일종으로 검토한 연구[13] 등도 있다.

먼저 완의 형태별 속성구분과 지역별, 시기별 변천상에 대해 기존의 연구를 바탕으로 간략하게 연구사를 살펴보고자 한다.

완에 대한 기존 정의를 표로 정리하면 다음과 같다.

〈표 1〉 연구자별 완의 정의

논자	정의
김성남(2004)	외반구연을 갖는 것은 사발, 직립구연이면서 상대적으로 기고가 높은 것은 보시기, 높이가 낮아 납작해지는 것은 접시나 뚝배기로 분류
박순발(2006)	완류는 구경이 10~15㎝정도이고 높이는 구경에 절반 이하이면서 바닥이 편평한 토기를 말하며, 음식을 담아 먹는 배식기
서현주(2010)	대체로 평저이면서 상대적으로 좁은 저부에 넓은 구연부, 비교적 낮은 기고를 갖는 것들을 포괄하여 지칭함

〈표 1〉의 정의와 같이 완은 음식을 담아 먹는 배식기의 일종으로 한손에 잡힐 수 있는 정도의 용량과 크기로 정의될 수 있다.

다음은 완의 세부속성을 분류하여 특징을 규명하고 편년을 수립한 연구사를 검토해 보고자 한다. 먼저 박순발·이형원(2011)은 완의 세부 속성으로 소성도, 구경, 저경, 높이, 구고비, 형태와 구순 형식분류를 기준으로 분류하였는데, 구순은 凹面의 유무에 따라 없는 것을 1, 있는 것을 2로 하였고, 타날1은 평행타날, 2는 격자타날을, 소성상태는 산화소성연질과 환원소성연질, 환원소성경질로 나누어 구분하였다. 이러한 구분하에 통계학적 분석을 시도하여 한강·금강 유역권의 시공간적 변화상에 대해 밝혀보고자 하였다. 기형은 A, B, C형으로

13) 정수옥, 2015,「백제 식기(食器)의 양상과 식사문화」,『중앙고고연구』17. (재)중앙문화재연구원 ; 국립문화재연구소, 2011,『한성지역 백제토기 분류표준화 방안연구』.

구분(그림 1의 上)하고 시기는 원삼국시대~웅진기까지 총 4단계로 나누어 1단계는 기원 3세기 전반까지, 2단계는 3세기 후반부터 4세기 전반(350년), 3단계는 4세기 후반에서 475년, 4단계는 474-438년까지의 웅진기로 설정하여 편년의 기본내용은 박순발(2006)의 것을 기반하였다. 기형 A형은 중도식경질무문토기완으로 나팔형으로 뻗어있고 손으로 잡을 수 있는 손잡이가 돌출되어 있어 완과 뚜껑을 겸용할 수 있는 형태이다. 1단계에서 높은 비율을 차지하지만, 2~4단계에서는 거의 확인되지 않고 B(외반구연)·C(직립구연)형은 2단계에 주류를 점하고 3단계에서는 C형이 높게 나타나는 특징을 보인다고 분석했다. 특히 한강유역은 A·B·C형 모두 확인되지만 금강유역은 B·C형만 확인되며, B·C형의 계보에 대해서는 낙랑 완에 주목하여 밀접히 관련되었을 가능성이 있다고 추정하였다. 금강유역에서 3단계에 C형 완이 급증하는 것에 대해 백제의 영역확대에 수반된 현상으로 보았고, C형 완의 유행에 있어서 낙랑 지역과의 연관성 이외에 중국의 飮酒·飮茶문화유입과 관련해 장강유역과의 직접적인 교섭이 그 배경이 되었을 가능성도 함께 언급하였다. 4단계가 되면 이전에 비해 기고가 낮아지고 구순의 요면화가 두드러지며 평저보다 원저화가 진행된 것으로 보았다. 또한 이 시기 가장 큰 특징은 대부완이 출현하는 것인데 이는 중국제 동제완과 형태상으로 유사한 점이 많아 이를 모방해 제작된 것으로 파악하였다.

서현주(2010)은 주로 영산강유역의 완에 대한 집중검토였지만 한강, 금강유역권도 대략적 특징을 함께 검토하여 영산강유역권 완의 시기적, 지역적 분포양상 및 계기적 변화상의 동인을 파악해 보고자 하였다. 완을 구연부형태와 저부형태, 그리고 기고와 동체벌어짐 정도를 나누어 경질무문토기는 별도로 구분하고 타날문토기 중 외반A형, 외반B형, 직립Aa형, 직립Ab형, 직립B형, 직립C형, 그리고 대형으로 분류하였다(그림 1의 下). 영산강유역권에서는 대개 외반형과 직립형 모두 A형에서 B형으로의 변화가 확인되며 시기구분은 다음의 1~4

단계로 나누었다. 먼저 1단계는 외반A형, 직립Aa형이 보이는 단계로 원삼국시대에 해당되고, 2단계는 직립Ab형이 출현하는 단계로 1, 2단계 모두 금강유역권에서도 충청남부지역과 양상이 유사한 것으로 파악했다. 3단계는 외반B형이 본격적으로 나타나는 단계로 그 중심지역은 영암, 무안, 나주 등 영산강하류역이며 한강유역권에서는 전혀 확인되지 않는 형태인데 반해 금강유역권 중에서도 충청북부지역과의 양상이 상통하는 것으로 추정했다. 4단계는 직립B형이 출현해 점차 넓게 벌어져 올라가는 것이 주류를 이루며, 외반B형도 기고가 낮고 동체가 넓게 벌어져 올라가는 것으로 변화한다고 파악했다. 직립B형은 한강유역권에서도 다수 확인되는 형태이고 금강유역권에서는 충청남·북부지역 모두에서 확인된다. 이 단계들 중 3단계부터 백제토기의 영향하에 변화가 나타나기 시작된 것으로 보았으며 4단계에 해당되는 5세기 전반 늦은 시기에는 충청북부지역의 세력들과 백제의 지배체제하에서 역할을 담당하면서 백제완이 영산강유역권 완의 변화에 다수 영향을 끼친 것으로 추정하였다.

한지선(2011)는 풍납토성 출토 완을 중심으로 백제 한성기 완 분석을 시도하였는데 기존 연구들이 대부분 형식속성을 기준한 분류안이었다면 형식속성이외에도 제작 기법을 중심으로 분류한 것이 특징이다. 완은 회전판위에 원형의 점토판을 놓고 그 위로 점토띠를 쌓아올리는 기본 방식(Ⅰ식)과 기본성형은 동일하나 최후 단계에서 회전판에서 완을 떼어내어 도치시켜 저부를 정면하여 평저의 각을 없애는(약화시키는) 새로운 방식(Ⅱ식)으로 나뉜다고 보았다. Ⅰ식은 다시 다수 점토띠로 제작해 심도가 깊게 제작된 경우(Ⅰa식)와 2~3조의 점토띠로 제작하고 구순이 뾰족하며 심도가 낮게 제작되는 경우(Ⅰb식)으로 구분하였다. Ⅱ식은 완의 바닥에서부터 나선형으로 점토를 코일링하여 제작하는 방식(Ⅱa식)과 완의 형태를 성형한 뒤 회전판에 도치시킨 후 Ⅱa보다도 확실하게 동체-저부 경계면의 각을 없애고 내외면을 깨끗하게 정면한 경우(Ⅱb식)로 나누

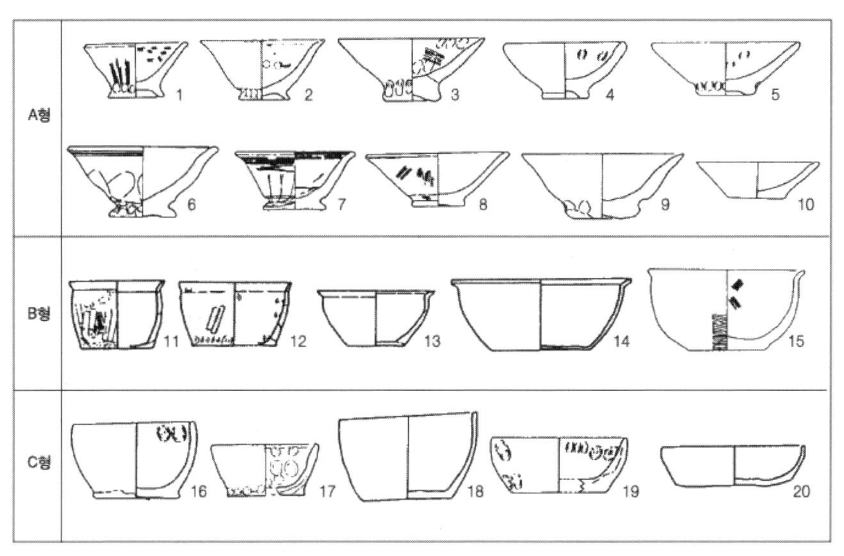

형식	경질무문토기	외반A형	외반B형	직립Aa형
도면				
형식	직립Ab형	직립B형	직립C형	대형
도면				

〈그림 1〉 완의 형식분류(上:박순발, 이형원 2011, 下:서현주 2010)

었다(표 2). Ⅰa식은 원삼국시대 완의 제작전통이 계승된 것으로 파악하였고 그 중 구순 외반형은 낙랑 완, Ⅰb식과 Ⅱ식은 모두 중국제 청자완의 모방형태로 백제들의 중국 물품에 대한 관심과 수요를 잘 보여주는 것으로 파악하였다. 이후 연판문 청자완의 영향 하에 오목한 잔 형태도 출현하고 있다고 보았다.

사비기 완에 대한 연구는 김종만[14]에 의해서 본격적으로 시작되었다.

---

14) 김종만, 1999, 「백제흑색와기고-부여지방 출토품을 중심으로」, 『한국사의 이해』경인문화

최근 대부완에 대한 종합적인 검토가 이루어 진 바 있는데 김용주[15]는 제작 기법을 크게 개별성형기법과 일체성형기법으로 구분하여 전자에서 후자로 기법이 변화하는 경향을 밝혀냈다.

이 밖에 완의 사용용도별로 분류하여 분석한 연구도 있는데 통칭하여 '완'이라고 지칭은 되고 있지만 형태에 있어서는 완만큼 다양한 양상이 확인되는 사례도 드물다. 지금은 접시류로 분류되는 기종도 과거에는 완에 포함되어 있었던 것처럼 그 경계가 매우 모호해서 일찍부터 사용용도별로 명칭을 사용하자는 견해[16]가 제기되기도 하였다. 이후 사전적 의미로의 배식기와 조선시대 반상기의 사례를 인용하여 완을 밥그릇, 국그릇, 접시류, 종지, 잔, 기타류 등으로 분류를 시도한 사례[17]도 있는데 이러한 연구경향은 앞으로도 식사문화에 대한 검토와 아울러 계속적인 고민이 필요하다.

〈표 2〉 완의 성형방법별 특징(한지선 2011)

	회전판 성형(Ⅰ)		회전판 분리성형(Ⅱ)	
기본특징	多條 점토띠성형(Ⅰa)	2條 점토띠성형(Ⅰb)	저판 보강 성형(Ⅱa)	일체 성형(Ⅱb)
두께	바닥판 ≧ 기벽	바닥판 > 기벽	바닥판 > 기벽	바닥판 ≦ 기벽
바닥판흔	회전대 고정흔	물손질	나선형의 물손질	(회전)물손질
구순형태	구순 A1, 외반	구순 A2	구순 A2	구순 A2
타날여부	타날(흔) 잔존	깨끗한 물손질	깨끗한 물손질	깨끗한 물손질
동체-저부 경계면정면	회전깎기	회전깎기	회전깎기, 물손질	(회전)물손질
동체부점토띠	3~5	2~3	2	2
구연형태	각진 직립(91%)	뾰족 직립(83%)	뾰족 직립(100%)	뾰족 직립(100%)
확인개체수	126(58%)	54(25%)	20(9%)	15(6%)
例				

사 ; 김종만, 2007, 『백제토기 신연구』, 서경문화사.

15) 김용주, 2016, 앞의 논문.

16) 김성남, 2004, 앞의 논문.

17) 한지선, 2011, 앞의 논문.

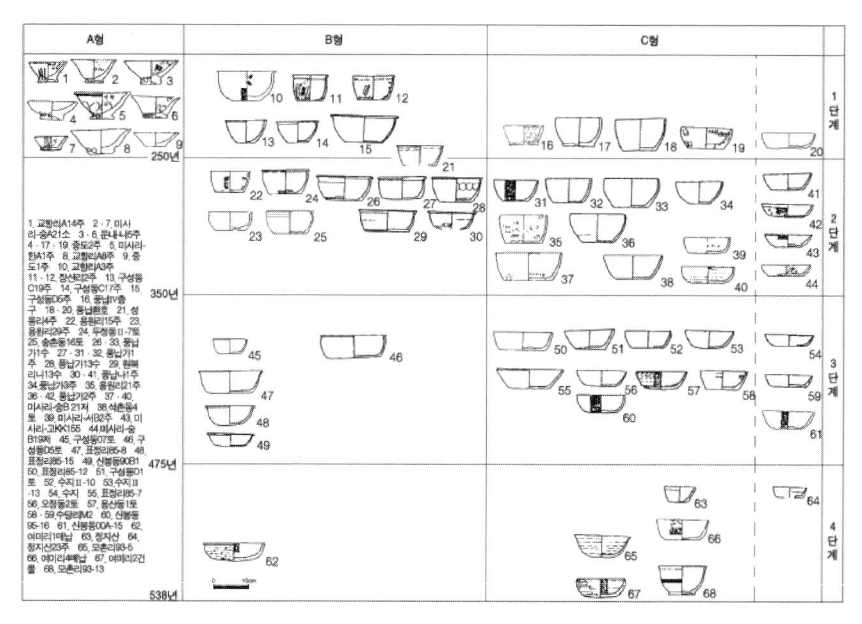

〈그림 2〉 한강 및 금강유역 원삼국~백제 웅진기 종합편년(박순발·이형원 2011)

형식/단계 | 외반A형 | 직립Aa형 | 직립Ab형 | 외반B형 | 직립B형 | 직립C형

1단계 / 2단계 / 3단계 / 4단계

1.함평 중랑 74호 주거지, 2.6.함평 중랑 80호 주거지, 3.영암 만수리 4호분 7호 목관묘, 4.5.고창 만동 9호분 4호, 5호 옹관묘, 7.영광 군동 라지구 1호 구상유구, 8.11.19.나주 복암리 3호분 19호, 6호 옹관묘, 분구성토층, 9.영암 만수리 4호분 3호 목관묘, 10.광주 쌍촌동 파괴토광묘, 12.영암 신연리 9호분 5호 목관묘, 13.무안 구산리 3호 옹관묘, 14.24.장흥 상방촌B 18-1호, 15호-1 토광묘, 15.26.장흥 상방촌A 34호, 57호 주거지, 16.화순 운월리유적 제4지점, 17.무안 양장리 94-2호 수혈, 18.25.광주 향등 6호 주거지, 20.무안 양장리(Ⅱ) 30호 주거지, 21.나주 오량동 3-1호 토기요지, 22.30.고창 석교리 7호 주거지, 23.29.광주 월전동유적 1구역, 27.광주 신창동 저습지유적(Ⅲ) 도랑3, 28.광주 치평동유적 수습, 31.광주 향등 19호 주거지

〈그림 3〉 영산강유역권 완형토기의 변천(서현주 2010)

예시	용도	특징
	飯器 [밥그릇]	구연부가 직립 혹은 약간 내만한 형태로 뚜껑을 덮을 수 있음. 구경과 저경이 작고 심도가 깊음. 소형의 무뉴식 뚜껑과 결합. - 0.3~0.5ℓ 분포
	대접 [국그릇]	심도가 깊고, 구순이 곧게 외반된 형태, 뚜껑사용 안함. 국과 같은 국물이 있는 음식을 담는 데 사용. - 0.6~0.8ℓ 분포
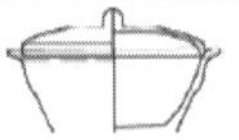	바리	뚜껑을 덮어야 하는 반찬류의 내용물을 담는 그릇으로 추정됨. - 0.3ℓ 이상 고르게 분포
	쟁첩 [접시류]	뚜껑이 없이 반찬을 놓는 그릇 - 0.3~0.4ℓ 군 분포
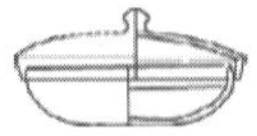		뚜껑을 덮어 보관 및 반찬을 놓는 그릇 -0.4~0.6ℓ 군 분포
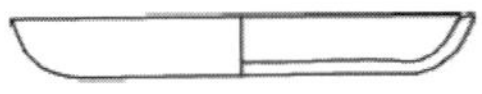	접시	심도가 매우 낮고 저경이 넓음 -0.3~0.6ℓ 분포
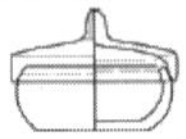	종지	조미료를 담는 그릇으로 내만하여 뚜껑을 덮기 용이함. - 0.1ℓ 미만 분포
	盞	소형의 저부가 오목한 형태로 반기(밥그릇)보다 구순내만이 강함. 飯器보다 저부와 구연부가 훨씬 축약된 형태. - 0.3ℓ 미만
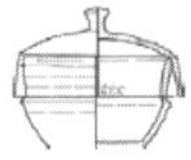	기타	뚜껑의 드림부길이가 매우 긴 것들과 결합되었을 가능성이 높음. 불맞은 흔적이 없으므로 뚝배기로 사용된 것은 아님. 마연한 고급 제사용기. - 0.5~1.2ℓ 분포

〈그림 4〉 풍납토성 출토 배식기의 종류와 그 특징(한지선 2011)

이밖에도 완의 형태적 편년적 특징이 아닌 음식문화의 일종으로서 연구한 사례[18]도 있다. 완은 식사 시 음식의 개별 분배방식과 관련된 것으로 젓가락과 숟가락을 사용하는 동아시아에 매우 적합한 형태로 발달하였으며, 완의 발달은 이 지역권에 공통적으로 좌식의 반상문화의 보급과 관련된 것으로 중국의 漢代~魏晉代까지의 식사양식이 한국과 일본의 식사문화에 영향을 미쳤다고 보았다.

18) 정수옥, 2015, 앞의 논문.

2. 완의 변천

완으로 분류가능한 도면을 나열한 것이 〈그림 6〉이다. 완은 앞서 언급한데로 원삼국시대부터 일 기종으로 분류된다.

앞서 연구사 검토에서도 알 수 있듯이 원삼국시대에 본격적으로 등장하게 되는 완은 경질무문토기 뚜껑과 겸용으로 사용되던 나팔형 완에서 점차 저부가 평평하고 직립하는 심도 깊은 전용 완이 제작되면서 그 제작기법이 백제 한성기 초기 완에 연결된다. 다만 형태적 동질성은 있으나 조질태토에 연질소성으로 제작되다가 정질 혹은 정조질에 중경질 혹은 경질화 되는 가마소성품으로 제작상 기

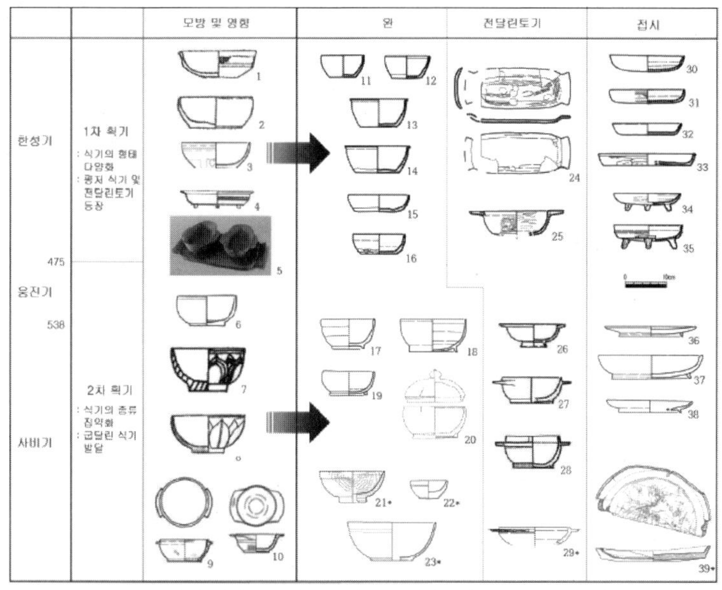

(1~2:郭家山1號墓(東晋), 3:풍납토성197번지, 4:七聖山96號墓, 5:山東東阿曹植墓(三國 · 魏), 6:공주수촌리고분군 II 지점, 7:洪州窯 羅湖村窯址(南朝), 8:南京太平門外劉宋明曇憘墓(南朝), 9:홍련봉보루, 10:아차산4보루, 11-16,24-25,30-35:풍납토성, 17:부여정암리요지 18,38:익산왕궁리, 19-20,28,36-37:부여관북리, 21*:부여나성(목제), 22-23:부여궁남지(목제), 26:부여능산리사지, 27:부여화지산유적, 29*39*:부여쌍북리(목제)) ※"*"목제칠기

〈그림 5〉 백제 중앙지역 대표 배식기의 변천(정수옥 2015)

술속성이 변화되는 것이 큰 차이점이라 할 수 있다. 물론 3세기 말이 되면 뚜껑과 완도 완전히 분리되게 되는데, 이 때 형태적으로 가장 큰 변화는 저경과 구경이 거의 비슷하거나 구경이 약간 큰 직립형의 완이 등장한다는 점이다. 이것은 한강유역권의 사례이고, 금강유역권의 경우는 외반구연을 가진 완의 등장이 빠르다. 이후 백제의 국가성립이후 중국 문물의 유입에 따른 완의 형태변화, 즉 당시 완의 사용하는 집단의 선진문물에 대한 선호도를 반영한 제작이 활발해 진다.

이후 완의 형태적 변이는 중국으로부터의 飮酒·飮茶문화의 도입[19], 盤床文化의 도입[20]과 함께 중국 자기 등의 영향으로 인해 심도가 높은 것에서 낮은 것으로, 평저형에서 약간 말각평저화 되는 경향이 확인되었고 연판문 청자완처럼 오목하고 대각이 달린 형태가 점차 백제 중심지역에서 유행을 하게 된다.

완의 편년기준을 설정하는데 있어서 공반유물에 대한 검토가 매우 중요하다.

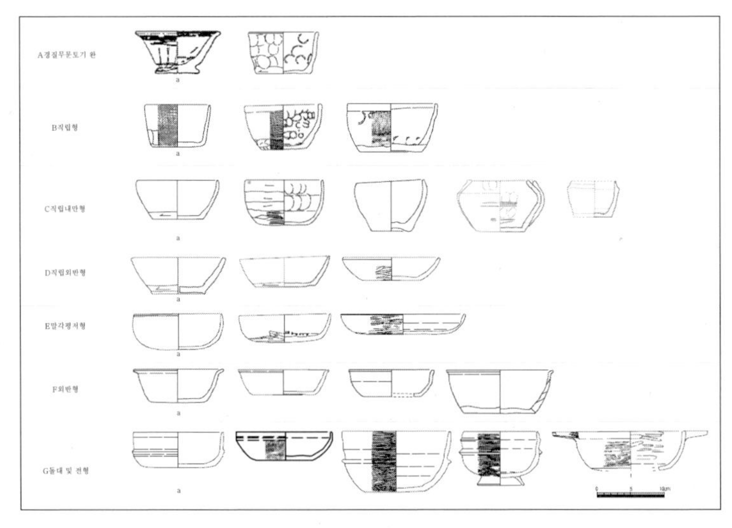

〈그림 6〉 완의 종류

19) 박순발·이형원 2011, 앞의 논문.

20) 정수옥 2014, 앞의 논문.

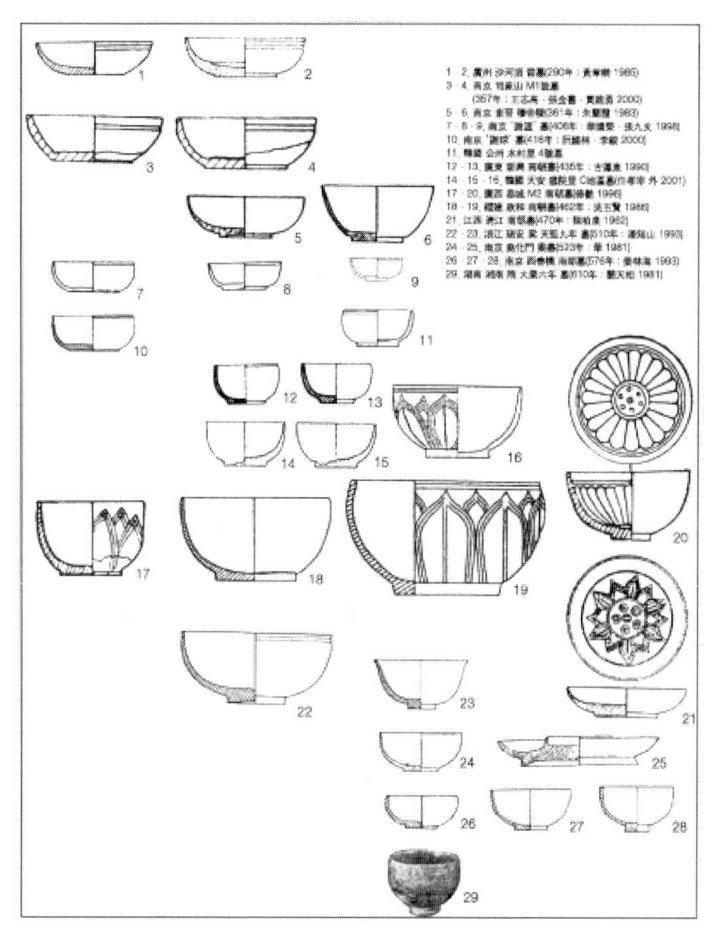

〈그림 7〉 백제지역 출토 東晉·南朝 자기 완 및 비교자료(박순발·이형원 2011)

또한 공반유물중에서도 외래계 유물이 출토될 경우 중국유물은 기년명 자료와의 비교를 통해, 일본 須惠器는 요지 출토 편년안에 대한 교차편년을 통해 절대연대를 추정해 볼 수 있다. 이러한 편년연구는 土田純子[21]에 의해 검토된 바가 있다. 특히 중국 자기류의 공반유물에 대한 교차편년안은 현재 편년연구에 있

21) 土田純子,『百濟 土器 編年 硏究』, 충남대학교 박사학위논문.

시기	중국제완	한강유역권	금강유역권	전남 • 영산강유역권
3세기	—	1, 2, 3	4, 5, 6, 7	8, 9
한성백제 1기	10, 11	12, 13, 14, 15	16, 17	18, 19, 20
한성백제 2기	21	22, 23, 24, 25, 26, 27	28, 29, 30, 31, 32, 33	34, 35, 36, 37
웅진기	38	—	39, 40, 41	45, 46, 47, 48, 49
사비기		—	42, 43, 44	

〈그림 8〉 완의 지역별 시기별 변천

1. 하남 미사리 숭-A21호주거지, 2. 풍납토성(미래) 나-24호 수혈, 3. 풍납토성(미래) 가-48호 수혈, 4·5. 천안 장산리 2호주거지, 6. 대전 구성동 C19호주거지, 7. 대전 구성동 C17호주거지, 8. 함평 중랑 74호주거지, 9. 고창 만동 9호분 4호 옹관묘, 10. 낙랑토성지, 11. 풍납토성(미래) 가-1호수혈, 12, 15. 풍납토성(미래) 가-2호주거지, 13. 풍납토성(미래) 마-11호 수혈, 14. 용인 구갈리 9호수혈, 16. 천안 두정동 11-7호토광묘, 17. 천안 원북리 나-13호 수혈, 18·19. 함평 중랑 80호주거지, 20. 영광 군동 라지구 1호 구상유구, 21. 풍납토성(미래) 다-38호 수혈, 22. 풍납토성(미래) 토기산포유구, 23. 풍납토성(미래) 가-그리드, 24. 풍납토성(미래) 나-3호주거지, 25. 풍납토성(미래) 가-35호 수혈, 26. 풍납토성(미래) 나-30호 수혈, 27. 풍납토성(미래) 가-2호 주거지, 28. 논산 표정리 85-15호분, 29. 청주 신봉동 90-B1호 토광묘, 30. 대전 구성동 D5호 토광묘, 31. 논산 표정리 85-12호분, 32. 대전 구성동 D1호 토광묘, 33. 용인 수지, 34. 무안 구산리 3호 옹관묘, 35. 영암 만수리 4호분 3호 목관묘, 36. 나주 복암리 3호분 19호, 37. 영암 신연리 9호분 5호 목관묘, 38. 무령왕릉(동제), 39. 논산 모촌리 93-13호분, 40. 서산 여미리 1호 매납유구, 41. 서산 여미리 4호 매납유구, 42. 부여 동남리, 43·44. 부여 관북리, 45·46. 광주 월전동 1호 수혈, 47. 장흥 상방촌A 34호주거지, 48. 광주 월전동유적 1구역, 49. 장흥 상방촌B 15-1호토광묘

어서 매우 중요한 근거로 사용되어오고 있다.

완의 종류의 대부분은 백제 한성기에 완성된다. 물론 지역마다의 선호도 내지 H형식 중에서 구순이 수평으로 외반하는 형태는 영산강유역권에 한정해 출현하는 지역적 특징도 존재한다. 그러나 자기의 영향 하에 제작된 완의 형태는 한성기에 완성되어 점차 지역으로 확산하게 되는데, 〈그림 8〉은 크게 한강유역권과 금강유역권, 영산강유역권을 나누어 완의 출토양상을 정리한 것이다. 역시나 4세기말부터는 대부분의 지역에서 한강유역권에서 확인되는 완의 형태를 취하고 있는 것을 알 수 있다. 이러한 완은 점차 심도가 더 낮아져 접시의 형태도 다수 제작되게 된다.

Ⅲ. 병

1. 연구사 검토

백제 병에 대한 최초의 연구는 서성훈[22]에 의해 이루어졌다. 초기 연구가 백제 사비기 출토 병에 치중된 면은 있지만 병의 종류를 분류하여 각각의 형태변화와 기원을 검토한 논문으로 의의가 있다. 특히 단경병의 경우 중국과의 대외교류에 따른 산물로 계수호나 청자사이호 등의 중국제 자기의 영향으로 제작되었다고 보는 연구[23]가 다수인데 이외에도 단경병이 호형토기에서 자체 발전하거나, 호형토기에 단경병의 구경부 요소가 결합된 것으로 보는 견해도 있다[24].

22) 서성훈, 1980,「百濟의 土器甁 考察」,『百濟文化』제13집, 공주대학교 백제학연구소.
23) 김종만, 2004,『사비시대 백제토기 연구』, 서경문화사 ; 土田純子, 2005,「百濟 短頸甁 硏究」,『百濟硏究』제42집, 충남대학교 백제연구소.
24) 서성훈, 1980,「百濟의 土器甁 考察」,『百濟文化』제13집, 공주대학교 백제학연구소 ; 지민

그러나 양쪽의 의견 모두 병의 특징인 경부조임 형태의 모티브는 중국 병류에서 찾고 있다는 점에서 백제와 중국과의 교류관계에서 병이 백제토기화된 기종인 것만은 분명해 보인다.

그간 병에 대한 연구는 한성기부터 사비기까지 출토품을 중심으로 형식학적 분류, 제작기법, 출현 계기와 발전 양상 등에 대해 연구가 진행된 바 있다. 이외에도 각종 보고서나 고분출토 유물들을 검토할 때 출토 병에 대한 간단한 형식분류 및 시기를 추정한 논고들이 있다. 지금까지 이러한 연구내용을 간략하게 표로 제시한 것이 있는데[25] <표 3>과 같다.

〈표 3〉 연구자간 단경병 속성 및 속성변화(변희섭 2015)

연구자	구경부	동체부	저부	지역(유적)	시기
서성훈(1980)	-	구형→광견 · 장란형	원저→평저	-	삼국시대 중반이후
최종택(1989)	A(사선) · B(수직)→C(수직+안쪽면 꺾여내려온 형태)	구형(구연A · B)→장란형(구연C)	-	몽촌토성	몽촌Ⅱ기(4C중엽~5C중엽)
성정용(1994)	둥근 것(a)/홈(b)	-	-	신금성	4C중엽~5C중엽
방유리(2001)	둥근 것/각진 것	구형/반구형	-	설봉산성	4C중엽
이문형(2001)	서물구연→반형	최대경:중앙→상부	원저→평저	금강	5C초~7C중엽
김수연(2004)	-	최대경:중앙→상부	넓음→좁음	전남	-
김종만(2004)	금강유역:외반형(A)→Σ형으로 변화 반형(B)→돌 대+구순집어짐	외반형(A):광견형(a)/발라방형(b) /장타원형(c)	-	금강	사비기
	영산강유역:외반형(A)-Σ형으로 변화	-		영산강	
土田純子(2005)	구연직선(a1-홈무/a2-홈유)→구연외반(b1 · b2-상단조정무/b3 · b4-상단조정유)→b형 발달형(c-구순하단홈)	a(최대경하부)→b(최대경중앙)→c(c1:반구형/c2:구형)→d(최대경상부)		백제영역 (영산강 제외)	한성Ⅱ기~사비기 (AD350~660)
지민주(2006)	단순외반A(홈무/홈유)→경부직립B(홈무/홈유)→내만경부 · 반형	원통형 · 표주박형 · 반구형→반구형→광견형		백제영역 (영산강 제외)	4C전~6C말
서현주(2006)	Ⅰ기(나팔구연-구연내경) →Ⅱ기(직립구연) →Ⅲ기(직립구연-구연집어짐) →Ⅳ기(구연짧아짐)	Ⅰ기(단경호 유사) →Ⅱ기(구형:최대경 중앙) →Ⅲ기(최대경 상부) →Ⅳ기(동체부 낮아짐)	Ⅰ기(발라평저) →Ⅱ기이후(평저)	영산강유역	Ⅰ기(5C말~6C초) Ⅱ기(6C전~6C중) Ⅲ기(6C중후~6C후) Ⅳ기(7C이후)
김종만(2007)	단순구연→구순사각형(경부낮아짐)→발달구연	원통형→구형→광견형(횡타원)→발라방형→광견형		서울~영산강	5C초~7C중
	반형→퇴화→'盤'형(돌대부가+구순집어짐)	-			
김재현(2010)	b2(구연외반/상단조정무)→b3(구연외반/상단조정유)→c1(b형발달형+구순하단홈)	b(최대경중앙)→c1(반구형)→c2(구형)→d(최대경상부)		서천 봉선리	4C초~7C중
한지선(2011)	외반형A(단순외반형/구순꺾인외반형)/반형B	-	좁아짐	서울 · 인근지역	한성기

주, 2006, 「百濟時代 短頸甁의 變遷樣相에 대하여」, 『錦江考古』제3집, (재)충청문화재연구원.

25) 변희섭, 2015, 앞의 논문.

특히 지역별, 시기별 병의 형태적 특징을 계측치 속성분석을 통해 논거한 연구가 다수를 이루는데, 먼저 지역별 연구로는 국립문화재연구소[26]에 의해 백제 한성기 출토 병을 집성하고 간략한 분석을 통해 특징과 제작기법을 고찰한 연구가 있다. 변희섭[27]은 단계별 단경병의 변화상의 의미와 확산과정을 고찰함으로서 병의 기형적 특징과 아울러 이를 통한 백제 사회의 정치사회적 역학관계를 시기별과 지역별로 규명하고자 하였다. 특히 6세기 중엽 이후의 백제 중앙으로부터 시작된 박장화에 따라 단경병의 부장이 중단되지만 충남남부는 병과 개배, 삼족기가 세트 부장되고 있는 양상을 들어 백제 중앙에서 특수목적을 가

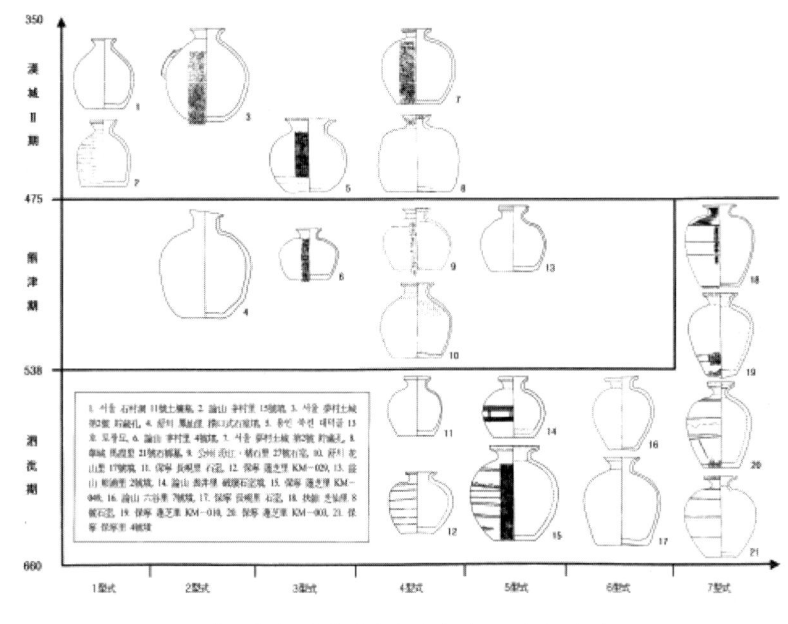

〈그림 9〉 백제 단경병 편년표(土田純子 2005)

---

26) 국립문화재연구소, 2011, 『한성지역 백제토기 분류표준화 방안연구』; 국립문화재연구소, 2013, 『한성백제유물자료집』.

27) 변희섭, 2015, 앞의 논문.

지고 이 지역에 진출하여 제해권과 대외교류 창구를 장악했을 것이라는 해석을 내놓기도 하였다. 이외에도 영산강유역권은 김수연[28], 서현주[29]에 의해 고분 출토 병을 중심으로 제 특징을 파악한 연구 등이다. 한성기~사비기에 걸친 병의 변화 속성을 종합적으로 고찰한 土田純子[30]와 지민주[31]의 연구는 단경병의 형식분류 및 통계분석을 통해 통시적 형태 기준과 편년을 제시해 주었다.

본 고의 주요대상이 되는 단경병은 대체로 명목속성인 동체부와 구연부의 형태, 그리고 그것을 객관적인 수치로 뒷받침해 줄 수 있는 동최대경고와 저경(부)비를 기준으로 한 통계분석을 통해 형식분류안이 설정되어오고 있다. 이러한 연구성과를 기준하면 대체로 다음과 같이 변화양상이 파악된다.

먼저 동체부의 형태는 원통형과 구형형(혹은 역제형)으로 나뉘는데, 저경너비와 밀접한 관계가 있다. 출현 당시에는 동최대경과 저경이 비슷하게 제작되어 약간 원통형의 동체부를 보이다가, 점차 저경이 좁게 제작되고 동체부가 구형으로 제작되면서 역제형의 형태로 변화한다. 이때 동최대경의 위치도 변화하게 되는데 점차 동체 상부로 이동하며, 동체의 부푼 정도를 보여주는 볼록도에서도 원통형에서 점차 구형화가 두드러지는 경향으로 변화한다. 구연형태는 대체로 단순 구연에서 복잡 구연(요철이나 들린구연)으로 변화가 확인되며, 경부에서 한번에 외반하는 형태에서 한번 꺾여 외반하는 형태가 늦은 시기 다수 확인되는 경향이 있다.

백제 한성기에는 평저 이외에 원저 병도 소수 확인되는데, 구형호에 병의 구연부 모티브가 적용되어 소량 제작되는 것으로 판단된다. 이밖에도 동체부 장식도 무문이나 타날시문에서 점차 돌대나 침선 등 장식이 가미되는 방향으로

---

28) 김수연, 2004,『전남지역 석실분 출토 토기에 대한 고찰』, 전남대학교 석사학위논문.
29) 서현주, 2006, 앞의 논문.
30) 土田純子, 2005, 앞의 논문.
31) 지민주, 2006, 앞의 논문.

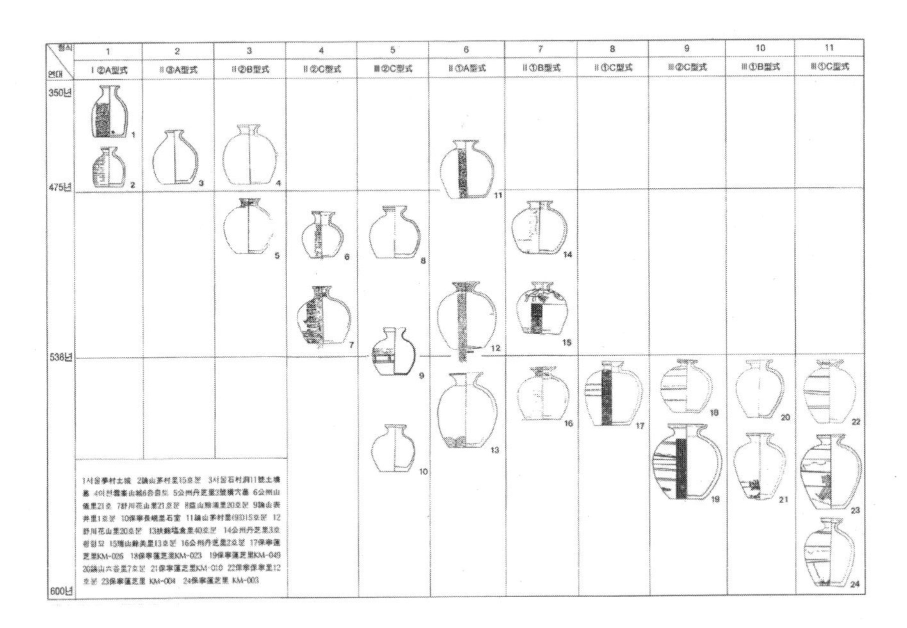

〈그림 10〉 백제 단경병 변천양상(지민주 2006)

변화가 확인된다. 또 한가지 주목되는 점은 중국에서 들여온 반구형 내지 계수호 등에서 확인되는 구연부 반구형의 형태가 병에 적용되고 있다는 점이다. 한성기에 이미 출현하고 있는데 이를 통해서도 중국 자기 요소의 적용사례가 확인된다는 점이 다른 기종에서 잘 보이지 않는 병의 특징이라고 할 수 있다.

2. 병의 분석

1) 계측적 속성의 분석 기준 검토

이렇게 다수 분석이 이루어진 병에 대한 기존의 경향을 살펴보기 위해 병에 대한 다수 연구자들의 분석내용을 세부적으로 제시해 보았다(표 4).

여기서 주목되는 것은 분석방법이 같거나 비슷하더라도 형식분류된 내용에 있어서는 차이가 확인된다는 점이다. 이는 연구자가 선택한 대상 유물의 분석치 내에서 분류안을 제시하고 있기 때문에 분석 대상이 다르면 제시되는 기준도 달라지기 때문이다. 뿐만 아니라 동일한 의도로 분석을 실시해도 서식에서 차이가 나는 경우도 있다. 예를 들어 동최대경의 위치를 측정하고자 하는 분석 서식에서도 어떤 분석은 「동체부고/동최대경」으로, 다른 분석은 「동최대경고/동체부고」로 분석을 실시하였다. 그렇다 보니 동일 기준으로 분석된 것이 아니기 때문에 결과물에 대한 비교가 어렵다.

따라서 병에 대한 향후 연구는 공통된 분석기준을 적용해 수치화시킬 필요가 있고, 이러한 공통된 수치 적용을 통해서 시기별·지역별 비교가 된다면 훨씬 객관적 정보를 확보할 수 있을 것이다.

이에 본고에서는 백제지역 전역에서 확인되는 병에 공통된 객관적 기준을 적용하기 위해 기준안을 제시하고자 한다. 다만 새롭게 기준을 제시하는 것이 아니라 기존의 분석안 중에 가장 병의 속성을 잘 표지할 수 있는 수식을 선정하였다.

〈표 4〉 병의 계측점

기호	계측점
A	구경
B	경부경
C	동최대경
D	저경
E	기고
F	동최대경상부고
G	동최대경고
J	동체부고

〈표 5〉 연구자별 병의 계측치 주요 내용

연구자	지수	수식기호	수식	형식분류
서현주 (2006)	동최대경고비	J/C	동체부고 /동최대경	A형:대략 0.8미만 B형:대략 0.8이상
서현주 (2006)	기고	E	기고	소병 장경병
변희섭 (2014)	저부비	D/C	저경 /동최대경	A군:0.708이상 B군:0.533~0.708미만 C군:0.533미만
	동최대경고비	G/J	동최대경고 /동체부고	Ⅰ군:0.387~0.475미만 Ⅱ군:0.475~0.628미만 Ⅲ군:0.628이상
김수연 (2004)	동최대경고비	J/C	동체부고 /동최대경	Ⅰ형:0.85미만 Ⅱ형:0.85이상
	기고	E	기고	Ⅰ형:17cm미만 Ⅱ형:17cm이상
	동최대경고	G	동최대경고	A:동체 중앙부 위치 B:동체 중상부 위치
土田純子 (2005)	저부비	D/C	저경 /동최대경	한성기:0.70 웅진기:0.62 사비기:0.58
	동최대경고비	G/J	동최대경고 /동체부고	한성기:0.52 웅진기:0.55 사비기:0.60
	동상비	F/E	동최대경상부고/ 기고	한성기:0.40 웅징기:0.35 사비기:0.34
지민주 (2006)	저부비	C/D	동최대경 /저경	Ⅰ군: 1.2 이하 Ⅱ군:1.3~1.9미만 Ⅲ군:1.9이상
	동최대경고비	J/G	동체부고 /동최대경고	군:1.45~1.75미만 군:1.75~2.0미만 군:2.05이상
국립문화재연구소 (2013)	동체볼록도 (저경비)	D/C	저경 /동최대경	Ⅰ(원통형):0.75이상 Ⅱ(볼록형):0.75미만
	용량	L	용량	소형 - 2L 미만 중형 - 2L 이상

기존 연구의 분석내용을 검토한 결과, 병의 시간적 변화와 가장 상관성을 잘 보여준 속성은 역시 동최대경의 위치변화와 동체의 볼록도(저부비 혹은 저경비)였다. 대부분의 연구자들도 동최대경고(동최대경고비/동체부고)의 비율을 산출하여 동최대경의 위치에 따른 변화에 주목하였다. 특히 土田純子[32]는 동최대경의 위치상에서 한성기 0.52, 웅진기 0.55, 사비기 0.60 이라는 계측기준을 세워 수치가 높은 사비기로 갈수록 동체상부 쪽에 동최대경이 위치하고 있음을 지적한 바 있다. 또한 지민주[33]는 土田純子와 같은 동최대경고비를 산출하면서 수식을 반대로 적용해 계산하였기 때문에 1.45~1.75를 Ⅰ군, 1.75~2.0을 Ⅱ군, 2.05이상을 Ⅲ군으로 하여 숫자가 커질수록 동최대경이 동체하부에 위치한다고 제시했다.

이와 마찬가지로 동체볼록도(저경/동최대경)는 동체부가 원통형인지 구형인지를 알려주는 주요 지수로서 이 또한 중요 변화 속성 중의 하나이다. 계측치 분석을 하지 않아도 성정용[34], 방유리[35], 김종만[36] 등의 연구자들도 제시한 동체부 기준에서도 동최대경이 하부에 있는지 상부에 있는지를 주요한 분류안으로 제시하기도 하였다. 대체로 한성기에서 사비기로 갈수록 원통형에서 구형으로 변화한다.

따라서 동체부 형태와 관련한 두 가지 계측적 속성인 동최대경고비와 동체볼록도를 분석기준으로 삼는데, 각각의 지수를 소수점 한자리간격으로 어떻게 변

32) 土田純子, 2005, 앞의 논문.
33) 지민주, 2006, 앞의 논문.
34) 성정용, 1994, 「Ⅳ. 토기에 대한 고찰」, 『신금성』, 충남대학교 박물관.
35) 박경식·서영일·방유리, 2001, 『이천 설봉산성 2차 발굴조사 보고서』, 단국대학교 매장문화재연구소.
36) 김종만, 2004, 앞의 책.

화하는 지 살펴본 것이 <표 5>이다. 동최대경고비에서 0.7이상이나 0.3이하의 거의 찾아볼 수 없다. 소수점을 너무 나누면 오히려 애매하게 분류되는 사례가 발생할 수 있어 소수점 한자리 수를 기준으로 상부(a), 중부(b), 하부(c)로 나누었다.

이와 유사하게 동체볼록도도 <그림 13>과 같이 0.8이상은 원통형(a)으로, 0.6-0.7 구간은 타원형(b)으로, 0.5이하는 역제형(c)으로 구분하였다.

상부(Ⅰ)		중부(Ⅱ)	하부(Ⅲ)	
0.7	0.6	0.5	0.4	0.3이하
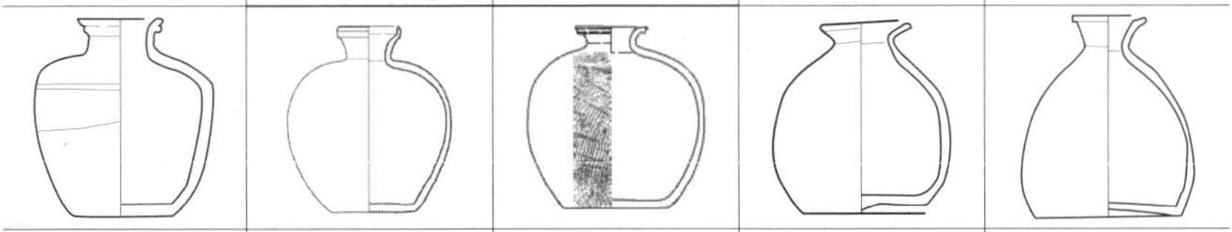				
논산 육곡리(86) 6호횡혈식석실분	풍납토성(11) 가-4호주거지	몽촌토성(87) 2호저장공	부장리 7호분 5호토광묘	부안 죽막동

<그림 11> 동최대경고비

원통형(A)		타원형(B)		역제형(C)	
0.9	0.8	0.7	0.6	0.5	0.4
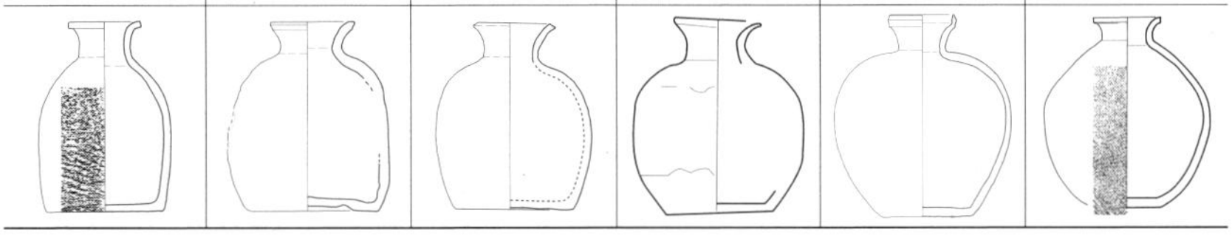					

<그림 12> 동체볼록도(저경비)

그리고 이러한 동체부 형태 변화 속성과 아울러 주목되는 변화요소는 구연부의 형태이다. 대부분의 연구에서 구연형태는 크게 외반형과 반구형으로 구분한다. 반구형은 병에만 채용되는 특수한 구연형태이지만 외반형은 대부분의 기종

에서 다양하게 확인되고 있는 만큼 병의 구연분석에서도 외반형의 세부 구분은 연구자간에 차이를 보인다. 예를 들어 외반형을 구순을 중심으로 둥근구순, 각진구순, 요철구순 등 끝단의 형태를 기준으로 나누기도 있지만, 경부에서 직선적으로 외반하는지, 한번 꺾여 외반하는지 여부로 나누는 경우도 있다. 또한 경부에서 각지게 꺾여 구순이 외반하는지, U자형과 같이 부드럽게 외반하는지 등의 구분도 있다(그림 14).

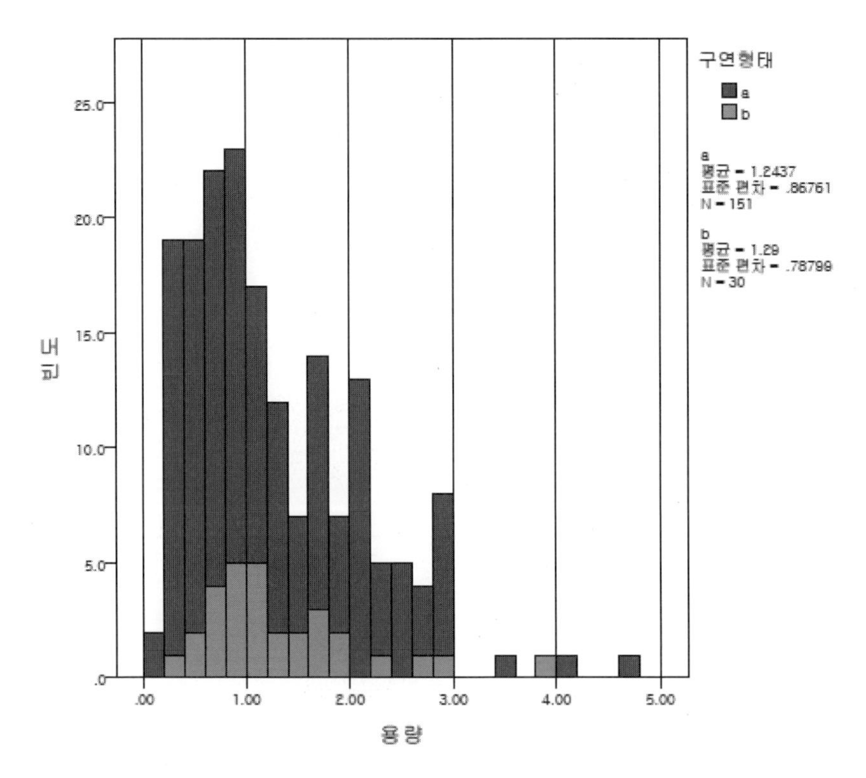

〈그림 13〉 병의 용량 히스토그램 (변수:구연형태, N-181)

연구자	둥근외반형	각진외반형	요철외반형	반구형
성정용(1994)	-	-	 a(둥근 것)	 b(홈이 져 있는 것)
방유리(2001)	 둥근 것	 각진 것	-	-
김종만(2004)	 A(외반)	-	-	 b(반구)
土田純子 (2005)	-	a1	 a2	c1
	-	 b1	 b2	-
	-	 b3	b4	-

연구자	사선나팔상외반	직립외반, 경부C자형외반	반구형외반
변희섭(2014)			

연구자	단순외반	구순꺾인외반	구순들린외반	반구형
국립문화재연구소 (2013)			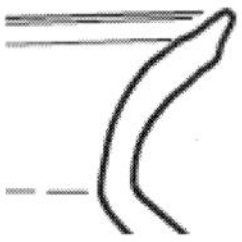	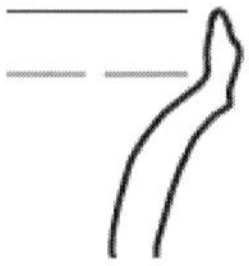

<그림 14> 연구자별 병의 구연부 형식구분 각종

분류 기준	기본 호류의 구연부 형태(a)			반구형(b)
세부 기준	단순 구연	요철 구연	뾰족구연 (삐침구연)	반구형 구연
도면	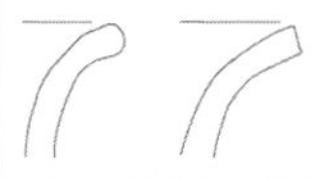			

〈그림 15〉 구연형식 각종

그러나 대부분의 분석에서 구순형태의 대체적인 경향성은 병뿐만 아니라 호류 전반에서 확인되는 변화상을 공유하고 있고, 각각의 구연형태가 동일 유구 내에서나 유적 내에서 동시에 확인되는 사례도 많아 분류를 세분하면 할수록 복잡한 양상으로 전개될 우려가 있다. 따라서 본고에서는 외반형(a)과 반구형(b)만을 구분하여, 동최대경고비와 동체볼록도(저부비), 용량 등과의 상관성 상에서 단순화에 검토해 보고자 하였다. 특히 반구형의 경우 구연부를 특징적으로 제작하는 만큼이나 제작에 있어서 고급기술이 적용되기 때문에 시대적 유행에 따라 민감하게 변화되었을 가능성이 있어 별도로 분석을 실시하였다.

한 가지 더 설정한 기준은 용량(ℓ)이다. 병은 0.1~4.7ℓ까지 다양하게 확인된다. 그러나 용량군에서 집중적으로 제작되는 구간이 확인되는데, 0.1~1ℓ구간과 1~2ℓ구간, 그리고 2ℓ이상 구간이다. 물론 반 이상이 1ℓ미만으로 제작되고 있다. 이러한 용량군별로 동최대경고비나 동체볼록도에서 차이가 발생할 수도 있고 시기별 제작용량별 선호도라던가 부장품으로 사용되는 것과 같은 세부 용도 문제에서 정보를 제공해 줄 가능성이 있기 때문이다. 본고에서는 1ℓ미만을 Ⅰ군, 2ℓ미만을 Ⅱ군, 2ℓ이상을 Ⅲ군으로 분류하였다.

용량 계측은 CAD(2007)을 이용하여 경부 이하 동체내부만을 수치화 하였다.

2) 분석 결과

편의상 지역권 설정을 실시하였다. 서울경기권과 영산강유역권은 기존의 연구성과를 반영해 분석대상을 삼았고, 충청·전라지역의 경우 변희섭[37]의 연구에서 분류된 미호천유역, 충남남부, 공주·부여(금강 중류), 논산지역(금강 중류), 전북서부 등 분류안을 적용하였다.

(1) 동최대경고비, 동체볼록도, 구연형태, 용량 비교

대상 유물 224점 중 분석이 가능한 부위별로 구분하여 분석을 실시하였다. 먼저 동최대경고비는 평균 0.57이며 동체볼록도는 0.61, 용량은 1.1ℓ로 확인되었다.

지역권역별로 동최대경고비는 서울경기권이 제일 낮고 미호천>전북서부>논산>공주부여>영산강>충남남부 순으로 높았는데, 동최대경고비 0.6을 기준으로 서울경기권과 미호천지역, 전북서부와 다른 지역권간의 격차가 벌어지고 있다. 동체볼록도도 동최대경고비의 경향과 유사한데, 0.6을 기준으로 앞선 세 지역과 논산까지 포함하는 지역권과 다른 지역권간의 격차가 벌어지는 것을 볼 수 있다. 용량군은 생활유적에서 출토되는 빈도가 높은 서울 경기권의 용량군이 가장 높았고 고분 부장품은 대부분 1ℓ 전후 혹은 이하의 용량군을 보이고 있어 생활유적과 분묘 유적에서의 부장품간의 제작상 구분되었을 가능성이 높을 것으로 추정된다.

(2) 동최대경고비

구연부 a는 외반형을, b는 반구형을 나타낸다. 외반형의 비중이 압도적이어서 양자간의 비교에 무리가 있지만 반구형의 형태가 동최대경고비에서 평균이 약간 높고 구간폭이 적다는 점이 확인된다. 구연부 a는 평균 0.57을, 구연부 b는

37) 변희섭, 2015, 앞의 논문.

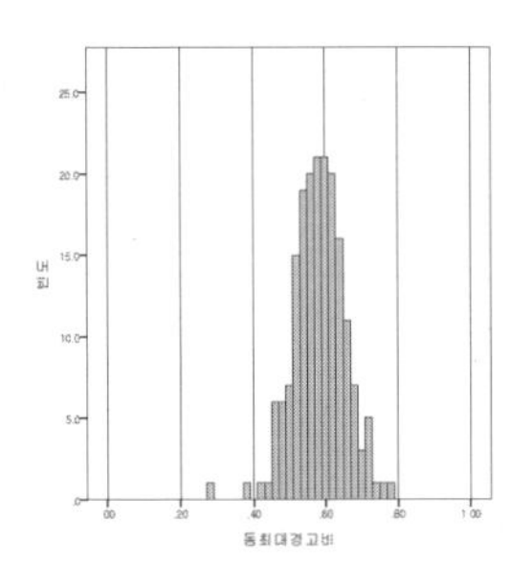

〈그림 16〉 병의 동최대경고비 (평균=0.57, N=184)

〈그림 17〉 병의 동체볼록도 (평균=0.61, N=194)

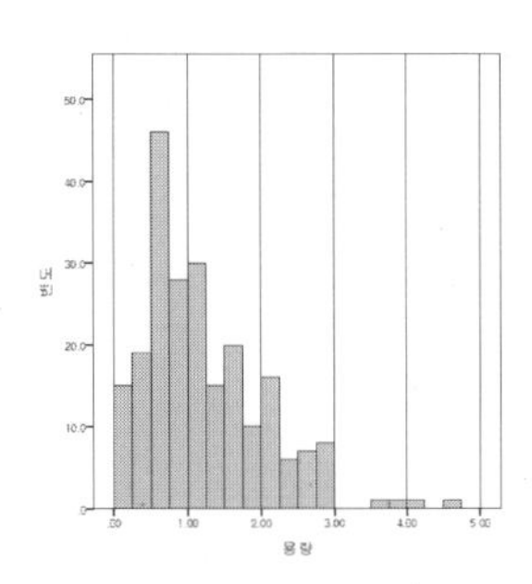

〈그림 18〉 병의 용량 (평균=1.199, N=224)

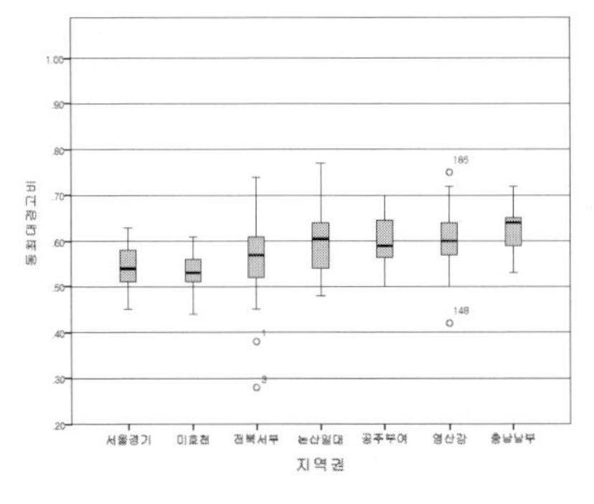

〈그림 19〉 지역권별 동최대경고비 비교

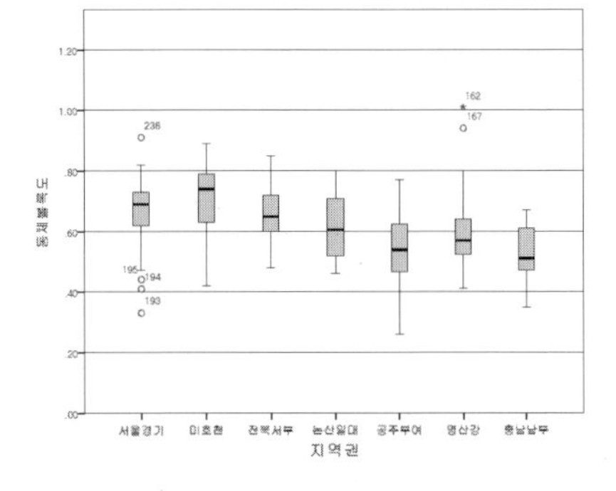

〈그림 20〉 지역권별 동체볼록도 비교

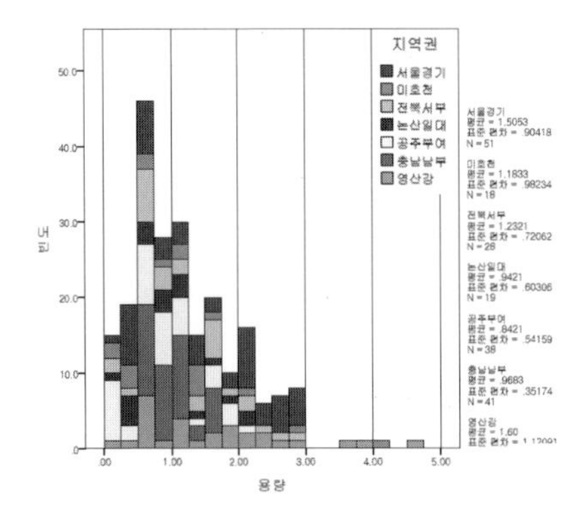

〈그림 21〉 지역권별 용량분포 히스토그램

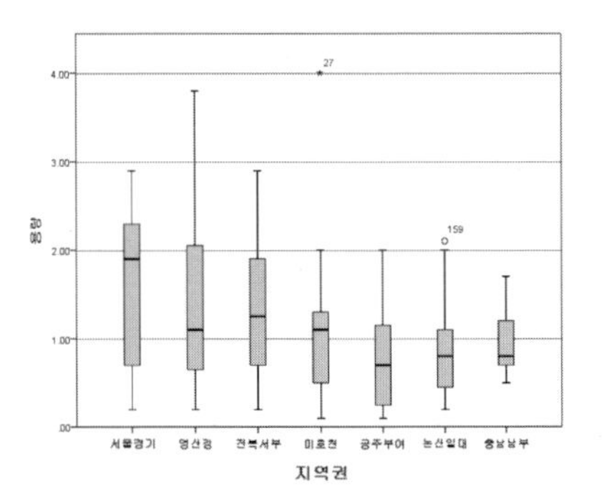

〈그림 22〉 지역권별 용량 분포 상자 도표

평균 0.6을 보였다. 역시 서울 경기권에서 확인되는 중국제 반구병이나 계수호 등의 동최대경이 상부에 위치하고 있는 점과 비교한다면 제작초기부터 이러한 중국제 물품의 기형을 본떠 제작되었을 가능성이 높다.

외반구연만을 분석했을 때 서울경기>미호천>전북서부>영산강>논산>공주부여>충남남부 순으로 동최대경의 위치가 상부로 올라가고 있음을 확인할 수 있다.

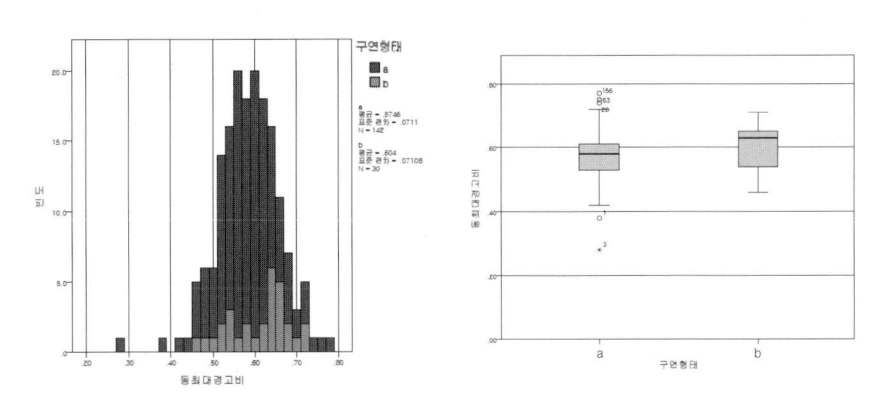

〈그림 23〉 구연형태별 동최대경고비(구연(a) 평균=0.57, N=142/ 구연(b) 평균=0.60, N=30)

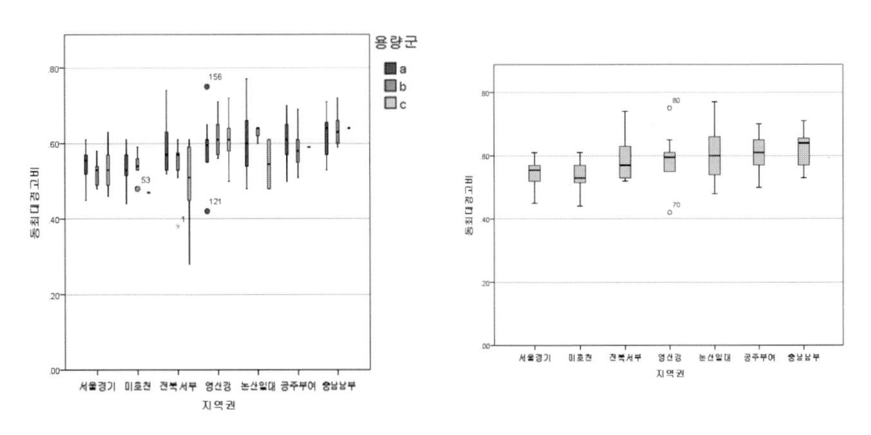

〈그림 24〉 지역권별 동체부경고비(변수:용량군)

〈그림 25〉 용량군a의 지역별 동최대경고비

(3) 동체볼록도-구연형태-용량군

구연형태별 동체볼록도는 동최대경고비의 결과치와 유사하다. 반구형의 형태가 동체볼록도가 낮고 그 구간폭도 좁게 확인되고 있어 기형적으로 어느 정도 일관된 기형제작이 이루어졌을 가능성이 있다. 외반구연만 동체볼록도를 통계를 산출했을 때 공주부여권과 충남남부권이 가장 낮게 제작되는 속성이 두드러졌던 것을 확인할 수 있다.

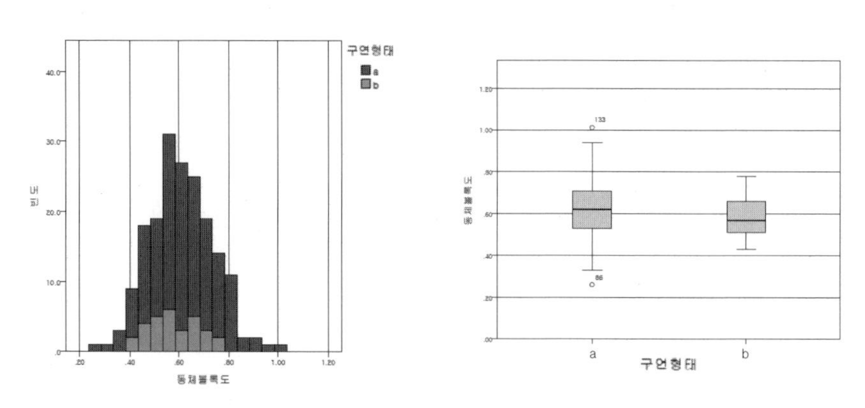

〈그림 26〉 구연형태별 동체볼록도(구연(a) 평균=0.61, N=154/ 구연(b) 평균=0.58, N=30)

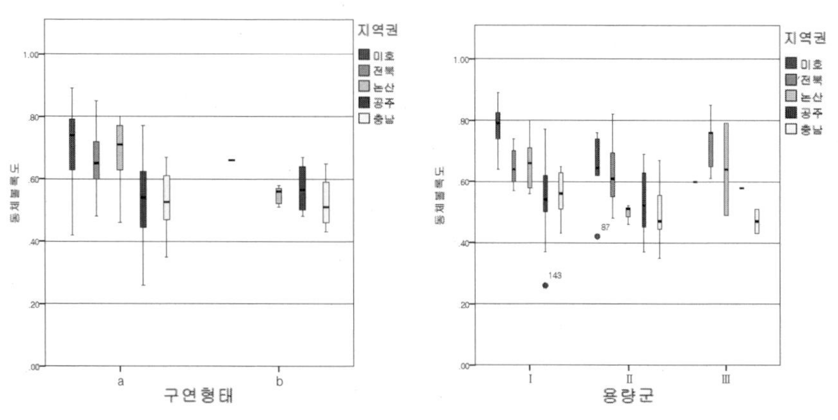

〈그림 27〉 구연형태별 동체볼록도(변수:지역권) 〈그림 28〉 용량군별 동체볼록도(변수:지역권)

(4) 반구형 구연(b) 분석

반구형 구연(b)을 가진 병만을 별도로 분석을 실시하였는데, 용량에 있어서는 최초로 출현하는 지역인 서울 경기권에서 용량이 가장 높게 나왔고, 영산강 유역의 경우 2점만 분석대상에 포함되어 있어 산출된 분석치가 높게 나온 양상이다. 나머지는 대부분 1ℓ 미만 용량군으로 공주부여, 논산, 충남남부 일대가 유사하게 확인된다. 동체볼록도에 있어서도 서울경기권과 영산강, 미호천 유적권과 공주부여, 논산일대와 충남남부권의 세지역 군에서 대별되는 양상이다.

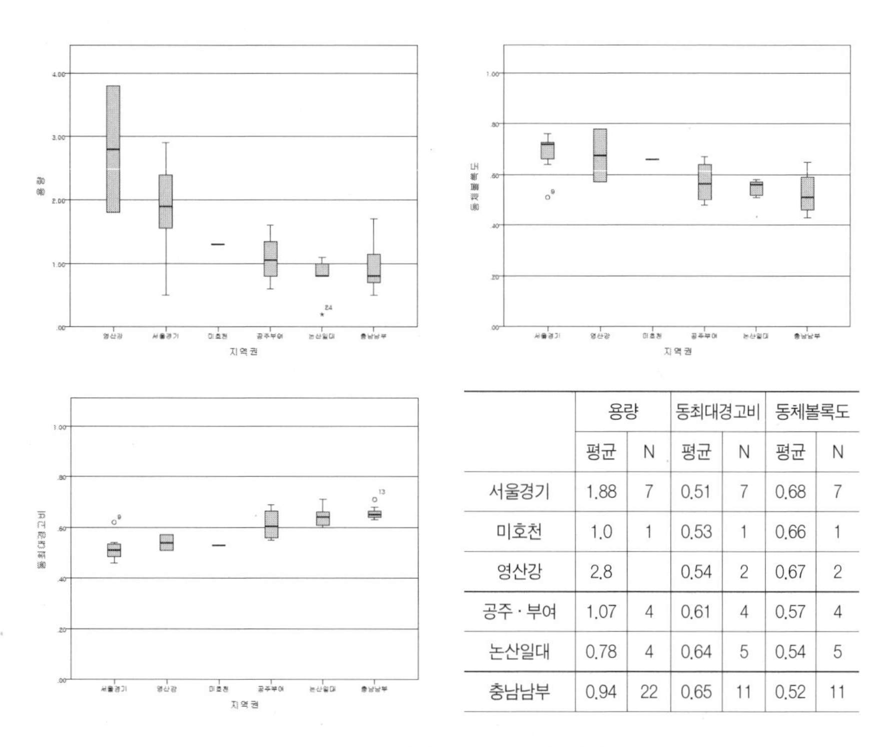

	용량		동최대경고비		동체볼록도	
	평균	N	평균	N	평균	N
서울경기	1.88	7	0.51	7	0.68	7
미호천	1.0	1	0.53	1	0.66	1
영산강	2.8		0.54	2	0.67	2
공주 · 부여	1.07	4	0.61	4	0.57	4
논산일대	0.78	4	0.64	5	0.54	5
충남남부	0.94	22	0.65	11	0.52	11

〈그림 29〉 반구형 구연(b) 분석 각종

(5) 용량

본고에서는 용량군의 기준을 1ℓ미만을 Ⅰ군, 2ℓ미만을 Ⅱ군, 2ℓ이상을 Ⅲ군으로 분류하였다. 이러한 용량군을 기준으로 지역권 상관없이 동체볼록도와 동최대경고비를 분석한 결과, 동체볼록도는 Ⅱ군이 제일 낮고 Ⅰ군과 Ⅲ군순으로 높다. 동최대경고비는 Ⅰ군이 제일 높고 Ⅱ군과 Ⅲ군순으로 낮게 확인되었다.

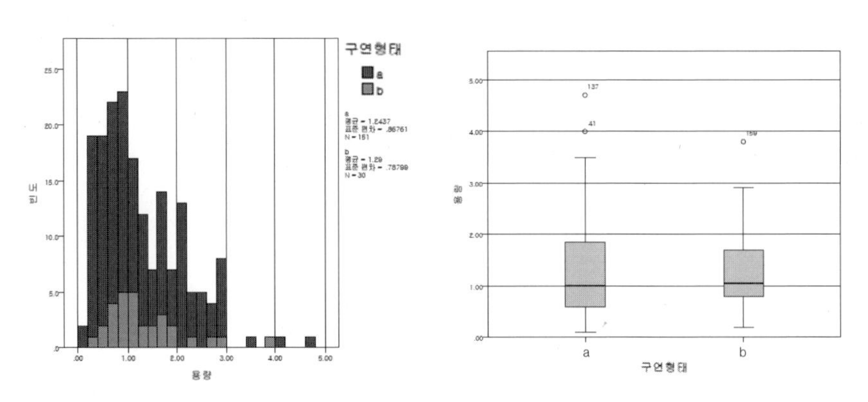

〈그림 30〉구연형태별 용량비교(구연a평균=1.24, N=151/ 구연b평균=1.29, N=30)

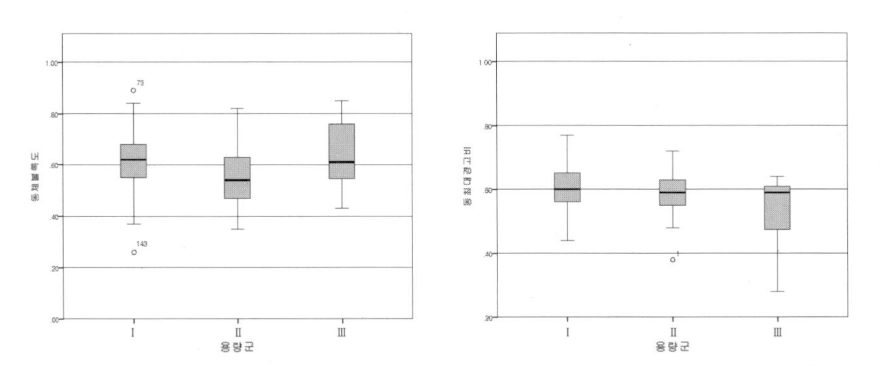

〈그림 31〉 용량군별 동체볼록도(좌)와 동최대경고비(우) 비교

이렇게 동최대경고비와 동체볼록도를 지역권을 설정하여 각각의 명목속성에 대비하여 분석한 결과, 대체로 병이 초현하는 서울 경기권의 경우 동최대경고비가 낮은 대신에 동체볼록도가 높은 원통형의 형태가 다수를 점하는 것을 확인할 수 있었다. 또한 지역적으로 분석결과가 대체로 서울경기권을 시작으로 미호천유적 > 전북서부 > 공주부여-논산지역-영산강 > 충남남부 순으로 수치들이 상향되거나 하향되는 경향이 강해 이러한 양상이 시기별 병의 변천과 관련성이 높을 가능성이 있다. 반구형의 경우 기형적 변이가 외반구연형에 비해 작지만 용량에 있어서는 서울경기권이 대용량으로, 나머지는 소용량으로 제작되는 차이점이 확인된다. 현재 서울 경기권에서 반구형의 구연을 가진 중국제 청자는 반구호와 계수호인데, 계수호는 석촌동 고분군에서 출토된 한 점이고 나머지는 대부분 대형의 반구호편이다. 생활유적에서 출토되고 있어 실생활에 사용가능한 대용량을 선호했을 것이라는 점에서 다른지역에 비해 큰 용량으로 제작되는 정황을 이해할 수 있다.

3. 병의 편년

병은 백제 한성기 토기의 기존의 편년안[38]에서 한성백제 Ⅱ기의 분기점을 이루는 신기종의 일기종이다. 이후 생활용기로서 다수 제작되지만 점차 고분의 부장품으로의서 기능이 강화되어 제작·사용되게 된다. 따라서 지금까지의 연구사도 고분출토품으로 중심으로 이루어져 왔다. 따라서 병의 편년은 기본적으로 고분출토품이 다수이기 때문에 고분연대를 기준으로 하거나 고분부장

38) 박순발, 1989, 「漢江流域 原三國時代의 土器의 樣相과 變遷」, 『韓國考古學報』23, 韓國考古學會.

품 중 편년이 용이한 개배나 고배 등의 연대에 기준하여 설정되어 왔다. 다른 기종 등도 교차편년에 의한 편년의 보정이 다수 이루어지지만, 병의 경우 분석을 통해 볼 때 단독으로 편년의 기준을 수립되기 어려운 기종중의 하나라고 보여진다. 그러한 가장 큰 이유는 변화양상의 대체적인 경향성은 감지되지만 다수의 다른 형식들이 섞여서 출토되거나, 경향성이 역전되는 양상 등이 확인되기 때문이다. 서울 경기권의 경우 동체볼록도가 높다고 하더라도 구형도 다수 공존하게 때문에 교차편년의 필요성이 매우 높다. 또 한 가지 문제점은 보령 연지리 고분군과 같이 기형이 매우 정연하게 제작되어 부장되는 경우도 있지만 대개는 부장품으로 제작되기 때문에 정형성을 갖추어 제작되지 않고 명기로서 간단하게 제작되는 경우도 많아 소형병의 경우 형식의 순차적인 변이를 파악하기 어려운 사례도 있다. 이러한 문제점 때문에 형식을 보다 미세하게 세분하고 나열하고, 각 지역별로의 양상을 별도로 분석해야만 병의 특질을 구분해 낼 수 있었다.

〈표 6〉 금강유역 단경병 출토유적 단계설정과 전개양상(변희섭, 2015)

유적	충남 북부	충남 남부	전북서부	미호천유역	금강중류 논산	금강중류 공주·부여	금강하류
유적명	부장리, 낫머리, 여미리, 방죽골, 읍내리	보령리, 연지리, 장현리·구룡리·노천리·동대동·지선리	상운리, 마전·장동, 용흥·용교·신정동·중월리	신봉동, 가경, 용원리, 주성리	표정리, 모촌리, 두월리, 육곡리	저석리, 산의리, 염창리, 단지리, 동남동·쌍북리·가탑리·부소산성	산월리, 여방리, 당북리, 용포리·모현동, 봉선리, 당정리, 화산리, 추동리 Ⅰ, 추동리 Ⅱ
시기	Ⅰ(4C 중·후, 5C 전·중) / Ⅱ(5C 후, 6C 전) / Ⅲ(6C 중·후, 7C 전·중)						
지역적 특징	ⅠA~ⅡC형 a·b류 중심 말각평저	ⅡB~ⅡC형 c류 중심, 횡침선	ⅠA~ⅡC형 동체횡장 저경넓음	ⅠA~ⅠB형 a·b류 중심	ⅡA~ⅡC형 a·b·c류로 다양	ⅠA~ⅡC형, a·b·c류로 다양 유적별 특징(단지리)	ⅠA~ⅡC형, a·b·c류로 다양
형태변화	ⅠA·ⅡA·ⅡB·ⅡC·ⅢB형 ↓ ⅠA형 소멸/ⅡB형등장(5C 후엽)	ⅡB·ⅡC·ⅡB형/a·b·c류 ↓ ⅡC형 /c류 증가	ⅠAa·ⅠAa(ⅠBa)식(4C) ↓ ⅡBa·ⅡBd(5C전반) ↓ ⅡB·ⅡB·ⅡC(5C후반~6C)	ⅠA·ⅡA·ⅠB형 /a·b류 공존전개	ⅡAa·ⅠBa식(5C) ↓ ⅡCb·ⅡBa·ⅡBc·ⅡCc식 (5C후엽~6C)	ⅡB·ⅡC·ⅡB형 ↓ ⅡC형 추가(5C후엽~)	ⅠA·ⅡA·ⅡB·ⅡB형 ↓ ⅡC형 추가(5C후엽~)
유구	분구묘·토광묘(5~6C초) →수혈식석곽묘·횡구식석곽분(6C전중엽)	횡구식석실 →횡혈식석실	분구묘(4~5C)→ 횡구식석실/횡혈식석실(6C~7C)	토광묘·수혈식석곽묘 (4C후엽)→목곽묘 (5C전엽)	수혈식석곽/석곽옹관(5C전중)→횡구식석실·횡혈식석실(6C중후엽)	수혈식석곽(5C중엽~)→ 횡혈식/횡구식(5C후엽~6C중엽)	토광묘(4C말~5C전엽)→ 수혈식석곽/횡혈식/횡구식(5C중엽~6C중엽)
부장양상	철기+연질호(단경병 미부장):4C대 ↓ 병1+경질호(+철도자 1~2점):5C대 ↓ 병1(+개배1)(+삼족기 2~3점):5C말~6C중엽	:병2+개배1~2점(6C후엽이후) ↓ 병1~2점(+개배 1~2점)(+삼족기) ↓ 병1~2점(+삼족기 1~2점)	철기+병1+호류 1~2점(4C~5C) ↓ 철기+병1+개배(6C) ↓ 병1+개배(+삼족기)(6C후엽이후)	병+철기류+광구호+호+파배등	광구장경호+기대(4C후엽) ↓ 병형토기추가(5C전엽) ↓ :광구장경호소멸/삼족기 및 개배(6C전엽) ↓ 박장화/일부병+소형토기류(6C중엽이후)	병+호류+심발+삼족기+개배+철기(5C대) ↓ 철기류 부장감소(5C후엽~6C초) ↓ 병+호류(6C전엽) ↓ 박장화(6C중엽이후)	4C말~5C중후엽:병+단경호+직구호+고배+철기류 ↓ 5C중후엽:삼족기+개배 추가 ↓ 6C중엽이후 : 박장화

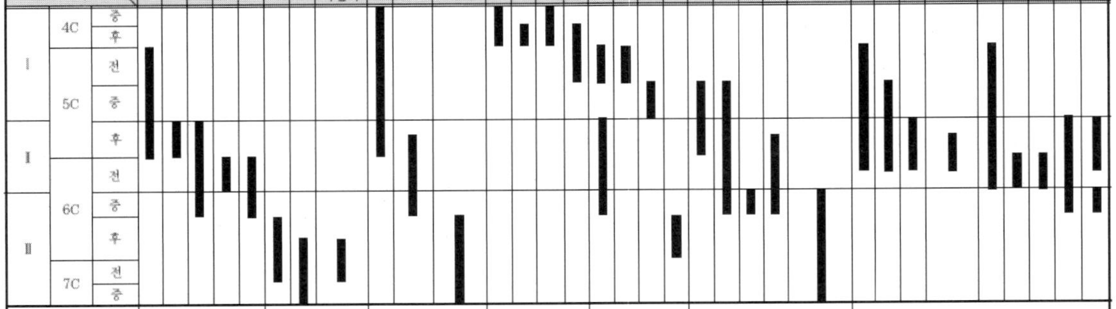

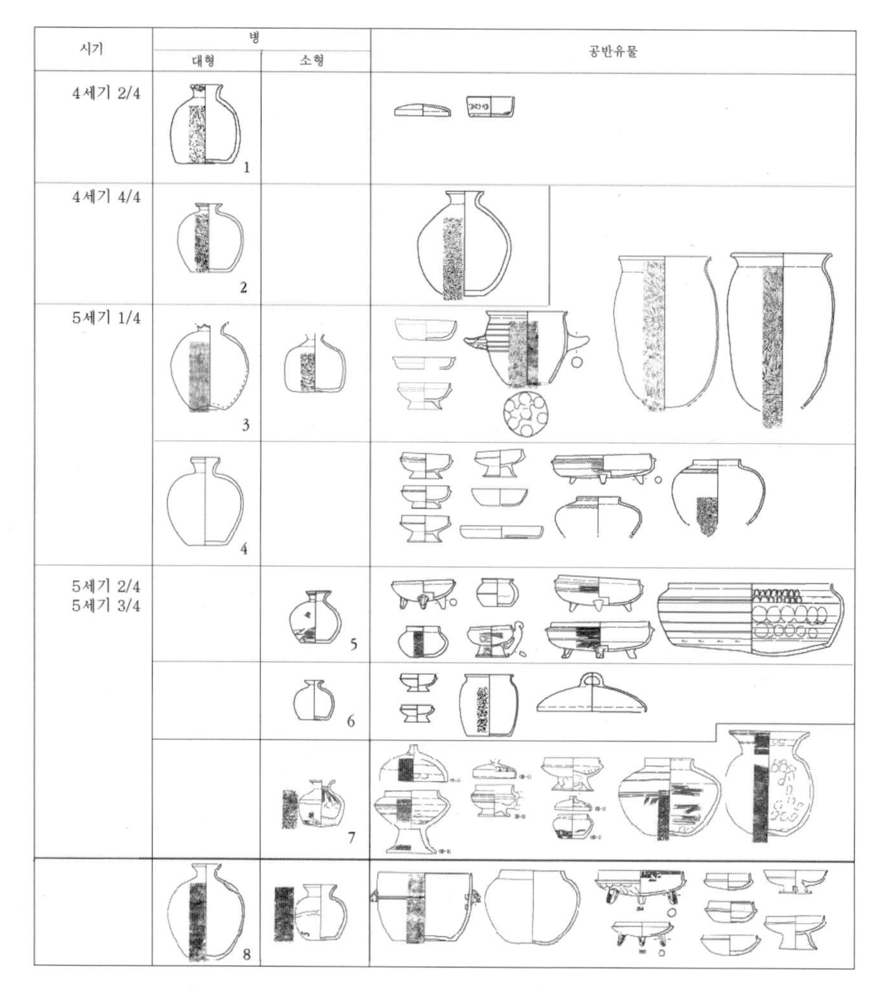

〈그림 32〉 병의 공반유물(1)

1. 풍납(XI)가-21호 수혈, 2. 몽촌(85) 2호 저장공, 3. 풍납(XI)가-4호 부뚜막, 4. 풍납(XI)가-4호 주거지
5. 풍납(XI)가-1호 주거지, 6. 몽촌(85) 1호 토광묘, 7. 공주 수촌리 5호 석실분, 8. 군산 산월리 8호분

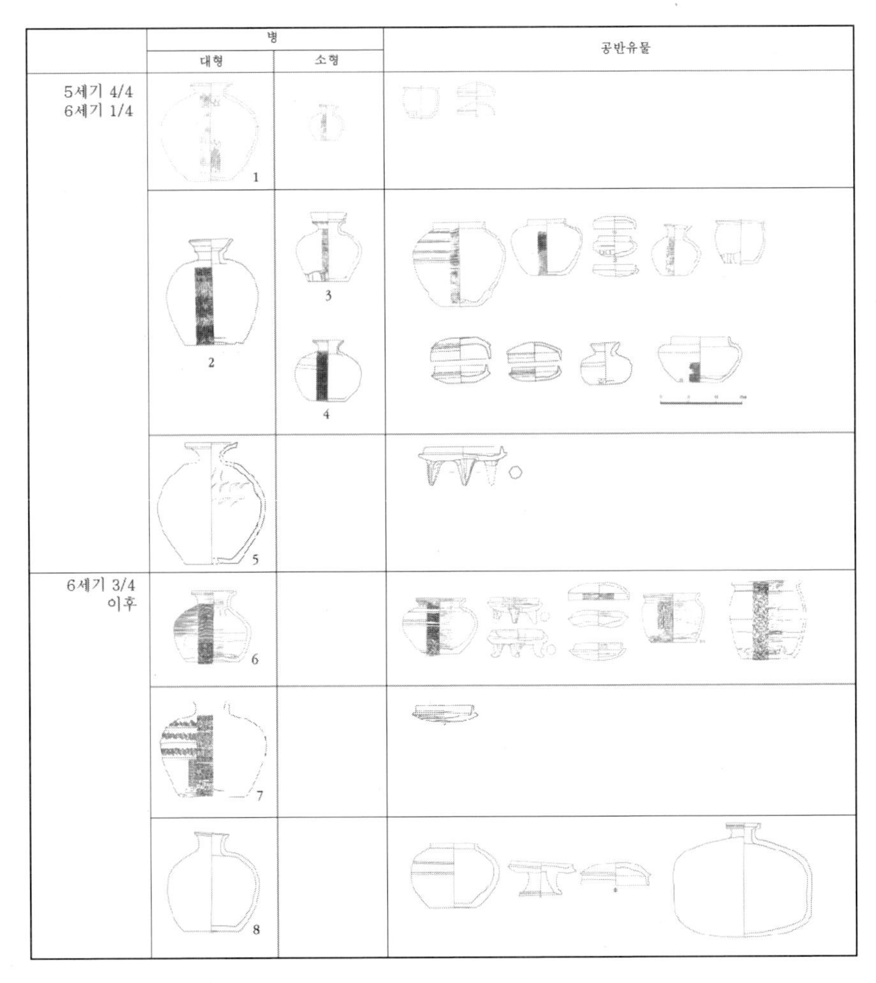

〈그림 33〉 병의 공반유물(2)

1. 공주 산의리 21호 석실분, 2. 나주 복암리 3호분 제4호 옹관, 3. 공주 산의리 3호 석실분,
4. 나주 복암리 3호분 제7호 옹관묘, 5. 정읍 신정동 A지구 3호분, 6. 공주 단지리 4지구 18호 횡혈묘,
7. 서산 여미리 1지구 3호 석곽분, 8. 함평 월계리 석계 4호분

	한성백제2기	웅진기	사비기
백제 중심권	1 2 3 4	5 6	7 8 9
미호천 유역	10 11 12 13		
충남 북부	14 15	16 17 18	
전북 서부	19 20	21 22 23	
금강 하류	24 25 26	27 28 29	
논산 지역	30	31 32 33	34
충남 남부			35 36 37 38
영산강 유역권	39	40 41 42	43 44 45 46

1. 몽촌토성(87)1호주거지소형저장공
2. 풍납토성(16) 206호 유구
3. 풍납토성(11) 가-4호주거지
4. 풍납토성(3) 삼화중층
5. 공주 산의리 3호 횡혈식석실분
6. 공주 단지리4지구3호횡혈묘
7. 부여 염창리3-2호횡구식석실분
8. 부여 동남동172-2번지 유물포함층
9. 공주 산의리30호횡구식석곽묘
10. 청주 신봉동(90A)52호토광묘
11. 청원 주성리7호토광묘
12. 청주 신봉동(95)19호토광묘
13. 천안 용원리105호토광묘
14. 서산 부장리7호분5호토광묘
15. 서산 부장리4호분구 4호토광묘
16. 부장리지표
17. 완주 상운리 라1호분 2호석곽묘
18. 서산 여미리3호횡구식석곽분
19. 전주 마전4호분3호토광묘
20. 부안 죽막동
21. 완주 용흥리 지표
22. 완주 용흥리 A지구 3호분
23. 순창 대정4호 횡구식석실분
24. 서천 봉선리(05)2-14호수설식석곽묘
25. 서천 봉선리(05)1-1호수혈식석곽묘
26. 군산 산월리8호횡혈식석실분
27. 군산 당북리5호수혈식석곽묘
28. 웅포리2호횡혈식석실분
29. 화산리17호횡구식석곽분
30. 두월리5호수혈식석곽묘
31. 포정리(1976)횡혈식석실분
32. 포정리(1976)횡혈식석실분
33. 논산 육곡리 가야곡면 출토품
34. 논산 표정리(A지구)7호횡구식석곽분
35. 보령 연지리KM004호횡혈식석실분
36. 웅천 노천리
37. 보령 연지리KM048횡혈식석실분
38. 보령 연지리KM010호횡혈식석실분
39. 해남 월송리 조산고분
40. 나주 복암리 2호분북쪽주구
41. 영광 학정리 대천 3호분
42. 나주 복암리 3호분 4호 옹관묘
43. 나주 복암리 3호분 7호 석실묘 연도
44. 나주 복암리 3호분 7호 석실묘 연도
45. 장성 학성리 A지구 6호분
46. 장성 학성리 B지구 1호분

〈그림 34〉 병의 지역별 시기별 변천

여기서는 기존의 연구성과 중 각 지역별, 시기별 세분된 편년안을 제시한 변희섭[39]의 안을 제시하는 병의 출토 공반유물에 대한 나열을 하는 것으로 간략하게 정리하고자 한다.

병은 백제 한성기의 경우 서울경기권을 중심으로 미호천유역과 전북서부, 충남북부 등에 유사한 통계치를 보이거나 미세하게 동최대경고비가 높아지거나, 동체볼록도가 낮아지는 등의 양상이 확인된다. 이후 공주 부여로 백제 중앙의 중심이동 이후 논산과 충남남부 쪽의 유사성이 강화되고 있는 것이 엿보이는데, 이것은 백제 중앙의 병의 제작과 관련된 생산 내용이 주변 지역까지 넓게 공유되고 있었다는 점을 보여주는 것으로도 해석해 볼 수 있다. 그로 인해, 시기적으로나 지역적인 유사성과 계기성 등이 병을 통해 파악되는 점은 의미가 있다. 향후 편년의 활용가치는 높다고 할 수 있지만 앞서 편년의 어려움을 언급한 대로 형식이 복잡하고, 계기적 변천이 역전되거나, 明器로서 간소하게 제작되는 등의 변수 들을 고려한 적용이 필요하다고 판단된다.

Ⅳ. 맺음말

완은 개인식기의 발달을 보여주는 지표가 된다. 따라서 개개인이 식기를 사용하는 방식과 인도 등지에 지금도 남아 있듯이 넓은 그릇이나 나뭇잎에 집단으로 손으로 집어 음식을 섭취하는 방식을 구분할 수 있기도 하다. 삼국시대에는 고배, 삼족기를 비롯한 개배, 완, 접시 등 다양한 배식기가 존재해 앞서 개인

39) 변희섭, 2015, 앞의 논문.

식기와 젓가락, 숟가락을 사용했다는 점을 명확하게 인지할 수 있다. 앞으로는 반찬의 가지 수나 내용물, 어떤 음식물을 어떤 그릇에 담아냈는가 하는 용도적인 접근이 좀 더 연구될 필요가 있겠다. 이를 위해서는 당시 중국의 음식문화와 더불어 연구될 필요가 있겠다.

병은 완과 함께 飮酒·飮茶문화의 도입[40]과 관련이 깊은 기종이다. 백제는 4세기 중후반 중국의 청자 완과 함께 계수호 등의 注器를 함께 수입하게 되는데, 이것이 병의 출현과 발달에 영향을 끼쳤을 것으로 추정된다. 평저형의 호형의 형태로 만들다가 점차 중국 청자병과 같이 견부를 발달시키는 형태로 변화하여 세련미를 가미하게 된다. 백제 멸망시점까지 병은 제속적으로 제작되고 한성기와 웅진·사비기를 거치면서 지속적으로 중앙과 지방과의 기형적으로 공유가 되어왔음을 통계적으로도 확인할 수 있었다.

---

40) 박순발·이형원, 2010, 「원삼국~백제 웅진기의 변천양상 및 편년-한강 및 금강유역을 중심으로」, 『백제연구』제53집, 충남대학교 백제연구소.

색　인

ㄱ

ㄴ

ㅁ

ㅂ

ㅇ

ㅈ

ㅊ

ㅌ

ㅍ

ㅎ